Soyez bien
dans votre
assiette
jusqu'à 80 ans
et plus

Dr C. KOUSMINE
Lauréate de l'Université de Lausanne

Soyez bien dans votre assiette jusqu'à 80 ans et plus

Les maladies dégénératives.
Leurs causes, leur gravité, leur fréquence.
Comment lutter contre elles ?

FRANCE LOISIRS
123, boulevard de Grenelle, Paris

Édition du Club France Loisirs, Paris,
avec l'autorisation des Éditions Sand

ISBN : 2-7242-6053-8

In Memoriam
Cet ouvrage est dédié
à la mémoire de Jean-Pierre Gaillard,
mon fidèle collaborateur.

Je tiens à exprimer ici toute ma reconnaissance aux nombreuses personnes qui, au cours des années, de près ou de loin, m'ont secondée et permis de mener à bien ce travail.

Mlle Claire Widmer, pendant quatre ans et avec patience, s'est chargée bénévolement de la mise au point du manuscrit : à elle vont mes remerciements particulièrement chaleureux.

L'homme qui pense et observe pour lui-même est un sage ; mais celui qui en plus de cela tient compte de la pensée et des observations d'autrui et ne dédaigne pas non plus l'opinion de ceux qui paraissent insignifiants, celui-là est un maître des siècles.

ARISTOTE

Santé est notre vie. Sans santé n'est la vie, ni la vie valable.

RABELAIS

Il n'y a rien que les hommes aiment mieux conserver et qu'ils ménagent moins que leur santé.

LA BRUYÈRE

La santé a sa source en dehors de la sphère de la médecine. Elle dépend de l'observation de lois immuables. La maladie est la conséquence de la violation de ces mêmes lois.

Madame E.G. WHITE

C'est l'individu seul qui peut faire sa santé.

Jean TÉMOLLIÈRE

En Chine, on souscrit un abonnement auprès de son médecin, mais on cesse de l'honorer quand on est malade. Le médecin a ainsi tout intérêt à ce que ses clients soient bien portants.

Cité d'après le docteur Paul GILLET

Introduction

Dégénérescence de la race... Maladies dégénératives...

Victime de son conditionnement, l'homme actuel est incapable de reproduire intégralement les caractères propres à son espèce.

D'une génération à l'autre nous devenons plus fragiles : nos enfants ont les dents cariées ; ils sont agités à l'école, ils ont de la peine à se concentrer, donc à s'instruire. Dès les plus petites classes un enfant sur cinq porte des lunettes ; parmi les adolescents, la moitié ont le dos voûté.

Les seins des femmes ont changé de consistance : ils ont perdu leur structure normale, finement granuleuse ; ils sont devenus fibreux, grossièrement et irrégulièrement grenus, kystiques, pleins de nodules de diverses grandeurs. Les jeunes mères ne peuvent plus allaiter leurs enfants. Telle femme de quarante ans a eu la matrice enlevée pour un volumineux fibrome. Telle autre est affligée de maux de tête constants et de constipation. Tel couple, déclaré normalement constitué, reste cependant stérile. Monsieur Vingt-cinq (page 187) et l'enfant Vingt-six (page 188) souffrent depuis des années d'eczéma, Madame Seize (page 179) de psoriasis, Monsieur Vingt-sept (page 189) d'urticaire rebelle : la dermatologie est incapable de les guérir. Madame Trois (page 166) gémit et boite, car depuis des années elle a, à la plante des pieds, de volumineux cors qui lui rendent la marche douloureuse. Mademoiselle Cinq (page 167) fuit les miroirs, afin de ne pas voir sa face, ravagée depuis des années par des pustules d'acné et cela malgré tous les soins apportés.

Personne n'échappe de nos jours aux affections dégénératives. Pourquoi en est-il ainsi ? Peut-on y remédier ? Ce livre apporte la preuve que tel est le cas.

Ainsi Madame Treize (page 176) avait, à trente-sept ans, ses deux seins à tel point remplis de kystes et de volumineux nodules que leur ablation fut envisagée. Cependant, deux ans plus tard, ils étaient redevenus normaux et le sont restés au cours des dix années d'observation. Les malades mentionnés ci-dessus ont guéri. Les couples Sept et Huit, stériles depuis quatre et neuf ans, étant venus s'instruire, ont pu procréer douze et dix mois plus tard (pages 170 et 171).

Et ce ne sont là que des troubles de santé mineurs. Il en existe de bien plus graves. De nos jours, les maladies dégénératives invalidantes ou mortelles, comme la polyarthrite chronique évolutive, la sclérose en plaques, l'artériosclérose précoce et le cancer, menacent de plus en plus d'individus. La médecine actuelle ne fait que pallier les trois premières. Quant aux tumeurs, elle ne sait que les détruire, sans, dans la plupart des cas, se préoccuper de la raison pour laquelle elles se forment. Aussi bien souvent récidivent-elles à plus ou moins brève échéance. Or, il est possible de faire beaucoup mieux et le malade instruit peut grandement aider son médecin.

L'état de Monsieur Soixante-neuf (page 264), atteint de polyarthrite chronique évolutive à l'âge de trente-trois ans, n'a cessé de s'aggraver et, à cinquante-cinq ans, il est devenu un grand invalide. Il ne peut se mouvoir qu'appuyé sur deux cannes anglaises, la tête bloquée en flexion antérieure. Il est porteur de prothèses articulaires à une hanche et à un genou. Il souffre le martyre, malgré la cortisone, l'ACTH et les anti-inflammatoires. Il semble que rien ne puisse l'aider. Et cependant vingt-deux mois plus tard, il a redressé sa tête et, libéré de ses douleurs, il marche sans cannes dans la rue ! Que lui est-il arrivé ?

Mademoiselle Quarante-sept (page 233) a été atteinte d'un mélanome malin, tumeur cancéreuse, partie d'un grain de beauté sur sa lèvre supérieure. En l'espace de dix mois, elle fut opérée six fois pour des récidives locales et ganglionnaires ; trois mois après la sixième intervention, la tumeur revint au bas de la joue et dans les ganglions cervicaux à droite. L'avenir de cette jeune fille semblait catastrophique à brève échéance. La septième intervention fut différée de trois mois, au cours desquels elle suivit un traitement général, longuement continué dans la suite. Vingt-deux ans plus tard la tumeur n'avait pas réapparu.

La prévention de la rechute cancéreuse est donc chose possible !

Madame Soixante-quinze (page 273) est mère de trois enfants, âgés de un à six ans. Elle a trente-deux ans, lorsque débute chez elle une sclérose en plaques. En dix-huit mois, cette maladie fait trois poussées de plus en plus graves. Après la première, les lésions nerveuses s'effacent rapidement ; celles de la deuxième ne disparaissent que partiellement, cela après un séjour hospitalier de sept mois et un traitement à l'ACTH. A la troisième poussée les médicaments n'agissent plus. C'est une infirme qui ne peut plus contrôler sa vessie et se déplace péniblement, sur ses cannes. Elle est incapable de tout travail. Et cependant, deux ans plus tard, elle l'a repris à 90 %. Aucune rechute ne s'est produite en cinq années d'observation. Comment cela a-t-il été possible ?

Amis lecteurs, et surtout amies lectrices, vous qui désirez avoir de beaux enfants et qui êtes les principales responsables de la nourriture de votre famille, instruisez-vous. Vous verrez que les moyens employés sont à la portée de tous.

La voie vers une meilleure santé vous est ouverte.

Il sera toujours plus difficile et bientôt impossible de remorquer le cortège de tous ces malheureux.

Aidez vos médecins !

Aidez-vous, vous-mêmes !

N'acceptez pas que la décadence de notre race se poursuive inéluctablement.

Avant-propos

En 1935, Alexis Carrel (prix Nobel de médecine en 1912) s'est acquis une notoriété mondiale par la publication d'un livre intitulé *L'homme, cet inconnu*, dans lequel il a étudié sous de multiples aspects l'influence néfaste qu'exerce notre civilisation industrielle sur le genre humain. D'après lui, cette influence délétère agit sur les plans physique, psychique et moral et amène peu à peu une dégénérescence de la race humaine, la production accrue d'êtres affaiblis n'ayant ni la résistance, ni la volonté de leurs prédécesseurs.

Alexis Carrel pousse un cri d'alarme et nous avertit que si nous ne nous décidons pas à une réforme énergique, notre civilisation deviendra de plus en plus décadente. Elle créera des non-valeurs sociales, dont le poids sur les mieux doués et les capables deviendra de plus en plus intolérable, finissant par les affaiblir à leur tour et les rendre improductifs.

Cette évolution, nous dit-il, a été causée par la prévalence que la société a donnée à la technique industrielle et au rendement pécuniaire, au détriment de l'intérêt réel et profond des individus dont elle est formée.

Malgré la notoriété de Carrel, la pertinence de ses affirmations et le très grand nombre de ses lecteurs, nos mœurs ne se sont guère modifiées depuis la parution de son livre il y a quarante ans. Notre société continue à dégénérer. Le nombre des déficients, des malformés et des malades chroniques ne cesse d'augmenter. Le coût de la maladie devient exorbitant : il ne cesse de croître et atteint déjà 8 % du revenu national brut.

De tous les sujets traités par Carrel, nous aimerions reprendre ici le chapitre de la malnutrition moderne. Alexis Carrel n'explique que fort succinctement en quoi consiste cette malnutrition et comment il faudrait la combattre. Il ne donne aucune indication technique précise, qui permette à chacun de corriger sa façon de se nourrir et, par là, d'améliorer sa santé. Nous aimerions combler cette lacune, en nous basant sur les notions acquises au cours des dernières quarante années et rendre la compréhension des faits accessible à tous.

Depuis plus de trente ans, nous n'avons cessé de combattre la malnutrition et nous avons pu à maintes reprises nous émerveiller de l'effet tant préventif que curatif de la réforme alimentaire, telle que nous l'avons pratiquée. En accord avec les affirmations de Carrel, notre expérience nous a montré que l'homme s'est placé dans des conditions inacceptables pour lui, car sa capacité d'adaptation, comme celle de tous les êtres vivants, est limitée.

En fournissant au lecteur les notions de biologie indispensables, nous aimerions lui faire comprendre les raisons pour lesquelles nous ne pouvons vivre selon tous nos caprices ou au gré de notre fantaisie, qu'il y a des limites qui ne peuvent être outrepassées. Si nous les franchissons quotidiennement — ce qui actuellement arrive sans cesse — nous devons le payer par des maladies diverses. D'abord bénignes, puis plus graves, invalidantes, irréversibles et mortelles elles surviennent, d'une génération à l'autre chez des êtres de plus en plus jeunes. Souvent elles ne se montrent pas chez les parents, qui pourtant ont déjà commis les erreurs déterminantes, mais seulement chez leurs descendants. Ce fait signifie que de tels parents ont affaibli le matériel génétique dont ils sont porteurs et qu'ils l'ont transmis amoindri à leurs enfants.

Nous devons, comme le dit Carrel, respecter les lois de la vie, sans quoi, inexorablement, à plus ou moins brève échéance, notre civilisation est appelée à disparaître. Dans le passé, bon nombre de brillantes civilisations ont disparu, probablement pour des raisons analogues.

J'aimerais atteindre des lecteurs, beaucoup de lecteurs, les rendre conscients de nos erreurs et leur expliquer ce qu'il importe de faire pour se protéger du malheur. J'aimerais que chacun comprenne qu'il ne peut compter que sur lui-même, qu'il est responsable de sa personne, que le corps dont il dispose doit être géré comme n'importe quel autre bien.

Je ne suis pas seule à être de plus en plus alarmée par l'évolution actuelle de la santé publique. En 1974, le Professeur Schär, directeur de l'Institut de médecine sociale et préventive à l'Université de Zurich, a dit : « La population, en particulier la jeunesse, doit prendre conscience que la santé — notre bien le plus précieux — ne va pas de soi, mais doit être préservée au fil des jours par un mode de vie sain. Il ne suffit pas à un peuple d'entretenir un appareil sanitaire compliqué et coûteux pour assurer sa santé. En ce qui concerne les maladies chroniques, aujourd'hui prépondérantes, le traitement médical intervient tardivement et ne peut qu'enrayer les progrès de la maladie. Très rarement, il aboutit à la guérison.

Éviter la maladie en prenant soin de sa santé, voilà l'essentiel. S'il était possible de vulgariser les connaissances des causes de maladies, on pourrait réduire de moitié le nombre des malades et éviter au moins un tiers des décès prématurés. Mais les mesures d'une prophylaxie efficace ne passent ni par la contrainte légale, ni par des dispositions ordonnées par les autorités compétentes en matière de santé. Les chances de voir progresser une prévention efficace sont les plus grandes là où l'influence officielle est la plus faible, notamment sur le plan du comportement individuel.

La façon de se nourrir, la façon d'occuper son temps libre, la consommation ou non de produits nocifs contribuent largement à nous rendre sains ou malades. Par notre mode de vie, nous favorisons l'éclosion des maladies de civilisation. Chacun de nous doit se sentir le devoir de prendre en main sa propre santé. Chacun de nous doit devenir conscient que changer les habitudes de vie, nuisibles à notre santé, ne signifie nullement sacrifice ou privation, mais permet au contraire de tirer un meilleur parti des joies et des richesses de la vie. »

C'est à cette vulgarisation de la connaissance des causes de certaines maladies, préconisée par le Professeur Schär, qu'est destiné cet ouvrage.

Première partie

Dis-moi ce que tu manges, je te dirai ce que tu seras...

L'homme du XXe siècle n'est plus capable, au moyen de ses sens atrophiés, de discerner le poison d'un aliment.

Robert J. COURTINE

Au hasard des modes, des snobismes, de la publicité qu'il subit, des conseils émanant des bâtisseurs de méthodes qui ne sont généralement que d'ingénieux commerçants, l'homme se nourrit tantôt d'une façon, tantôt de l'autre, sans savoir si l'aliment qu'on lui fait absorber répond à un besoin de son organisme et constitue une nourriture au sens exact du mot.

M.H. Ch. GEOFFROY

Le soin et l'amour dont on entourait jadis le corps humain vont maintenant aux machines. Les machines coûtent cher, les vies humaines sont bon marché !

Henry MILLER

1

La perte de l'instinct dans le choix des aliments L'abandon des mœurs alimentaires ancestrales La multiplication des maladies dégénératives

Nous ne pouvons vivre sans manger.

Les animaux possèdent la faculté de choisir spontanément l'alimentation idéale pour leur espèce. Ils sont guidés en cela par une intelligence appelée instinct, faite de souvenirs héréditaires. L'homme, hélas, si intelligent par ailleurs, a perdu cette précieuse aptitude. Elle se manifeste cependant parfois chez de jeunes enfants. Ainsi, on voit des bébés refuser une partie des biberons qui leur sont offerts et régler exactement leur ration de façon à assurer leur croissance normale. De tels bébés sont mieux orientés sur leurs besoins que ne le sont leurs mères. Autre exemple : un petit enfant refusait et recrachait obstinément le riz blanc dénaturé, mais adopta d'emblée le riz complet, dont il demanda une deuxième portion.

Les adultes ont perdu l'instinct. Pourtant, ce dernier resurgit parfois encore à l'âge scolaire, à preuve l'histoire suivante : en 1958, une femme de trente-neuf ans vint me trouver. Sa mère était décédée à soixante-dix ans d'un cancer du pancréas, une cousine germaine, à quarante et un ans, d'un cancer du sein ; elle-même avait subi l'ablation de la matrice pour cancer à trente-huit ans (maladie tumorale, survenue trente-deux ans plus tôt que chez sa mère). Tout le tissu cancéreux n'avait pu être éliminé par la chirurgie et la malade avait été irradiée. Dix-neuf mois plus tard, elle est prise de douleurs généralisées et persistantes à la colonne vertébrale. Elle se plaint de fatigue anormale, de douleurs précordiales, de troubles digestifs, d'une infection urinaire chronique, d'insomnies et de dépression nerveuse. Son état général est mauvais. La situation est inquiétante et incite à rechercher des métastases squelettiques, mais les radiographies osseuses sont normales. Des tranquillisants restent sans effet. Je corrige son alimentation trop grasse, lui donne des vitamines en abondance — celles dont son alimentation avait été artificiellement appauvrie pendant des années. Elle se remet, mais sept ans plus tard, les douleurs et tous les autres troubles reviennent. Des polypes rectaux (tumeurs bénignes précancéreuses) se forment et saignent. Le cholestérol sanguin, qui était descendu de 338 mg % à la normale (220/250) était remonté au taux antérieur. Elle avait abandonné l'alimentation saine et repris ses mauvaises habitudes. Comme je la gronde, elle se met à pleurer, puis soudain, son visage s'éclaire. « Ah, je comprends maintenant, me dit-elle, pourquoi nous étions si bien portants, mes deux sœurs, mon frère et moi, lorsque nous étions gamins. Et que nous n'étions jamais malades ! Et que nous montions à l'alpage pieds nus par tous les temps, sabots à la main et vingt kilos de charge sur les épaules ! Arrivés, nous n'étions jamais fatigués et, une fois la charge posée, nous étions toujours prêts à courir et à jouer ! Et de tout l'hiver, jamais un rhume !... C'était nous les gamins qui nourrissions les cochons chez nos parents et nous trouvions leur nourriture composée de son, d'avoine crue en flocons et de tourteau tellement bonne, tellement meilleure que l'alimentation familiale ! Alors nous nous en remplissions les poches pour en manger tout au long du jour. A table, nous n'avions jamais faim. Et puis, nous buvions du lait de chèvre cru et dévorions de grandes quantités de noisettes en automne. Et cela jusqu'à douze ans. »

Donc, à l'âge scolaire, ma malade, tout comme ses frères et sœurs, avait adopté d'instinct une nourriture plus saine que celle offerte par sa famille et s'en portait merveilleusement bien. Mais dans la suite l'instinct avait disparu. Même guidée par moi, elle ne voulut pas reprendre définitivement l'alimentation correcte. Il fallut qu'elle se souvienne de sa belle santé d'enfant et en comprenne la raison pour s'y soumettre. Elle vit en bonne santé aujourd'hui, vingt ans après son opération de cancer.

Les adultes ont perdu l'instinct. Il faut donc qu'ils le remplacent par des connaissances leur permettant de comprendre comment il faut se nourrir. Ces connaissances, ils ne peuvent aujourd'hui que très rarement les acquérir dans leurs familles. Ces notions ne sont pas enseignées dans les écoles et c'est cette lacune que nous cherchons à combler ici.

Notre corps, dont la structure est fort complexe (on a estimé que le nombre des diverses substances qui le constituent est de l'ordre de cent mille) s'est formé et subsiste grâce aux éléments chimiques apportés par les aliments. Tous les jours il se détruit partiellement, s'use... et les parties détériorées doivent être remplacées.

Nous devons choisir nos aliments de façon à fournir à notre organisme toutes les variétés de substances dont il a besoin. Ce choix n'est pas indifférent. Il est clair à chacun qu'il ne serait guère possible de conserver une santé intacte en se nourrissant, par exemple, de sucre blanc et d'eau. Il est moins évident déjà que se nourrir presque uniquement de café au lait et de pain trempé, comme le font nombre de vieillards, ne pourvoit pas à tous les besoins de l'organisme. Le lait n'est-il pas censé être un aliment complet ?

Il n'est heureusement pas nécessaire d'apporter chaque jour à notre corps toutes les substances dont il est fait, mais bien celles (il y en a environ quarante-cinq) qu'il n'est pas capable d'élaborer lui-même, et qui sont les matières premières indispensables à la confection de toutes les autres. Notre nourriture doit donc être variée. Si tel ou tel élément nutritif vient à manquer dans notre alimentation, le corps s'en appauvrit ; peu à peu sa vitalité diminue et des troubles, dits de carence, apparaissent. Certains de ces troubles, tels les avitaminoses et hypovitaminoses — le scorbut ou le rachitisme, par exemple (voir p. 120 et 92) — sont bien connus.

Mais bien avant que la science ait été en mesure de découvrir les rapports existant entre certaines maladies et les défauts nutritionnels, l'homme au cours d'une expérience millénaire, a fixé des traditions alimentaires lui permettant de préserver son existence et sa santé, dans une nature jadis hostile, où il lui fallait constamment lutter pour survivre.

Ainsi se sont établies des normes alimentaires, transmises de génération en génération, très longtemps de façon immuable ; surtout dans le paysannat qui, au début du siècle encore, était considéré comme le réservoir de la santé publique, par opposition aux habitants des cités.

Les peuplades nomades, primitives, se sont d'abord nourries de racines et de fruits sauvages, des produits de la pêche et de la chasse (parfois aussi d'insectes) assurant ainsi à l'homme un apport de végétaux et de viande fraîche. Au début, avant la connaissance du feu, tous ces aliments étaient consommés crus.

La cuisson a augmenté la gamme des aliments employables, tout en altérant certaines de leurs propriétés, et cela sans que l'homme en prenne bien conscience. Plus tard sont apparus l'élevage du bétail et les cultures (céréalières, potagères et fruitières), qui ont considérablement amélioré la nutrition de l'homme et peu à peu supprimé les aléas dus aux hasards des chasses et des ramassages.

L'homme a appris à conserver les aliments et a ainsi fait disparaître les famines, en particulier printanières, dues à la mauvaise soudure entre les récoltes. Il a développé les moyens de transport et supprimé les disettes causées par les intempéries, les sécheresses, les inondations et autres fléaux naturels. Il est aujourd'hui installé, du moins dans nos pays occidentaux, dans un confort alimentaire quantitatif inconnu jadis. Mais voilà qu'au cours de cette évolution si favorable pour lui, sont peu à peu apparues depuis près d'un siècle des maladies nouvelles toujours plus nombreuses. Jadis rares ou inconnues, ces maladies étaient souvent réservées aux personnes âgées ou, très curieusement, aux classes aisées. Appelées dégénératives, ces maladies minent actuellement la santé d'individus de plus en plus nombreux et de plus en plus jeunes. Elles sont chroniques, souvent invalidantes. Elles couvent longtemps sans gêner le malade, puis éclosent, parfois brusquement et de façon catastrophique.

Alors qu'au début du siècle, le problème sanitaire le plus préoccupant était celui des maladies infectieuses, contagieuses, épidémiques et graves, de nos jours, grâce aux progrès de l'hygiène et à la découverte des vaccins et des antibiotiques, ce problème a perdu de son acuité. Un autre a surgi à sa place : celui des maladies dégénératives, dites de civilisation, c'est-à-dire attribuables à l'ensemble des mesures que l'homme prend pour faciliter son existence. Selon les individus, elles se localisent préférentiellement à tels ou tels organes ou tissus et portent des noms différents. Certaines d'entre elles deviennent plus rares ou disparaissent pendant les rationnements des périodes de guerre.

Un signe des temps : il s'est créé en France un « Centre de recherches sur le bien-être ». Ses membres ont constaté que la population, de façon diffuse, « ne se sent pas bien », ce qui augmente les frais médicaux. Ceux-ci absorbaient en France 6 % du produit national global en 1969, 8 % en 1975. Si rien ne change, ces frais continueront à croître, les relativement bien-portants payant, bien entendu, pour les plus malades.

1. La maladie dégénérative la plus répandue dans notre société et la plus précoce – elle est présente déjà chez les jeunes enfants – est la *carie dentaire*.

De nos jours, une denture saine à l'âge adulte est une rareté et porter déjà un double dentier entre vingt et trente ans, est loin d'être une exception. En 1967, en Suisse, dans le canton du Valais, 2 % seulement des recrues de dix-neuf ans avaient des dents normales ; 4 % étaient déjà pourvues de dentiers. En Allemagne, à Munich, une statistique faite dans les années 60 chez des enfants de trois ans a révélé que 3 % d'entre eux seulement avaient des dents impeccables.

On a attribué l'abondance des caries dentaires à l'abus de sucreries, mais les enfants de deux ans et moins ne sucent pas continuellement des caramels et cependant, ils présentent des caries dentaires. Il y a donc une autre cause.

Or, non seulement les dents se carient, mais encore elles sont mal implantées et la deuxième dentition ne s'effectue pas normalement. Les dents de sagesse restent incluses ou couchées. Des prémolaires, des incisives font défaut ou sont mal développées, n'ont pas de place et sont arrachées chez des jeunes par le dentiste, tout cela parce que la mâchoire ne se développe pas normalement et reste trop étroite. Les arcades dentaires, au lieu d'être harmonieusement arrondies, symétriques et bien articulées l'une sur l'autre, sont souvent biaisées, asymétriques, plus ou moins resserrées en avant. La distance entre les dents latérales droites et gauches étant trop faible, les incisives n'ont pas assez de place pour s'aligner côte à côte et se chevauchent, comme des cartes à jouer. Les dents inférieures et supérieures ne correspondent plus. La mastication s'en trouve perturbée. Le visage est anormalement déformé en pointe vers le bas.

Enfin, les gencives s'enflamment, suppurent et se retirent, des dents saines se déchaussent, branlent et tombent, et cela non seulement chez les vieillards, mais parfois chez des individus de trente à quarante ans. Il s'agit là d'une maladie appelée *parodontose.*

2. Une dentition défectueuse reste rarement le seul défaut de santé. Des *troubles digestifs chroniques* apparaissent. Le plus souvent, il s'agit de constipation (alternée ou non avec de la diarrhée), de lourdeurs d'estomac, d'aigreurs, de ballonnements.

3. *La capacité fonctionnelle du foie baisse.* La composition de la bile s'altère ; des calculs se forment dans la vésicule biliaire. Chez la femme, les menstruations deviennent douloureuses parce que le foie ne règle plus, comme il le doit, l'équilibre hormonal.

4. La femme d'aujourd'hui est beaucoup moins vigoureuse que celle des temps passés. Trop souvent, elle n'arrive plus à allaiter normalement son enfant *(agalactie).* Où sont les paysannes dont on nous parle encore qui mettaient cuire leur pain au four, allaient accoucher et revenaient sortir le pain quand il était cuit ? Elles donnaient le sein à leurs enfants pendant un an et davantage.

5. Viennent ensuite, par ordre de fréquence, les *troubles allergiques* ou d'hypersensibilité, avec leurs manifestations si variées. Localisés à la peau, ils prennent le nom d'eczéma ou d'urticaire, ou encore de neurodermite. Ils s'appellent rhume des foins ou rhinite vasomotrice s'ils ont pour siège la muqueuse nasale, asthme ou rhumatisme selon qu'ils atteignent les bronches, les articulations ou les muscles. Tous ont pour point de départ la mauvaise étanchéité, la trop grande porosité de nos tissus de revêtement, devenus incapables de nous défendre contre les agressions du milieu qui nous entoure.

Le rhumatisme articulaire, maladie allergique, est parfois aigu et transitoire, d'autres fois il est chronique, déforme et ankylose les jointures et mène à l'invalidité.

A cette liste de maladies dégénératives, nous pouvons encore ajouter :

6. La mauvaise défense de l'organisme avec, comme conséquence la *tendance anormale aux infections banales,* — si fréquentes chez les enfants,

— aux infections virales, à la tuberculose. Cette défense insuffisante est favorisée par le manque d'étanchéité de nos revêtements et par une déficience de notre immunité.

7. Les *troubles vasculaires,* qu'ils s'appellent varices, thromboses et embolies, artérites, artérioscléroses ou infarctus du myocarde.

8. Les *troubles métaboliques et glandulaires* et, parmi ceux-ci, tout spécialement l'obésité et le diabète.

9. Les *maladies tumorales,* dont le cancer qui, rare au siècle passé, atteint aujourd'hui un individu sur quatre et en tue un sur cinq.

10. Les affections dégénératives du système nerveux, telles, par exemple, la *maladie de Parkinson* et la *sclérose en plaques.*

11. A cette liste, d'ailleurs incomplète, il faut ajouter la fréquence croissante des *malformations* diverses, dues à un affaiblissement du matériel génétique transmis aux enfants, et la *stérilité* de certains couples.

Qui d'entre nous peut aujourd'hui se prévaloir de n'être atteint d'aucune de ces maladies dégénératives, dites de civilisation ? Nous pensons qu'il n'y a personne, parmi les adultes, qui n'ait quelques dents cariées ou telle autre déficience et ne se prépare à en présenter d'autres.

Ces maladies dégénératives se généralisent de plus en plus. Nous les considérons presque comme un mal nécessaire et inévitable. Il nous vient à peine à la conscience qu'il est anormal d'avoir des plombages dans les dents, que cela signifie que quelque chose ne va pas, ne tourne pas rond dans notre organisme.

Pourquoi en est-il ainsi ? Pourquoi cela empire-t-il ? Pourquoi la majorité des jeunes aviateurs américains morts à la guerre de Corée (1952) entre vingt-trois et vingt-six ans et plus des trois quarts des soldats américains tombés au Viêt-nam (leur moyenne d'âge était de vingt-deux ans) ont-ils été trouvés si prématurément et, pour une part, si gravement artérioscléreux ? (L'artériosclérose coronaire et cérébrale avait, chez 15 % d'entre eux, diminué le calibre des artères de plus de la moitié !) Pourquoi des enfants de quinze ans et moins meurent-ils brusquement, comme des adultes de quarante à soixante ans, d'infarctus du myocarde ? Pourquoi ouvre-t-on, dans les grandes villes, des hôpitaux spécialisés pour enfants cancéreux, alors qu'au début du siècle, l'enfant cancéreux était rare ?

Nous sommes pratiquement tous touchés. Les maladies dégénératives se rencontrent de nos jours, sous une forme ou une autre, dans toutes les classes sociales; chez le paysan comme chez le citadin, chez l'ouvrier comme chez le directeur de banque. La cause doit donc logiquement en être recherchée dans des facteurs qui nous concernent tous, indépendamment de notre milieu, campagnard ou urbain, de notre profession, sédentaire ou non. On met souvent en cause aujourd'hui les modifications survenues dans notre environnement, telle la pollution atmosphérique, mais celle-ci est très inégalement répartie : très forte dans les centres industriels, et dans l'entassement des villes, elle affecte beaucoup moins les campagnes.

Il n'y a guère que la modification des mœurs alimentaires qui nous touche tous, quel que soit le milieu auquel nous appartenions et où que nous vivions. Il est donc légitime de se demander s'il n'y a pas un rapport de cause à effet entre notre alimentation moderne et cette inquiétante et récente évolution, qui est intervenue progressivement au cours des 100 à 150 dernières années. On est en droit de se poser la question : n'avons-nous pas tous inconsciemment modifié quelque chose d'essentiel dans la façon de nous nourrir et entraîné par là cette péjoration considérable de notre santé?

Autrement dit, n'y a-t-il pas eu récemment une faille dans la fidèle transmission des traditions alimentaires millénaires?

Quand, où, sous quelles influences cela s'est-il passé? Cet état de chose est-il réversible?

Le citadin actuel, quelle que soit sa façon de se nourrir, est persuadé qu'il s'alimente « normalement ». Il ne se pose guère de questions au sujet de sa nourriture : il n'a pas le temps, il est pressé. Il mange rapidement ce qui est vite et facilement préparé. C'est là, semble-t-il, sa première exigence en matière alimentaire. Souvent, il est obligé de se nourrir à la cantine et, quand il le peut, il mange au restaurant. Dans ces conditions, il est très peu informé sur la qualité et le mode de préparation de ce qu'il mange.

Au cours des siècles passés, les habitants « trop bien nourris » des grandes villes ont dégénéré. Leurs familles se sont éteintes et ont été remplacées par celles venues des campagnes, aux habitudes beaucoup plus frugales. (Professeur Max Gruber.) Georg Hansen (*Die drei Bevölkerungsstufen,* München, 1889) nous dit qu'en Allemagne, les grandes entreprises commerciales et industrielles ont été construites par d'anciens paysans fraîchement émigrés des campagnes. Leurs fils, cependant, ont été à peine capables de maintenir ces entreprises et les petits-fils encore moins. Dans les conditions d'opulence citadine, l'esprit de créativité s'épuise en quelques générations. Parfois, l'intelligence reste bonne, mais la volonté, la ténacité et l'amour du travail font défaut.

Ce qui est nouveau et très important, c'est que le paysannat qui, longtemps, a représenté la réserve de santé des peuples, se trouve aujourd'hui aussi touché par les maladies dégénératives que les autres classes sociales. Le paysan, travailleur de force, croit actuellement que la viande et la graisse lui fournissent le plus d'énergie. Sa nourriture est beaucoup plus riche en ces aliments que jadis, mais sa santé s'est altérée.

2

Recherches par le dentiste américain Weston Price de la cause des caries dentaires

Un des premiers à s'intéresser à ce problème fut, en Amérique, le dentiste Weston Price. Né en 1870, mort en 1948, il doit avoir commencé à exercer son art vers 1895. Il fut frappé à cette époque par une détérioration rapide de la denture chez les Américains, s'accompagnant souvent de l'apparition précoce d'autres maladies dégénératives. Aujourd'hui, nous ne connaissons hélas que trop bien la carie dentaire. Sa formation ne nous frappe plus. Mais à cette époque, elle était un signe nouveau et inquiétant d'une altération de la santé publique. Elle était déjà si généralisée qu'elle ne pouvait être attribuée qu'à une influence délétère à laquelle tous étaient plus ou moins uniformément soumis.

Les restes humains découverts dans les cavernes nous prouvent que les dents, formées d'un os particulièrement dur, sont capables de résister pendant des milliers d'années dans la terre, à toutes sortes d'actions corrosives. Price se demanda donc pour quelle raison elles s'abîmaient tout à coup de façon catastrophique dans la bouche, leur milieu naturel, et cela, déjà chez les jeunes ! Il ferma son cabinet et se voua pendant plusieurs années à la recherche de la cause de la carie dentaire. Il aurait pu, employant la méthode expérimentale, essayer de provoquer des caries chez un animal de laboratoire, le soumettant à telle ou telle carence pour tirer ensuite des déductions plus ou moins valables pour l'homme, mais il préféra aborder le problème différemment. Il quitta son pays et partit à la recherche de dentures impeccables. Il fit le tour du monde et visita les peuples les plus divers : les Esquimaux du Nord américain, les Indiens du Canada, les Noirs d'Afrique, les Australiens, les habitants de la Nouvelle-Zélande, antipode de son pays, ceux d'îles isolées d'Angleterre. Il se rendit en Suisse chez les Valaisans des hautes vallées alpestres, en particulier ceux du Lötschenthal, et partout, il fit la même constatation : tant que les peuplades primitives étaient restées fidèles à leurs habitudes alimentaires ancestrales, vivant isolées, tirant leur subsistance de la pêche, de la chasse, de récoltes de fruits sauvages et d'algues marines, ou de la culture du sol et de l'élevage du bétail, elles présentaient sous toutes les latitudes des dents superbes et un état de santé remarquable. Dès qu'une route avait été faite, dès que le trafic était facilité, dès que l'épicier et le boulanger s'étaient installés au village, la santé des indigènes s'était altérée. Chez les enfants nés avant la construction de la route, il trouva les arcades dentaires bien formées, arrondies et les dents bien plantées. Chez les frères et sœurs nés plus tard, donc ayant la même hérédité, mais soumis à une alimentation différente, les arcades étaient rétrécies dans leur partie antérieure, la forme du visage était devenue triangulaire, étroite, pointue vers le bas. Dans les mâchoires ainsi modifiées, les dents définitives, et tout spécialement les dents de sagesse, n'avaient plus la place voulue pour se développer ; l'implantation dentaire était devenue irrégulière ; les dents supérieures ne correspondaient plus aux dents inférieures ; la mastication était difficile et imparfaite. Des caries dentaires étaient apparues, ainsi qu'une inflammation des gencives, entraînant le déchaussement, l'ébranlement et la chute des dents.

Price remarqua que plus la route était récente, moins les dégâts étaient importants. Il constata déjà que la carie dentaire n'était pas la seule maladie apportée par la civilisation. L'abandon des mœurs alimentaires primitives s'accompagnait d'une baisse de la résistance à la tuberculose, de l'apparition du rhumatisme et d'autres maladies dégénératives, dont le cancer.

Dans certaines contrées d'Amérique, des Indiens venus à la ville et tombés malades de tuberculose étaient renvoyés dans leurs villages. Là, avec la reprise de l'alimentation ancestrale, la maladie devenait moins agressive. Elle n'était pas contagieuse pour les autres membres de la famille s'alimentant correctement. En quarante ans de pratique, un médecin du Nord de l'Amérique ne rencontra aucun cas de cancer chez les peuplades primitives, mais de nombreux chez leurs frères de race, émigrés en ville.

3

La modification des mœurs alimentaires sous l'influence des techniques industrielles et de l'augmentation du niveau de vie

Quelles sont donc les modifications importantes qu'apporte la civilisation aux mœurs alimentaires ? Pourquoi est-ce justement à la fin du siècle passé, que s'est produite cette détérioration si frappante de la santé publique du temps de l'activité professionnelle de Price ? Pourquoi, dès cette époque, certaines maladies, connues pour être celles des gens riches, se sont-elles répandues et ont-elles gagné toutes les couches sociales et spécialement celle des paysans ?

De l'étude de Price, il ressort que deux faits très importants sont venus, au XIXe siècle, modifier les traditions alimentaires. Le premier a été la mise à la portée de tous du sucre blanc raffiné ; le deuxième, le remplacement progressif des vieux moulins à main, à vent et à eau par les meuneries modernes.

Il y a cent soixante-dix ans, il n'y avait sur le marché que du sucre de canne importé des tropiques, donc cher. Sa technique de préparation est simple : la canne à sucre est fragmentée et macérée. Le jus obtenu est évaporé jusqu'à cristallisation. Ce sucre n'est que peu raffiné et garde une couleur brune. Au moment des guerres napoléoniennes et du blocus continental, le sucre de canne ne parvint plus en Europe. Napoléon encouragea grandement la production du sucre blanc que des chimistes allemands avaient extrait de la betterave. Cependant, en employant le même procédé d'extraction que pour la canne à sucre, le produit obtenu était d'un goût désagréable. Il fallut le purifier jusqu'à l'obtention du beau sucre blanc que nous connaissons. Mais, lors de ces purifications successives, toutes les substances minérales, toutes les vitamines qui accompagnent le sucre et en permettent l'emploi par la plante, furent éliminées. On obtint une substance chimiquement pure, donc morte, d'un goût certes agréable, mais uniquement porteuse de ce qu'on nomme aujourd'hui des calories vides.

Avec l'apparition des meuneries, la production de la farine blanche est devenue chose aisée et le pain blanc, considéré jadis comme le symbole de l'aisance et du bonheur, réservé aux seules classes possédantes, vint remplacer le pain grossier et noir, fait de farine complète. « Avoir son pain blanc en premier » ne veut-il pas dire que la vie a été belle et facile d'abord ? Or, la farine blanche, tout comme le sucre blanc, est un aliment fait de calories vides.

Alexis Carrel écrit, en 1935, que « meuniers et boulangers ont fait croire au public que le pain blanc est supérieur au pain brun. Par la machine, la farine est blutée et privée de principes vitaux. Mais elle se conserve mieux et le pain se fait plus facilement. Les meuniers et les boulangers gagnent plus d'argent. Les consommateurs mangent, sans s'en douter, un produit inférieur. Et dans tous les pays où le pain est une partie essentielle de l'alimentation, les populations dégénèrent. »

Le professeur de physiologie A. Fleisch, dans son livre *L'alimentation et ses erreurs*, publié en 1937, dit bien que la farine blanche et les pâtes, qui représentent presque le tiers de notre alimentation totale, sont déficientes en vitamines et sels minéraux, éliminés par le blutage. Mais ces avertissements n'ont eu que peu d'échos. En France, on préfère encore le pain très blanc, qui devient papyracé et insipide le lendemain de sa cuisson et qui passe alors dans les poubelles !

Il importe pour chacun de savoir que toute graine céréalière est normalement formée d'une coque, d'un germe et d'une partie centrale. Le germe et la coque sont riches en minéraux, en oligo-éléments indispensables à la vie (manganèse, cobalt, cuivre, zinc, chrome), en ferments et en vitamines. Le germe contient les vitamines A et E et la coque les différentes vitamines B, dont c'est l'une des principales sources alimentaires. Ce sont également ces parties de la graine qui contiennent les huiles et la vitamine F. Le centre, par contre, est formé essentiellement d'amidon. Dans la production de la farine blanche, germe et couches externes de la graine sont séparés de la partie centrale et vont servir de nourriture au bétail, qui s'en trouve fort bien. L'homme ne garde pour lui que la portion du grain riche en amidon et de ce fait perd environ 70 % des substances les plus précieuses contenues dans les céréales.

L'usage du sucre raffiné et de la farine blanche a remplacé l'harmonie fort complexe d'une nourriture naturelle, par la pauvreté d'une nourriture chimiquement trop pure, privée de facteurs vitaux importants.

Price arriva à la conclusion qu'une telle pratique abaissait jusqu'à dix fois la teneur de la nourriture de l'homme civilisé en certaines vitamines indispensables. Cela permet de vivre, mais non d'être bien portant, ni de transmettre aux enfants, avant leur naissance, un capital de santé intact.

L'avènement des grandes meuneries a rompu l'interdépendance étroite qui existait jadis entre le travail du meunier et celui du boulanger. Jadis, on savait qu'il importait de se nourrir de farines fraîchement moulues. Aujourd'hui, dans nos contrées, personne n'y prend plus garde. Jadis le blé était mené au moulin et la farine immédiatement employée. En 1967, il en était encore ainsi en Sardaigne, par exemple. A cette pratique correspond le maintien d'un état de santé et de résistance remarquable.

Les peuples civilisés anciens et les peuples primitifs d'aujourd'hui faisaient et font leurs farines au jour le jour. Les armées romaines d'antan, dont les exploits nous émerveillent encore, partaient en campagne en emportant avec elles du blé et du millet en grains, ainsi qu'une meule par unité d'armée, appelée cohorte. La mouture était faite quotidiennement. Chaque soldat romain recevait sept cent cinquante grammes de graines par jour, dont un tiers était consommé en bouillie le matin, deux tiers sous forme de galettes au cours de la marche. Lorsque, faute de graines, ils devaient se contenter de viande, ils se trouvaient mal nourris ! Les femmes d'Afrique noire pilent encore chaque matin le millet pour la journée, mais dans les HLM modernes africaines, mal isolées, les voisins se plaignent du bruit et cette coutume va se perdre !

Quant à nous, nous ne savons même plus ce qu'est la farine fraîche. Nous ignorons quand a été moulu le grain de blé qui a servi à la confection du pain, de la semoule ou des pâtes, quand ont été polis, écrasés et « tués » les grains d'orge perlé, de riz blanc ou d'avoine que nous mangeons. Cela n'est pas mentionné sur les emballages. Aucun consommateur ne s'y intéresse. Personne ne pose de questions.

Or, le grain de blé, dans la perfection de sa structure, est construit pour se conserver vivant. Il peut même, nous dit-on, se garder des milliers d'années dans certaines conditions. N'a-t-on pas fait germer et se reproduire du blé trouvé dans les tombeaux égyptiens ?

Le grain de blé, écrasé et transformé en farine, cesse d'être vivant. Il meurt et devient cadavre. Incapable de garder sa composition primitive, il voit s'altérer progressivement à l'air ses éléments les plus instables, les plus nobles, les plus précieux pour nous, dont les vitamines. Il s'oxyde ; certaines substances savoureuses disparaissent. Il faut pour cela de huit à quatorze jours. Or, il est de règle que trois semaines séparent le moment où la farine est produite de celui de la confection du pain. Des semaines et des mois s'écoulent entre le polissage du riz et sa consommation, entre l'instant où le grain de blé ou d'avoine est écrasé et celui où nous mangeons la semoule, les pâtes ou les flocons qui en dérivent. Nous acceptons ainsi de nous nourrir de vieux cadavres de graines dévitalisées.

Une expérience de laboratoire est venue démontrer la perte dans la farine de facteurs vitaux importants. Il est aisé d'élever de jeunes rats avec du blé en grains ou fraîchement moulu. Si cependant la farine est vieille de six semaines, ces animaux se développent mal et restent chétifs : des facteurs vitaux importants ont donc disparu par le vieillissement. Il est, de même, impossible d'élever des poussins en leur donnant de la vieille farine.

Pour se convaincre de la supériorité des farines fraîches, il suffit de moudre soi-même du blé et d'en faire immédiatement du pain, comme cela se pratiquait jadis. Que le goût de ce pain est délectable et comme le pain blanc de boulangerie est insipide en comparaison ! Ce goût délicieux est conféré à la farine par des substances chimiques qui disparaissent par le blutage et le magasinage. Cette disparition est-elle sans importance, ou, au contraire perdons-nous avec elle quelque chose d'essentiel à notre santé ? A force d'être privé de ces substances présentes dans les aliments naturels et frais, l'homme moderne en découvre l'importance.

C'est à partir du milieu du XIXe siècle et du développement des industries, que sont intervenues les premières et très profondes modifications de notre façon de nous nourrir : c'est à ce moment que se place l'introduction progressivement croissante, due à l'abaissement de leur coût, du sucre raffiné et de la farine blanche.

Mais à ces premières déviations alimentaires sont venues s'en ajouter d'autres vers 1925-1930 qui ont encore abaissé d'une façon sensible notre ration quotidienne de vitamines.

Margarines et graisses végétales

En 1904, la margarine est inventée. Mais il fallut nombre d'années, une génération environ, pour que son emploi se généralise.

Les graisses solides, dites végétales, sont produites par le chimiste à partir de corps gras de consommation difficile. Pour les fabriquer, on peut prendre comme matière première des huiles végétales, par exemple celle de palme ou de palmiste, importées à bon compte des régions tropicales. De couleur orangée, elles ont une odeur et une saveur, qui les rendraient invendables chez nous. Un traitement à haute température (200 degrés) en présence d'hydrogène et de nickel leur enlève odeur, couleur, saveur et vitamines et élève leur point de fusion. La modification de leur structure chimique, par introduction d'hydrogène supplémentaire dans leurs molécules, les dénature et les rend solides à la température ordinaire. (On peut modifier de façon analogue des huiles provenant d'animaux marins.)

Pour obtenir une margarine, il faut par exemple malaxer ces graisses avec 16 % d'eau, leur ajouter des substances chimiques, qui les parfument et les colorent de façon plaisante. Il s'agit donc de produits artificiels, qui n'ont de végétal que le point de départ et le nom. Leur composition chimique s'écarte de celle des corps gras qu'on trouve dans la nature.

Huiles extraites à chaud et consommation abusive de beurre

Vers 1940, la technique d'extraction de nos huiles alimentaires a subi une modification importante. On s'aperçut que, par la pression à froid, il n'était possible d'obtenir que la moitié environ des huiles contenues dans les graines ; la pression à chaud (160/200 degrés) par contre, donne un rendement double, de même que l'extraction par l'hexane (solvant organique voisin du benzène et qu'il est impossible d'éliminer ensuite complètement !). Dès lors, il ne fut plus guère possible de trouver dans les épiceries que des corps gras cuits et raffinés. L'habitude ancestrale d'ajouter un peu d'huile crue naturelle dans les aliments au moment du repas se perdit. Où sont les huiliers en cristal qui se trouvaient encore au début de ce siècle sur la table, à tous les principaux repas ?

L'introduction de plus en plus large des graisses artificielles dans notre alimentation, l'extraction des huiles végétales à chaud et leur raffinement poussé ont à nouveau modifié de façon importante nos traditions alimentaires.

Enfin, un dernier facteur est venu s'ajouter à tous ceux que nous venons de citer. Alors que jadis, le beurre de vache était un produit de luxe, n'apparaissant qu'une ou deux fois par semaine sur la table de la majorité des gens, actuellement il est devenu un produit courant consommé deux ou trois fois par jour. La ration quotidienne varie, selon les individus, de 10 à 200 grammes mais tous, celui qui en consomme 10 grammes comme celui qui en consomme 200, sont persuadés qu'ils se nourrissent « normalement ». Or, si 10, 20 ou 30 grammes de beurre par jour sont peut-être parfaitement tolérés, plus de 50, 100 et 200 grammes par jour occasionnent ou favorisent des troubles graves de la santé, précisément de ceux que nous groupons sous le nom de maladies dégénératives.

J'ai eu personnellement affaire à un gros mangeur de beurre. Un Valaisan de quarante ans bâti en athlète vint me trouver un jour. Il était porteur d'une maladie cancéreuse des ganglions lymphatiques (de Hodgkin) mais en plus, depuis trois semaines, il souffrait d'une paralysie progressive des membres inférieurs. Il vint appuyé sur deux femmes et eut une peine infinie à gravir les quatre marches d'escalier et à franchir l'espace séparant la rue de mon cabinet de consultation. Le fromage gras, qui contient entre 30 et 40 % de beurre, constituait sa nourriture principale. Il en mangeait trois kilos par semaine et parfois un kilo par jour, ce qui représentait, avec le beurre consommé tel quel et celui contenu dans son lait, une ration quotidienne moyenne de 200 grammes. La suppression du beurre et son remplacement par des huiles crues, riches en vitamines F, fit disparaître sa paralysie de façon spectaculaire, lui rendant l'usage de ses membres en dix jours. Deux mois plus tard, apparemment guéri, il retourna à son fromage bien-aimé ! La reprise des mauvaises habitudes alimentaires fut suivie d'une réapparition rapide des paralysies, qui s'effacèrent à nouveau par la suppression définitive du beurre et son remplacement par des huiles crues de tournesol, de lin et de germe de blé.

Il s'agit là d'un cas extrême, mais des exemples plus discrets de troubles par excès de consommation de beurre, soit de 50 à 100 grammes par jour, sont quotidiens.

Le beurre n'est donc pas un aliment que l'homme peut absorber indéfiniment, à n'importe quelle fréquence, en n'importe quelle quantité. Une cuisine faite uniquement au beurre n'est pas une cuisine idéale comme le pensent celles qui « cuisent tout au beurre ». Contrairement aux huiles tirées de graines crues, il est très pauvre en vitamines grasses F, qui nous sont indispensables. Le beurre est une graisse prévue par la nature non point pour nous, mais pour le veau. Cet animal doit accomplir en six mois une performance, qui consiste à passer de l'état d'un nouveau-né pesant 35 kilos à celui d'un être indépendant de 225 à 250 kilos, capable d'aller dans le pré chercher seul sa nourriture. Pendant 180 jours, son poids doit augmenter d'un kilo par jour en moyenne. Cette tâche lui est facilitée par la présence du beurre dans le lait qui, entre autres propriétés, contient un perméabilisant (H. Sinclair), probablement destiné à accélérer l'assimilation et, par là, l'accroissement pondéral. Le veau consomme jusqu'à 400 grammes de beurre par jour. Dès l'âge de six mois il est sevré et ne recevra jamais plus de lait, donc de beurre.

Il y a une grande différence entre la tâche biologique d'un être humain adulte et celle d'un veau. L'adulte qui se nourrit abondamment de beurre commet une erreur : il se rend malade, sclérose ses artères, abîme sa peau, qui devient anormalement sèche et squameuse, et accélère son vieillissement.

Le beurre du lait de femme et celui du lait de vache ont une composition chimique très différente. Le bébé humain supporte mal le beurre de vache et prospère mieux, quand on lui donne du lait partiellement écrémé.

Comme je l'ai mentionné, ce qui est grave pour l'avenir des peuples industrialisés, c'est que les mœurs alimentaires des ruraux ont évolué dans le même sens que celles des citadins et le paysannat ne représente plus la réserve de population saine, comme c'était le cas jadis. Depuis deux générations environ, le niveau de vie de l'agriculteur s'est considérablement élevé. Il y a cinquante ans, il se nourrissait des produits de son sol, des légumes de son jardin, des fruits et des noix de son verger, du blé de son champ, qu'il faisait moudre au fur et à mesure de ses besoins, d'huiles de colza, d'arachides ou d'olives pressées à froid et non raffinées ;

le goût de ces huiles laissait peut-être à désirer, mais leurs vitamines étaient conservées. La viande était en outre consommée en quantité modeste.

Pour se procurer les vêtements et les chaussures, les outils et les meubles, le paysan était obligé de vendre le plus possible de ses produits et l'un de ceux qui étaient le mieux payés et qui lui rapportaient le plus était le beurre. Il en gardait très peu pour sa famille. Les paysannes âgées savent encore que le beurre était une des principales monnaies d'échange. Il n'apparaissait guère que le dimanche et les jours de fête sur la table de famille. Une Fribourgeoise m'a même précisé que chez eux, on ne s'offrait du beurre que le jour de l'An et à la Bénichon ! (fête de la bénédiction des récoltes).

Depuis que son standard de vie a changé, le beurre est présent sur sa table à tous les repas, de même que le fromage. La ration de viande a augmenté. Le paysan porte son blé au moulin et en échange reçoit de la farine plus ou moins blanche, qui ne provient pas de ses champs et qu'il stocke souvent pendant des mois. Les produits d'épicerie (pâtes, riz poli, conserves, etc.) sont couramment consommés. L'alimentation en milieu rural ne diffère plus guère de celle en milieu urbain. Aussi les maladies dégénératives se développent-elles partout.

D'une statistique allemande, il ressort que la consommation moyenne par an et par tête d'habitant, exprimée en kilos a été de :

en	pain complet	pain blanc	viande	sucre
1860	133	57	23	4,7
1907	12	109	46	17
1970	2	100	76	60 (!)

Aliments trop raffinés, souvent trop vieux, privés de facteurs vitaux, tels que farine et sucre blancs, absence de céréales à l'état de graines complètes et vivantes, huiles extraites à chaud, surabondance de corps gras inadéquats, insuffisance de corps gras indispensables, excès de viande : telles sont les erreurs les plus courantes que nous commettons quotidiennement dans la composition de nos menus, qui toutes sont faciles à corriger.

Comment s'expliquer que des erreurs aux conséquences aussi graves aient pu s'introduire dans nos habitudes alimentaires ? Il faut d'abord se rappeler que la menace d'un manque de vivres a longtemps pesé de façon obsédante sur l'humanité, sur ses raisonnements et sur ses actes. Comment prévenir la famine ? Comment approvisionner en suffisance des agglomérations urbaines de plus en plus étendues ? Il fallait à tout prix stocker les vivres pendant les années d'abondance et cela sans qu'ils puissent s'altérer. En enlevant aux aliments les substances vivantes et réactives, on prévient leur altération. Chacun sait que le sucre, la farine blanche, les pâtes, se gardent admirablement bien, de même que les huiles modernes raffinées. Seulement, au lieu de faire deux parts : des stocks auxquels on n'aurait eu recours qu'en cas de réel besoin, pour ne pas « mourir de faim », et employer des produits naturels et frais pour l'usage courant, l'homme, trouvant les aliments raffinés plus pratiques, a totalement éliminé l'usage de certains autres, en méconnaissant leur importance pour son avenir. L'intelligence humaine a ses défaillances : pour résoudre un problème, l'homme parfois en limite arbitrairement l'étude à ce qui lui paraît essentiel et néglige le reste. En simplifiant les données, il peut commettre de grossières erreurs. Les chercheurs et les dirigeants ont, bien entendu, leur part de responsabilité dans ce qui s'est passé, car malgré leur travail étendu et admirable, ils n'ont pas su reconnaître à temps le rôle néfaste des procédés de stabilisation des aliments, ni su en limiter l'emploi.

Faire des erreurs est humain, mais il est tout aussi humain de les reconnaître et de les corriger.

4

De la façon rationnelle et optimale de se nourrir
Renseignements techniques
Exemples de menus inadéquats

Lorsque dans nos pays, on pose la question à n'importe quel citoyen de n'importe quel milieu (même médical) : « Comment vous nourrissez-vous ? », il prend un air étonné, tant une pareille question lui paraît oiseuse et saugrenue, et répond uniformément : « Mais, normalement ! »

Lorsqu'on essaie de préciser la quantité et la qualité des graisses consommées, s'il s'agit de personnes qui font elles-mêmes les achats et la cuisine, on arrive à obtenir une réponse valable. Mais quand on interroge ceux qui fréquentent régulièrement les restaurants ou cantines, ou des personnes appartenant à des classes aisées, on s'aperçoit qu'ils ne se rendent absolument pas compte de ce qu'ils mangent. Pour ces dernières, les achats et la préparation des plats sont faits par d'autres ; la consommation des corps gras n'est nullement surveillée, en méconnaissance totale de son impact sur la santé, et cela jusqu'à ce que survienne une catastrophe majeure, un infarctus du myocarde, par exemple.

Voici ce qui, en Suisse, est considéré comme menu normal :

Le *matin* : thé ou café au lait sucré, pain, beurre, confiture.

Un tel repas dit « thé ou café complet » ne contient aucun aliment cru, tel qu'il nous est fourni par la nature. Il est très pauvre en diverses vitamines.

A midi : potage aux légumes ou tiré de pochettes préfabriquées ; viande ou charcuterie, pâtes ou riz poli, pommes de terre, légumes divers cuits ou crus, sous forme de salades ; fruits crus ou cuits ou desserts divers (crèmes, glaces, pâtisseries, tartes, etc.).

Un tel repas mixte est relativement satisfaisant s'il contient des salades, préparées avec de l'huile pressée à froid et des fruits crus, mais d'habitude il est additionné de graisses inadéquates.

A 16 heures : rien ou thé et pâtisserie.

La pâtisserie n'apporte guère que des calories vides et le plus souvent des graisses inadéquates.

Le soir : restes du repas de midi avec charcuterie ou fromage, ou bien café au lait complet avec flan ou crème, tarte ou compote.

Un tel repas fournit une deuxième ration de viande, qui est superflu, surtout pour ceux qui mènent une vie sédentaire. Il est beaucoup trop pauvre en vitamines.

Les régimes suivants ont encore été considérés comme normaux par nos contemporains :

Premier exemple : il s'agit d'une famille campagnarde du Valais. La femme, 44 ans, est très maigre, pèse 48 kilos pour une taille de 1,56 mètre, souffre l'hiver de grippes et d'angines à répétition, de rhumatismes, d'eczéma s'exaspérant aux règles, de sécheresse de la peau et de constipation. Son mari et son fils adulte, sont des travailleurs de force.

Voici leurs repas :
Le matin : café au lait, pain mi-blanc, confiture, beurre.
A 10 heures : café au lait, pain, fromage.
A midi : pommes de terre, lard ou viande, pâtes ou riz poli, beaucoup de légumes, salades, fruits, café au lait.
A 16 heures : café ou thé, pain, confiture, fromage.
Le soir : fritures ou pâtes, charcuterie, salades, café au lait, fruits ;
soit deux fois par jour de la viande et du fromage et cinq fois par jour du café.

Un tel menu contient en moyenne :
beurre : 163 grammes (y compris celui contenu dans le lait, la crème et le fromage) ;
saindoux : 10 grammes ;
huile de tournesol raffinée : 110 grammes ;
soit au total 283 grammes de corps gras par personne et par jour, ce qui est beaucoup trop.

A noter la grande maigreur de cette femme, qui jouit pourtant d'une alimentation opulente.

Deuxième exemple : il s'agit d'un militaire de carrière espagnol, qui a passé sa vie à cheval jusqu'à l'âge de soixante-dix ans et fumé jusqu'à l'âge de soixante-sept ans quatre-vingts cigarettes par jour, avant d'abandonner le tabac. Il prend habituellement six repas par jour :
A 8 heures : potage assez gras avec pâtes et viande, puis café noir.
A 11 heures : fromage.
A 13 heures : deuxième potage aux pâtes, viande, poissons ou œufs ; très peu de légumes ou de fruits cuits.
A 16 heures : petits saucissons frits ou autres aliments carnés gras, piquants et très salés.
A 20 heures : troisième potage aux pâtes ; poisson ou viande.
A 24 heures : sardines à l'huile et autres hors-d'œuvres.
Il ajoute à ces aliments 40 centimètres cubes d'huile d'olive espagnole et 20 grammes de beurre par joue (l'huile d'olive est une source médiocre de vitamine F).

Tout va bien jusqu'à sa retraite, qu'il prend à soixante-dix ans. Il devient alors paresseux, mène une vie sédentaire, tout en continuant le même régime alimentaire. Son poids s'accroît de 20 kilos en trois ans. L'augmentation pondérale implique un besoin accru en vitamines F. Une carence se fait jour.

L'excès de corps gras entraîne une perte chronique de calcium par formation dans le tube digestif – et élimination – de savons calcaires insolubles.

A soixante et onze ans, après seulement un an de vie sédentaire, sa colonne se tasse par décalcification des vertèbres. Il doit dès lors porter un corset orthopédique.

A soixante-treize, apparaît un cancer pulmonaire, dit des fumeurs, malgré l'arrêt du tabac depuis six ans ! Il meurt un an plus tard.

Tant qu'il se dépensait physiquement et vivait en plein air, cet homme supportait apparemment très bien son régime alimentaire hypercarné et hypercalorique, avec absence presque totale d'aliments crus. Dans la vie sédentaire, la poursuite du même régime entraîna une suite de catastrophes dès la première année : obésité, fracture spontanée de vertèbres, cancer pulmonaire.

L'exercice en plein air permet une meilleure oxygénation, donc une meilleure combustion des aliments, et stimule l'activité de nos tissus. Grâce aux facilités modernes (auto, machines agricoles, etc.) nous devenons de plus en plus sédentaires et fuyons l'effort physique. Si nous désirons rester bien portants, il est indispensable de devenir plus sobres, de modifier le rapport entre les catalyseurs (vitamines, oligo-éléments) et les calories (sucres, graisses) en faveur des premiers et de réintroduire dans nos habitudes un effort physique minimum de sept heures par semaine sous forme de sport, de préférence en plein air.

Je propose un type d'alimentation qui s'inspire de celui des paysans du siècle passé, lorsque les maladies dégénératives – dites de civilisation – étaient encore rares parmi eux. Il sera d'observance stricte lorsqu'il s'agira d'éliminer ou d'atténuer rapidement des désordres dégénératifs majeurs. Il sera plus large (les « pas de... » étant remplacés par des « peu de... ») pour ceux qui, peu atteints, désirent s'assurer néanmoins une santé meilleure.

Règles générales pour les malades

Pas d'œufs cuisinés (omelettes grasses, mayonnaises, cakes, etc.). Pas de chocolat. Pas de graisses solides (beurre compris). Pas d'alcool. Lait écrémé. Peu de sucre et de sel. Seuls corps gras permis et indispensables : par vingt-quatre heures, une à deux cuillerées à soupe d'huiles pressées à froid, à consommer crues dans les aliments (huiles de tournesol, de lin ou de germes de blé).

Voici les menus quotidiens que je préconise pour tous, et dont les variantes permettent une adaptation au goût et aux tolérances de chacun.

Le matin : Au lieu des traditionnels café au lait, pain, beurre et confiture : du thé léger et de la *crème Budwig*, selon la recette ci-dessous.

> Battre en crème 4 cuillères à café de fromage blanc maigre et 2 cuillères à café d'huile de lin (Biolin), avec une fourchette dans un bol ou, si la famille est grande, dans un mixer.
> Ajouter le jus d'un demi-citron, une banane bien mûre écrasée ou du miel, une ou deux cuillères à café de graines oléagineuses *fraîchement moulues* (au choix : lin, tournesol, sésame, amandes, noix ou noisettes, etc.), 2 cuillères à café de céréales complètes *fraîchement moulues et crues* (au choix : avoine, orge mondé, riz complet, sarrasin) et des fruits frais variés.
> Pour moudre les graines oléagineuses et les céréales, un petit moulin à café électrique est nécessaire, le récipient contenant le couteau

rotatif devant être suffisamment solide pour supporter l'impact des céréales (métal ou plastique épais).
L'huile de lin doit être battue avec assez de vigueur pour être émulsionnée et disparaître totalement dans le fromage blanc. Elle perd ainsi son goût, n'est plus décelable et devient aisément assimilable. A défaut d'huile de lin, employer de l'huile de tournesol ou de germe de blé.

A midi : Nous recommandons de manger des légumes crus en salades panachées, additionnées d'huiles vierges riches en acides gras polyinsaturés et de jus de citron ou de vinaigre de pomme, des légumes et des pommes de terre cuits à la vapeur le moins longtemps possible, du foie, de la viande ou du poisson maigres. Pour les végétariens : du fromage, de préférence du fromage blanc maigre ou un œuf à la coque.

Mais ce qui est le plus important et totalement négligé par nos populations, qui en ont perdu l'habitude, c'est de consommer *tous les jours* une bonne ration de céréales complètes, entières ou concassées ou fraîchement moulues, cuites en potages ou plats, sous forme de bouillies ou de biftecks (au choix : blé, seigle, avoine, orge, millet, maïs, sarrasin ou riz complet).

Au goûter : Ceux qui ont soif ou faim ont avantage à consommer des fruits crus, le cas échéant des fruits secs ou des noix et de boire des jus de fruits fraîchement pressés. Il importe de se souvenir que les pâtisseries du commerce sont dans la règle faites avec des graisses dites végétales, donc artificielles, du sucre raffiné et de la farine blanche, privée de ses vitamines naturelles. Les matières premières ne nous offrent que des calories vides.

Le soir : Le repas du soir doit être pris le plus tôt possible. Il doit être léger, sans viande, conçu selon les mêmes principes que celui de midi.

Si l'appétit fait défaut le matin, c'est que le repas du soir a été trop abondant ou pris trop tard. Il ne faut pas perdre de vue qu'un apport alimentaire ne nous est utile et ne nous fournit d'énergie qu'après digestion et assimilation, autrement dit qu'après l'accomplissement d'un travail. Ce dernier est d'autant plus important que le repas a été plus copieux, plus riche, plus gras. On estime à deux litres la quantité de liquides digestifs, nécessités par un gros repas. Le soir, nous sommes fatigués de notre journée et peu aptes à fournir cet effort supplémentaire, et cela d'autant moins que nous sommes plus âgés. A partir de cinquante ans, le dernier repas doit être sérieusement allégé. Si l'on mange trop ou trop tard le soir, la digestion se fait lentement et imparfaitement. Il y a discordance entre cette digestion ralentie et la propulsion des aliments dans le tube digestif, trop rapide par rapport à la digestion. Une partie de ceux-ci échappe ainsi à l'assimilation et devient la proie des microbes intestinaux. Ceux-ci, trop bien nourris, se multiplient, ce qui se traduit par des malaises, des ballonnements, la formation excessive de gaz, un sommeil perturbé, peuplé de cauchemars, et le matin, une langue épaisse recouverte d'un enduit beige, une mauvaise haleine et un manque d'appétit. Ces troubles persistent aussi longtemps que l'erreur de comportement qui l'engendre. L'être humain sédentaire, autrement dit la plupart des citadins, a besoin de deux repas importants par jour, le matin et à midi. Les compléments de 16 heures et du soir doivent être modestes. Seuls les travailleurs de force font exception à cette règle.

Les personnes de soixante-dix ans et plus savent, expérience faite, que, pour rester bien portantes, elles ne doivent pas manger le soir, ou se contenter d'une nourriture très frugale, d'un potage aux céréales, par exemple, ou d'un fruit et d'un yoghourt.

Commentaires

Les commerces de produits appelés diététiques se développent beaucoup dans les villes des pays industrialisés. Dans les contrées de langue allemande de tels magasins s'intitulent « Maisons de réforme alimentaire », dénomination qui correspond mieux au but qu'ils poursuivent et qui est de permettre aux citoyens de s'approvisionner en denrées indispensables au maintien de leur santé. Dans de tels magasins, il est possible de se procurer les *huiles* et les *céréales* que nous recommandons.

Les huiles

Comme je l'ai mentionné plus haut, les huiles du commerce courant sont obtenues par pression à chaud, entre 160 et 200 degrés. Elles sont raffinées et stabilisées. Grâce à ces méthodes, le rendement des graines est doublé et les huiles peuvent être vendues meilleur marché. Leur conservation est facilitée. Les huiles modernes, enfermées dans des bouteilles incolores, peuvent, sans en souffrir, être exposées dans les vitrines des magasins en plein soleil. Elles ne s'altèrent pas car elles ne contiennent plus d'éléments vitaux instables. Mais, si nous ne consommons que de telles huiles, nous devenons carencés et fragiles.

Les huiles pressées à froid rancissent facilement ; du fait de leur richesse en vitamines — corps très réactifs et qui nous sont précieux — elles s'oxydent à l'air, à la lumière, à la chaleur. Plus elles sont riches en vitamines F, plus les huiles s'altèrent rapidement. Elles sont vendues en boîtes métalliques, hermétiquement closes, ce qui assure leur bonne conservation. Lorsque ce récipient est ouvert, il importe de le mettre au réfrigérateur, autrement dit au froid et à l'obscurité. Il ne faut donc pas acheter de trop gros bidons.

L'extraction de l'huile de tournesol à froid se fait de façon très simple et ménagée. A Thoune par exemple, chez Schweizer, dont j'ai eu le privilège de visiter les installations, les graines de tournesol sont grossièrement écossées et passent dans une presse. L'huile sort de la machine à peine tiède. Elle est recueillie dans des bacs, se sédimente pendant vingt-quatre heures, est décantée et mise en « estagnons* ». Toute la manutention est remarquablement rapide et propre. Le produit obtenu est impeccable.

Certains industriels prétendent qu'entre les huiles pressées à chaud et celles pressées à froid, la seule différence est le prix. N'en croyez rien. Ils se fondent, pour l'affirmer, sur la non-destruction de l'insaturation (doubles valences), ce qui est exact. Mais des chercheurs spécialisés dans l'étude des corps gras alimentaires expliquent que le chauffage déforme la molécule de l'acide gras polyinsaturé ; il transforme la forme cis-cis physiologique et instable en forme cis-trans (voir vitamine F, p. 99). Une telle molécule peut encore servir de combustible, mais perd son rôle vitaminique et ne peut plus s'incorporer dans les structures fines de nos tissus (H. Sinclair, d'Oxford). La différence entre les deux structures, avant et après chauffage, est analogue à celle existant entre l'amidon et la cellulose (voir p. 56), dont le premier est comestible pour nous et le deuxième pas, ou encore à la transformation physique que subirait un pull-over de belle laine qui serait cuit dans l'eau pendant une heure : il garderait son poids, peut-être sa couleur, mais essayez de le mettre !

Le besoin quotidien en cette vitamine F a été d'abord estimé à 5 grammes puis entre 12 et 25 grammes. Il en faut davantage lorsqu'il y a carence ou augmentation des dépenses. Ce besoin est couvert par deux cuillères à soupe d'huiles, riches en acides gras polyinsaturés et consommées crues.

Mais toutes les huiles végétales ne sont pas également riches en acides gras polyinsaturés : les huiles de tournesol, de lin et de germes de blé en contiennent de 50 à 70 % selon les récoltes ; l'huile d'olive n'en renferme normalement que 2,5 à 8 %. Si la consommation régulière d'huile d'olive non raffinée n'entraîne pas de déficience en vitamine F, elle n'est guère apte à en corriger la carence.

Il existe dans le commerce des mélanges d'huiles pressées à chaud, donc bon marché, et d'huiles pressées à froid, donc chères. De telles huiles, évidemment, sont moins riches en vitamines, que les huiles pressées à froid et non mélangées.

La crème Budwig

Lorsque j'ai été amenée à pratiquer la réforme alimentaire, j'ai constaté après de nombreux essais, qu'il est plus aisé de faire exécuter ponctuellement une recette culinaire que d'obtenir l'emploi régulier de certains aliments porteurs de vitamines qui nous sont indispensables. L'introduction de la crème Budwig au petit déjeuner a été la ruse de guerre efficace, qui a permis d'obtenir chez la majorité de mes malades la modification nutritionnelle recherchée.

La crème Budwig est un repas cru, naturel, composé uniquement de produits frais. Le rapport de la quantité des (vitamines + oligo-éléments) à celle des calories y est extraordinairement favorable. Ce repas « tient au corps » beaucoup plus longtemps que le petit déjeuner traditionnel et rend en général les collations de 10 heures superflues. Dans un essai personnel, fait en course de montagne, au lieu de ressentir un besoin impérieux de nourriture deux heures après un petit déjeuner habituel, riche en calories vides, nourrie de crème Budwig le matin, j'ai pu faire avec aisance une montée de six heures, sans autre ravitaillement.

Bien préparée, c'est un mets jugé délicieux, réclamé par les enfants et tout spécialement apprécié par les personnes âgées qui déclarent ne plus pouvoir s'en passer. C'est un plat très digeste et accepté dans la règle, même par les grands malades. On peut en varier le goût et la présentation en y incorporant des fruits de saison, mélangés à la masse, s'il s'agit de baies (framboises, mûres, etc.) ou déposés en surface, si ce sont des poires, des oranges, des pêches, etc.

Il faut savoir que ceux qui souffrent de constipation doivent préférer le lin aux autres graines oléagineuses, et l'avoine aux autres céréales. Les personnes délicates, ayant facilement des diarrhées, choisiront les graines de tournesol et les amandes parmi les oléagineux et le riz complet ou le sarrasin, parmi les céréales.

Certaines personnes préfèrent dissocier la crème Budwig, prendre les noix, les céréales crues et les graines oléagineuses le matin, l'émulsion de l'huile de lin dans le fromage blanc, tartiné sur du pain avec du Cenovis (= extrait de levure) par exemple, à un autre repas. Il n'y a aucun inconvénient à procéder ainsi.

Les céréales

Le terme de céréales provient du nom de Cérés, déesse des moissons. Il englobe l'ensemble des graines que l'homme sème et moissonne chaque année pour se nourrir. La plupart des plantes qui les produisent sont des graminées.

Depuis des millénaires, l'homme s'est rendu compte combien ces graines lui étaient bénéfiques. Il en a fait du pain et de ce pain il a fait le symbole de la nourriture indispensable à sa survie. « Donne-nous aujourd'hui notre pain de chaque jour », apprennent à dire les jeunes chrétiens. Et voilà qu'actuellement nombre de citoyens ont oublié ce que sont les céréales. A la question : « Consommez-vous des céréales ? » Ils répondent : « Mais oui, nous mangeons tous les jours des légumes ! » Le pain, lui, a dégénéré. Il n'est plus fait, ni de farines fraîchement moulues, ni de graines entières et sa consommation baisse de plus en plus. Or les céréales constituent notre principale source de vitamines B. Leur usage régulier est un facteur important de santé. Il importe donc que la ménagère en réapprenne l'emploi et mon expérience montre que c'est ce qui est le plus difficile à obtenir. Les céréales complètes remplaceront en partie le pain, qui aujourd'hui ne remplit plus son rôle. Bien entendu, si elle en a le loisir, la mère de famille peut faire du pain elle-même avec de la farine fraîchement moulue, à partir de grains complets de blé, de seigle, d'avoine. Un tel pain est délicieux, incomparablement plus savoureux que celui acheté dans les boulangeries. Mais il est possible d'employer les céréales sous forme de potages ou de plats.

La ménagère pourra par exemple préparer un bouillon de légumes ou de champignons, y introduire de l'orge ou de l'avoine fraîchement moulue, qu'elle cuira une dizaine de minutes. Au dernier moment, elle ajoutera des herbes (cerfeuil, persil ou autres) et obtiendra ainsi un potage plus ou moins épais selon son désir et impeccable tant au point de vue gustatif que nutritionnel.

Un autre jour, elle servira une soupe aux légumes et un plat de céréales cuites en bouillie. A l'eau de cuisson des céréales, elle ajoutera les goûts qu'elle aime, ainsi que du fromage blanc maigre, qui en augmente la valeur nutritive. Au moment de manger cette bouillie, chacun pourra, dans son assiette, ajouter un peu d'huile vierge qui la rendra plus nourrissante et savoureuse.

Une partie de cette bouillie pourra être gardée pour le lendemain ; mise en boules dans une poêle enduite d'un peu d'huile à l'aide d'un pinceau, on en fera des croquettes ou des « biftecks de céréales » qu'on pourra servir avec une sauce aux tomates, une salade ou des légumes cuits. Il est bien entendu que l'huile, qui a servi à la friture aura perdu ses vitamines et n'apportera plus que des calories vides. Pour cette raison, évitons de donner des huiles chauffées aux malades.

Il est important que toute cuisinière apprenne à connaître les différentes céréales, afin de varier ses menus ; qu'elle sache que le riz, l'orge, le blé complets (tout comme les pois) doivent être trempés douze heures à l'avance dans deux fois et demi leur volume d'eau, ou portés à l'ébullition et mis dans un endroit tiède, recouverts d'un linge ou d'un cosy. Chauffés à l'ébullition dans une marmite à vapeur, ils peuvent être abandonnés jusqu'au jour suivant. Dans ces conditions, ils ont le temps de gonfler et le lendemain, leur préparation ne demande que quinze à vingt minutes. Si on met les graines à cuire sans leur donner le temps de s'imbiber d'eau, le temps de cuisson est trop long et elles restent trop dures.

Je recommande également la confection de galettes. Une pâte liquide, faite d'un mélange de céréales complètes fraîchement moulues, est versée dans un four à gaufres électrique préchauffé, puis enduit d'huile. Les fours automatiques se déclenchent d'eux-mêmes lorsque la galette est prête. On peut, par exemple, faire ce mélange : 3/4 blé, 1/4 seigle ou avoine, une pincée de sel. Y ajouter, selon son goût, un peu de cumin ou d'anis ou de raisins secs. Si la pâte est assez liquide, la galette, très mince, est translucide, croustillante et délicieuse.

Du blé et du soja germés peuvent être ajoutés aux salades. Ils sont riches en catalyseurs, mobilisés à ce moment-là dans la graine. Des germoirs sont vendus dans les magasins de produits diététiques. Le pouvoir de germination en milieu humide et tiède, à 30 degrés, est le meilleur contrôle de la qualité des céréales. Les graines vivantes germent en deux, trois ou quatre jours.

Les personnes motivées par la survenue de maladies graves au sein de leur famille n'ont guère de difficultés à retourner à l'alimentation saine, pratiquée par les paysans du siècle passé. Après deux mois d'essai, elles sont de plus en plus convaincues de l'effet bienfaisant d'un tel régime et déclarent spontanément ne plus pouvoir s'en passer.

Dans les chapitres qui vont suivre, je vais rappeler quelques notions de chimie, de biologie et de physiologie, afin que chacun puisse se rendre compte de l'immense effort entrepris par la science pour essayer de comprendre la structure et le fonctionnement de notre corps.

Malgré les merveilleuses découvertes, faites entre autres grâce au microscope électronique, et qui nous ont permis de pénétrer dans l'intimité des structures et des fonctions cellulaires, nous ne pouvons qu'être émerveillés devant la complexité des phénomènes qui conditionnent la vie. Jamais aucun cerveau humain ne pourra reproduire ces structures ultrafines et les faire fonctionner comme la nature le réalise. L'accumulation des notions nouvelles ne peut nous inciter qu'à une admiration et une humilité toujours plus grandes, dont la conséquence logique est un respect grandissant de la nature, respect qui seul peut nous préserver du malheur.

5

La chimie des aliments :

Nos aliments contiennent d'une part des substances qui se rencontrent dans le monde inanimé dit inorganique, d'autre part des molécules élaborées par des êtres vivants.

Substances inorganiques

L'eau

L'eau est quantitativement le plus important et le plus indispensable de nos aliments. C'est elle qui confère au protoplasme cellulaire la consistance fluide nécessaire aux échanges. La proportion d'eau varie d'un tissu à l'autre. Elle est de 60 % environ dans le corps humain global, de 22 % dans les os, de 70 % dans le foie, de 75 % dans les muscles.

a) Les protéines du protoplasme baignent dans un lit d'eau. Une partie de cette eau (38 % environ) est en excès autour des molécules et peut être enlevée sans dommage. Elle peut circuler et se déplacer.

b) On peut soustraire une autre partie de l'eau sans tuer la cellule, mais en perturbant son métabolisme, c'est-à-dire les réactions chimiques et les échanges dont elle est normalement le siège. C'est l'eau métabolique. Les transformations chimiques s'opèrent autour des protéines, qui doivent baigner dans suffisamment d'eau pour que cette activité soit possible.

c) Si on enlève davantage d'eau, les chaînes protéiques s'accolent. Toute activité métabolique cesse et, avec elle, la vie cellulaire.

d) Mais la cellule morte contient encore de l'eau. C'est l'eau résiduelle, d'imbibition, gonflant les tissus vivants, immobilisée par eux et leur donnant leur consistance. Elle représente environ la moitié de l'eau totale et peut disparaître par évaporation.

e) Après la mort et la dessication, la cellule contient encore de l'eau, qu'on ne peut enlever. C'est l'eau liée. Elle fait partie intégrante des molécules et forme environ 4 % de l'eau totale.

Les gaz

Des gaz en dissolution dans l'eau ou en combinaisons plus ou moins instables se retrouvent dans toutes les cellules : ce sont principalement l'oxygène et le gaz carbonique (CO_2).

Les sels

Les sels ne manquent jamais dans la matière vivante. On appelle ainsi le produit de la réaction d'un acide, tel l'acide chlorhydrique (HCl) et d'une base, telle la soude caustique (NaOH) qui, mis en présence l'un de l'autre, se combinent pour former un sel (dans l'exemple choisi, ce sel est le chlorure de sodium, NaCl) l'hydrogène H de l'acide se lie au groupe OH de la base pour former de l'eau, H_2O.

Au cours de l'évolution des espèces, lorsque les animaux quittèrent la mer pour vivre sur terre ferme, ils emportèrent, nous dit-on, de l'eau de mer dans leur sang. De fait, la composition saline du plasma sanguin ressemble étonnamment à celle de l'eau de mer. Comme dans celle-ci, le chlorure de sodium – notre sel de cuisine – y est le sel prépondérant.

Nous ne mentionnerons que fort succinctement les fonctions de ces substances minérales, présentes dans notre corps en quantités importantes. Comme tout ce qui compose notre organisme, les sels minéraux sont constamment éliminés par les reins, les selles, la sueur, et doivent être renouvelés par l'absorption d'aliments. Ils sont très répandus dans la nature vivante. Un apport suffisant en est assuré par les aliments non raffinés, les légumes et les fruits frais. L'assimilation de certains d'entre eux, tel le calcium, peut, par contre, être insuffisante.

Ces minéraux sont le sodium, le potassium, le chlore, le calcium, le phosphore et le soufre.

Notre corps contient :

Minéraux :	Symboles	Par kilo	Pour 70 kilos
sodium	Na	1,8 g	126 g
potassium	K	2,7 g	189 g
chlore	Cl	1,8 g	126 g
calcium	Ca	22,4 g	1,568 g
phosphore	P	12 g	840 g
soufre	S	2,5 g	175 g

Le sodium, le potassium et le chlore

Ils sont essentiels à la régulation du métabolisme de l'eau et de la pression osmotique. C'est grâce à ces sels que se maintient la teneur normale en eau de l'organisme, la turgescence physiologique des tissus. Le sodium et le potassium sont présents sous forme de sels divers : bicarbonates, phosphates, et surtout chlorures.

Le sodium est abondant dans les liquides corporels extracellulaires, tandis que le potassium se concentre à l'intérieur des cellules. Il joue un rôle très important dans la régulation de la fonction cardiaque.

Nous perdons du chlorure de sodium par les reins et la sueur. Lors de l'exposition à une chaleur intense, cette dernière perte peut être très importante et mettre la vie en danger. L'apport quotidien le plus favorable en sel de cuisine a été estimé être de 2 à 5 grammes (soit de 0,8 à 2 grammes de sodium) mais la ration militaire individuelle en prévoit 20 grammes par jour !

Le chlore est très mobile. Il possède la propriété de traverser rapidement les membranes cellulaires, de quitter le plasma sanguin, de pénétrer dans les cellules et vice-versa.

En abandonnant le plasma sanguin, dans lequel il est couplé au sodium sous forme de chlorure de sodium neutre, il rend la base « sodium » disponible pour la neutralisation des acides en excès. Ce mécanisme tampon joue un grand rôle dans le maintien, d'importance vitale, de l'équilibre acido-basique du sang (pH normal = 7,4) (voir p. 83).

Les bicarbonates et les phosphates alcalins forment également des systèmes tampons importants.

C'est à partir du chlorure de sodium du sang que prend naissance l'acide chlorhydrique sécrété par l'estomac, et la présence de ce sel est indispensable à l'activité de l'amylase, ferment qui transforme l'amidon en sucre.

La teneur en sodium de nos aliments naturels est faible. La plupart des fruits frais n'en contiennent que 1 à 3 milligrammes par 100 grammes ; les légumes-feuilles 15 ; les légumes-racines (carottes, céleri, etc.) 100 ; les pommes de terre seulement 3. Le fenouil fait exception et en renferme 300.

Le besoin quotidien en potassium est compris entre 0,8 et 1,3 gramme. Il est aisément couvert par les aliments et surtout par les légumes et les fruits. La farine bise en contient 0,3 gramme par 100 grammes ; la farine fleur seulement 0,09. Alors que le sucre non raffiné et la mélasse renferment respectivement 24 et 40 milligrammes de sodium et 200 et 1 500 milligrammes de potassium par 100 grammes, le sucre blanc raffiné ne contient plus que 0,3 milligramme de sodium et 0,5 milligramme de potassium par 100 grammes, soit de 80 à 130 fois moins pour le sodium et de

400 à 3000 fois moins pour le potassium. Nopus retrouvons ici un exemple de la façon dont le raffinage appauvrit nos aliments en substances qui nous sont précieuses.

Le calcium

Le calcium (Ca) représente environ 2 % de la matière constitutive du corps humain, dont la majeure partie, liée au phosphore, est incorporée à l'os et lui confère sa solidité.

Lorsque les taux de calcium et de phosphore s'abaissent dans l'organisme de l'enfant, apparaît le rachitisme, et cela d'autant plus que la croissance est plus rapide. Les os s'allongent, mais le cartilage néoformé ne se calcifie pas, reste mou et se déforme sous l'action du poids et de la traction musculaire (voir p. 92).

Chez l'animal (rat), une carence calcique avec privation de vitamine D entraîne l'apparition d'ostéoporose. Chez l'adulte vieillissant, la résorption physiologique de l'os l'emporte souvent sur sa régénération, ce qui entraîne la disparition de 15 % du tissu osseux chez la plupart des individus. Les os deviennent fragiles. Il en résulte une diminution de la taille par tassement lent de la colonne vertébrale. Les os les plus épais se cassent sous l'effet de traumatismes minimes : ainsi, le col du fémur se fracture lors d'une simple glissade et d'une chute de sa propre hauteur en position assise !

Cette ostéoporose n'est visible à la radiographie que lorsque le squelette a perdu de 30 à 40 % de sa teneur en calcium. La perte de calcium peut atteindre et dépasser 600 grammes. Elle peut s'accompagner de douleurs. Un pareil déficit ne peut être comblé que très lentement, par un apport quotidien de un à trois grammes de calcium doublé de phosphore, de vitamine D et d'hormones anabolisantes qui s'opposent à la destruction osseuse.

L'inactivité, l'immobilisation altèrent la structure de l'os. L'effort physique, le sport préviennent l'ostéoporose, de même qu'une alimentation bien équilibrée en vitamines et en sels minéraux.

Le besoin en calcium est de 0,5 à 1 gramme par jour. La vitamine D en favorise la résorption. Un excès de graisses alimentaires, par contre, entraîne la formation dans l'intestin de savons calcaires insolubles qui sont éliminés par les selles.

Mais le calcium joue encore d'autres rôles importants dans l'organisme. En équilibrant le système nerveux, il intervient dans le mécanisme du sommeil et de la régulation cardiaque. Il conditionne l'émotivité, l'excitabilité neuromusculaire. Un déficit de calcium dans le sang entraîne l'apparition de crampes tétaniques. Les ions calciques activent des ferments, stimulent les globules blancs chargés de la phagocytose, conditionnent la perméabilité des membranes et assurent leur étanchéité physiologique. Ils exercent une action antitoxique.

Le calcium est en outre indispensable à la coagulation sanguine.

On trouve de faibles proportions de calcium (de 10 à 60 milligrammes par 100 grammes) dans presque tous les aliments. Un litre de lait ou 150 grammes de fromage en renferme 1,25 gramme.

Les haricots secs, les carottes, les épinards, les poireaux, les fruits secs (figues, dattes, noix, amandes), le chocolat, les œufs, le pain Graham (50/100 milligrammes de Ca par 100 grammes), les olives sont de bonnes sources de calcium et de phosphore. L'eau en contient 80 milligrammes par litre à Genève.

On a fait en 1961 la découverte d'une hormone thyroïdienne, la calcitonine, qui abaisse le taux du calcium dans le sang veineux en augmentant sa fixation dans l'os. Elle inhibe la résorption osseuse. Cet effet est surtout marqué chez les animaux en croissance, mais s'exerce également sur les tissus ostéoporeux (Baud). Cette hormone sera peut-être une aide efficace dans le traitement des déminéralisations osseuses provoquées par l'immobilisation, la ménopause, la vieillesse et les traitements cortisoniques, ainsi que pour l'élimination des dépôts calcaires anormaux des tissus mous, tels les reins.

L'hypercalcémie provoquée par une injection intraveineuse de calcium stimule la sécrétion de calcitonine (Bartler, Jovscy) et inhibe les parathyroïdes, dont l'activité physiologique intensifie la résorption osseuse (Raisz).

Le soufre

Le soufre (S) est indispensable à la vie. Il fait partie d'importantes structures tissulaires. C'est un constituant de la kératine, c'est-à-dire de la substance cornée des phanères. Dans les poils et les ongles, il y en a 0,3 % ; dans le foie et les muscles 0,2 %. Le tissu conjonctif, les glandes à mucus en sont avides. L'héparine, substance anticoagulante naturelle, en contient, de même que certains lipides cérébraux.

Le manque de soufre dans le sol entraîne une carence en soufre des plantes, ce qui diminue leur capacité à fixer l'azote et abaisse leur teneur en vitamine B_1, qui est un produit soufré.

Deux acides aminés essentiels, la cystéine et la méthionine, contiennent du soufre. Leur synthèse est réalisée par des micro-organismes et des végétaux, mais la cellule animale en est incapable. Par contre, elle peut transformer la méthionine en cystéine. Ces deux acides aminés ont une action protectrice contre les effets nocifs des rayons X. La cystéine augmente la capacité fonctionnelle du foie en y favorisant le dépôt de glycogène et intervient dans le métabolisme des phospholipides. La vitamine A joue un rôle dans le métabolisme soufré.

Une carence en iode entraîne la formation d'une tumeur de la glande thyroïde appelée goitre, qui disparaît par un apport de ce métalloïde. Mais certains goitres se forment dans les régions riches en iode. Ils sont dus à un excès de soufre, qui bloque l'enzyme permettant l'entrée de l'iode dans la thyroïde, et la glande dégénère. La consommation excessive d'aliments riches en soufre comme le chou provoque l'apparition de tels goitres. Cette propriété du soufre est employée en médecine afin de freiner les thyroïdes hyperactives (goitres toxiques).

Le phosphore

Le phosphore (P) fait partie des structures cellulaires. Il est indispensable à toute vie. Il représente environ 1 % du poids du corps.

Le squelette, dans lequel il est lié au calcium, en contient la plus grande partie. Le phosphore est en outre intégré à de nombreuses substances d'importance vitale. Dans les noyaux cellulaires, il est incorporé aux chromosomes, aux gènes, qui transmettent les caractères héréditaires. Il fait partie des phospholipides, corps gras nobles, constituants du cerveau et des membranes cellulaires.

Le besoin journalier en phosphore est d'un demi-gramme environ. Les aliments trop raffinés sont déficients tant en calcium qu'en phosphore.

6

La chimie des aliments : substances élaborées par des êtres vivants

Quelques notions élémentaires de chimie organique sont indispensables à la compréhension de nos besoins nutritionnels. Je les rappelle ici.

Nos aliments naturels, végétaux ou animaux, appartiennent à la nature vivante. Le carbone (symbole C) est l'élément chimique de base de toute vie. Ses atomes ont une aptitude presque illimitée à s'unir soit entre eux, soit avec d'autres atomes. L'incroyable diversité des êtres vivants, allant du plus petit virus à l'immense baleine ou au séquoia géant, est l'une des conséquences de cette capacité si particulière du carbone.

L'atome de carbone est à la base de toutes les molécules complexes, dont nous sommes faits : protéines, graisses, glucides, enzymes, vitamines, hormones. La science qui s'occupe de l'étude de cet atome a permis à l'homme de comprendre la structure et les propriétés des substances organiques naturelles, mais aussi d'en créer une multitude d'autres, dont un grand nombre sont dérivées du pétrole.

Le carbone possède quatre valences, autrement dit il est capable de s'unir à quatre éléments monovalents, tel l'hydrogène (symbole H). Le corps chimique formé d'un carbone et de quatre hydrogènes est le méthane, gaz combustible appelé aussi gaz des marais, où il se forme lors de la décomposition bactérienne de substances organiques dans l'eau. C'est ce gaz qui est le constituant principal du grisou, dont les explosions sont si redoutées dans les mines de houille. Il peut parfois prendre naissance dans l'intestin sous l'action de bactéries. Sa formule est figurée de la façon suivante :

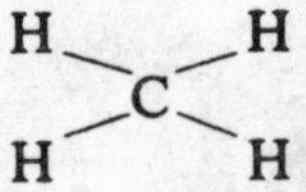

$$\begin{matrix} H & & H \\ & C & \\ H & & H \end{matrix}$$

En remplaçant trois des atomes d'hydrogène par du chlore, les chimistes ont obtenu un liquide, le chloroforme, anesthésique bien connu :

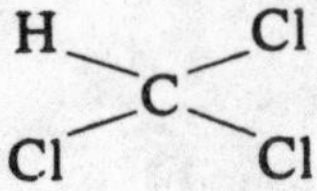

$$\begin{matrix} H & & Cl \\ & C & \\ Cl & & Cl \end{matrix}$$

En remplaçant les quatre atomes d'hydrogène par du chlore, on obtient un détachant, le tétrachlorure de carbone, etc. etc.

Le carbone a la propriété de se combiner à lui-même pour former des chaînes de diverses longueurs dans lesquelles chaque carbone se lie par une valence à celui qui le précède et par une deuxième valence à celui qui le suit. Il reste ainsi, par carbone, deux valences disponibles, où peuvent se fixer par exemple un atome d'oxygène ou deux d'hydrogène.

Si deux carbones sont réunis entre eux, et chacun à trois hydrogènes, on obtient un début de chaîne : ce corps s'appelle éthane. Sa formule est :

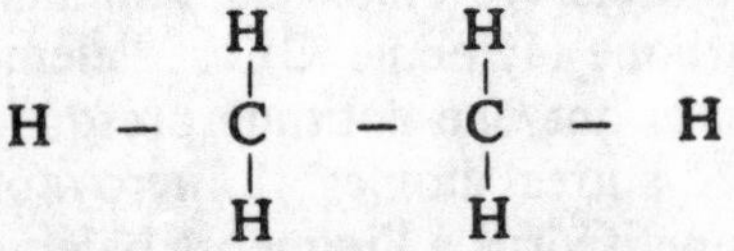

$$\begin{matrix} & & H & & H & & \\ & & | & & | & & \\ H & - & C & - & C & - & H \\ & & | & & | & & \\ & & H & & H & & \end{matrix}$$

Cette chaîne peut s'allonger par intercalation entre les deux groupes CH_3 d'un ou de plusieurs carbones, dont chacun porte deux hydrogènes (groupes CH_2).

Un autre dérivé très simple est le gaz carbonique formé de l'union d'un atome de carbone avec deux atomes d'oxygène. L'oxygène a deux valences. La formule du gaz carbonique s'écrit donc $O = C = O$ ou CO_2. Lorsque les quatre valences d'un carbone sont occupées par des atomes, le corps qui en résulte est dit saturé ; il est stable. Mais parfois, deux carbones voisins sont reliés par deux valences. Une telle place dans la molécule est labile ; la double valence peut s'ouvrir et accepter deux hydrogènes supplémentaires, ou d'autres atomes. Une substance présentant des doubles valences est dite insaturée, elle est instable. L'instabilité chimique est un caractère très important, propre à bon nombre de substances vitales – vitamines, enzymes, hormones – qui permettent, par leur réactivité, l'accomplissement des transformations chimiques à l'intérieur de notre corps.

Nous avons vu que lorsque de la soude caustique, base minérale, dont le symbole est NaOH, est mise en présence d'acide minéral, par exemple d'acide chlorhydrique (HCl), les deux substances se combinent pour former un sel neutre, le chlorure de sodium (NaCl) et de l'eau (H_20). De même, en chimie organique, une base (telle la glycérine) se combine avec des acides (acides gras, par exemple) pour former un éther-sel, qui est une graisse neutre, et de l'eau.

Certains composés du carbone se rencontrent aussi bien dans la matière vivante que dans celle qui est dépourvue de vie (gaz carbonique, par exemple). D'autres, tels les glucides (sucres et amidons), les lipides (graisses animales et huiles végétales) et les protides (ou protéines) sont le produit de l'activité vitale et ne se trouvent dans la nature que dans la substance vivante ou qui a été telle.

Tous nos aliments naturels végétaux et animaux contiennent ces trois catégories de substances élaborées par les cellules vivantes.

Les glucides, ou hydrocarbones

(structure chimique)

Les glucides, appelés aussi hydrocarbones, sont des substances composées de carbone, d'hydrogène et d'oxygène. Font partie de ce groupe des sucres simples, dont la structure comprend six atomes de carbone, six d'oxygène et douze d'hydrogène ($C_6[H_2O]^6$). Trois représentants importants de cette catégorie de substances sont le glucose, dit sucre de raisin, présent dans le jus de ce fruit et également dans le sang humain ; le fructose ou lévulose, qui se trouve dans de nombreux autres fruits. Ils ont comme propriété caractéristique de fermenter sous l'action d'êtres unicellulaires appelés levures, en fournissant de l'alcool et du gaz carbonique. Un autre sucre simple, le galactose, est une partie constituante du sucre de lait.

Deux molécules de sucre simple peuvent se condenser en perdant une molécule d'eau pour former un sucre double. C'est ainsi que la canne à sucre fabrique du saccharose, résultant de l'union d'une molécule de fructose et d'une molécule de glucose, que le sucre de malt, ou maltose, résulte de la combinaison de deux molécules de glucose et que le lactose, ou sucre de lait, résulte de l'union du galatose avec du glucose. Il suffit de bouillir ces sucres avec un acide minéral pour produire leur dédoublement en deux sucres simples.

Il existe également dans l'organisme, et tout spécialement dans les noyaux cellulaires, des sucres à cinq atomes de carbone appelés ribose et désoxyribose, et encore nombre d'autres (sorbitol, fucose, mannose, etc.).

Les sucres, tant chez les plantes que chez les animaux, se lient non seulement entre eux, mais aussi à d'autres molécules, protéiques ou lipidiques pour former la mucine du mucus, les nucléosides des noyaux cellulaires, les cérébrosides, corps gras du cerveau, etc. Il n'existe que de très rares protéines sur lesquelles ne sont pas fixés des sucres divers ou des graisses.

Les molécules d'un sucre simple peuvent se condenser en se liant en grand nombre les unes aux autres, et en perdant chaque fois une molécule d'eau : il en résulte des complexes appelés amidon ou cellulose chez la plante, glycogène chez les animaux.

Il existe deux espèces d'amidons : le plus commun (80 %) est l'amylopectine, à molécules ramifiées (dont le poids moléculaire atteint 52.10^6) produit de la condensation d'environ 250 000 molécules de glucose avec perte d'autant de molécules d'eau ; l'autre (20 %) est l'amylose, à molécules droites (dont le poids moléculaire n'est que de 10^6), produit de condensation de 5 000 molécules de glucose. Le glycogène, ou amidon animal, a un poids moléculaire de 2.10^6 et est formé d'environ 10 000 molécules de glucose ; sa molécule est ainsi vingt-cinq fois plus petite que celle de l'amylopectine. Le glycogène et l'amylopectine ont une structure très semblable. Les molécules de glucose qui les constituent sont identiques. Dans les deux substances, elles se condensent en chaînes ramifiées très analogues.

Si l'on traite à cent degrés l'amidon végétal ou animal avec des acides minéraux, il s'hydrolyse, c'est-à-dire récupère de l'eau et se scinde en molécules de glucose. L'organisme vivant effectue cette même transformation à une température inférieure grâce à ses ferments et libère ainsi le sucre simple au fur et à mesure de ses besoins. Cela nous explique pourquoi, lors de leur germination, les graines, riches en amidon à l'état de repos acquièrent une saveur sucrée, alors que l'amidon est insipide.

Amidons et glycogène sont des réserves alimentaires.

La cellulose qui forme les membranes des cellules végétales et leur confère une certaine rigidité, résulte également de la condensation de molécules de glucose. Elle est insoluble dans l'eau et indigeste pour l'homme. Son poids moléculaire est de $1,7.10^6$, ce qui correspond, comme pour le glycogène, à la condensation d'environ 10 000 molécules de glucose. le fait qu'elle ne peut être attaquée par les ferments digestifs tient à un détail de structure.

Le glucose existe sous la forme de deux isomères alpha et bêta. L'amidon est construit à partir de l'isomère alpha. Pour former la cellulose. la plante emploie l'isomère bêta. Cette légère modification de structure spatiale suffit pour que nos ferments ne puissent pas la dégrader (voir Annexe II p. 317). D'autres êtres vivants, tels que les microbes présents dans la panse des ruminants, et les insectes qui vivent dans le bois, ont des ferments digestifs adaptés à cette forme moléculaire particulière ; ils peuvent ainsi transformer la cellulose en sucre et s'en nourrir. En faisant bouillir longuement de la cellulose avec de l'acide sulfurique concentré, on la dégrade d'abord en amidon, puis en glucose.

Nous avons ici un exemple frappant du rôle que peut jouer dans une molécule un déplacement spatial d'atomes par rapport à d'autres : ce léger changement architectural entraîne l'apparition de propriétés physiques, chimiques et biologiques totalement différentes, phénomène très important et que l'on retrouve souvent dans la matière vivante (voir p. 99). C'est également un exemple de modifications de structure qui ne peuvent être obtenues par le chimiste qu'à l'aide d'acides forts et d'une température élevée (100 degrés), alors que des êtres vivants les effectuent à une température peu élevée, comprise entre 20 et 40 degrés grâce à l'intervention de leurs ferments (voir p. 80).

Les lipides, ou graisses
(Structure chimique)

Les corps gras existent dans les cellules végétales et animales, pour une part en tant que dépôts et aliments de réserve, pour une autre part intimement et indissolublement liés aux structures vivantes. Le cytoplasme contient 30 % de son poids sec de graisses. Les graisses de dépôt ne sont pas miscibles à l'eau ; dans les tissus vivants, elles sont toujours à l'état liquide, donc huileux. Celles qui sont liées aux structures cellulaires forment des solutions colloïdales, c'est-à-dire opaques ou troubles (comme par exemple le lait ou le savon dans l'eau).

Les graisses de dépôt ont une composition chimique assez simple. Elles sont, comme les sucres, formées de carbone, d'oxygène et d'hydrogène, mais la proportion d'oxygène qu'elles contiennent est plus faible que dans les sucres. Elles peuvent donc, lors de leur combustion, en fixer proportionnellement davantage, ce qui augmente leur pouvoir calorifique. Autrement dit, à poids égal, la combustion de la graisse fournit un peu plus du double de calories que les sucres ; elles sont de ce fait, à poids égal, deux fois plus nourrissantes (voir p. 65).

Les graisses neutres animales sont des esthers ou éthers-sels formés, comme les sels minéraux, d'une base, la glycérine, à laquelle sont fixés trois acides gras par molécule (voir annexe II, p. 318).

Les acides gras naturels se distinguent les uns des autres non seulement par la longueur de la chaîne de carbone dont ils sont formés, mais encore, et cela est très important, par la présence ou l'absence dans leur molécule de doubles liaisons. On les appelle acides gras saturés et insaturés. Dans les acides gras saturés, tous les carbones de la molécule sont reliés entre eux par une valence simple. Chaque carbone porte deux atomes d'hydrogène, sauf le premier, qui en porte trois, et le dernier, qui porte la fonction acide (COOH).

Dans les acides gras insaturés, il existe à une ou plusieurs places des carbones voisins qui ne portent qu'un seul hydrogène et sont reliés entre eux par une double valence. On les dit respectivement mono- ou poly-insaturés. Les acides gras insaturés qu'on trouve dans nos aliments possèdent une, deux, trois ou quatre doubles liaisons.

Si nous numérotons les carbones à partir de l'extrémité CH_3 d'un acide gras, nous constatons que les doubles liaisons des acides gras naturels se placent le plus souvent aux mêmes endroits. L'acide gras insaturé de l'huile d'olive, appelé acide oléique, est pourvu d'une seule double liaison, située entre les carbones 9 et 10 à partir de CH_3. L'animal sait construire cet acide gras à partir des sucres, par exemple. Il sait également introduire une double liaison entre les carbones 12 et 13 et les carbones 15 et 16. Ce qu'il ne sait pas faire, par contre, c'est mettre une double liaison en position 6-7. L'acide gras insaturé possédant deux doubles liaisons en C 6-7 et C 9-10 s'appelle acide linoléique ; celui qui possède trois doubles liaisons en positions C 3-4, C 6-7 et C 9-10 est l'acide linolénique. (Voir p. 99 et annexe II, p. 321.)

En laboratoire, le chimiste sait combiner la glycérine à trois acides stéariques (C 18), ou palmitiques (C 16) ou oléiques (C 18), mais la nature procède autrement. Elle combine à la même molécule de glycérine différents types d'acides gras, réalisant ainsi une variété très grande de graisses. Elle a sans doute ses raisons pour agir ainsi, dont nous ne savons rien.

Si une molécule de glycérine est combinée avec trois molécules d'acide stéarique ou palmitique, la graisse qui en résulte est solide à la température ordinaire d'environ 20 degrés ; elle est liquide si la glycérine s'unit à trois molécules d'acide oléique.

Plus les molécules d'acides gras contenues dans une graisse sont longues et saturées, plus la graisse formée est solide et indigeste. Plus les molécules d'acides gras sont courtes et insaturées, plus la graisse est fluide.

Outre les corps gras simples dont nous venons de parler, il en existe d'autres que l'on appelle lipoïdes. Dans cette classe sont rangés des corps physiologiquement très importants, formés par exemple de l'union de la glycérine à deux acides gras R_1 et R_2 et, en troisième place, à de l'acide phosphorique et à une substance azotée, la choline. Cette substance est appelée lécithine. Elle se trouve dans les membranes cellulaires. Le cerveau, le jaune d'œuf en sont riches. (Voir annexe II, p. 319 et 322.)

D'autres corps gras à structure plus complexe se rencontrent dans le cerveau. Ils contiennent du sucre, du phosphore, des acides gras insaturés.

En faisant bouillir une graisse neutre avec de la soude caustique, elle se décompose et la glycérine est libérée. Trois atomes de sodium se lient chacun à un acide gras ; il se forme ainsi du savon. Ce dédoublement des graisses en acides gras et en glycérine s'effectue dans l'intestin par l'action d'un ferment appelé lipase, et des savons peuvent ensuite prendre naissance dans le tube digestif. Si la nourriture est trop grasse, des acides gras non résorbés se combinent avec du calcium contenu dans les aliments, formant ainsi des savons calcaires insolubles. Ce calcium est perdu pour l'organisme. Chez ceux qui ont l'habitude de manger trop gras, on trouve des signes de décalcification, non pas parce que leur alimentation est trop pauvre en calcium, mais parce que celui-ci n'est pas absorbé.

Les protides, ou protéines

Les protides peuvent être considérés comme la matière première spécifique du protoplasme cellulaire. Leur composition diffère de celle des sucres et des graisses par le fait que leur molécule, outre le carbone, l'oxygène et l'hydrogène, contient régulièrement de l'azote lié à deux atomes d'hydrogène (NH_2).

Les protides, quelle que soit leur origine, sont composés d'acides aminés, ou amino-acides ayant la faculté de se polymériser, autrement dit de s'unir les uns aux autres en nombre pratiquement illimité. Il en résulte des chaînes à poids moléculaire élevé. Le poids moléculaire de l'eau (H_20) est de 18. Celui de l'acide aminé le plus simple, le glycocolle, est de 89. Celui de l'albumine de l'œuf est de 35 000. Il faut assembler 300 amino-acides dans un ordre précis pour la construire. Le poids moléculaire de l'albumine sérique est de 70 000, celui de la globuline de 105 000.

Il existe dans la molécule de protéine des liaisons autres que celles que nous avons indiquées et qui sont plus fragiles. C'est à ces points que la molécule est attaquée par les ferments digestifs, tels la pepsine, sécrétée par l'estomac. Il se forme alors des molécules plus petites, formées d'un nombre moins élevé d'acides aminés et appelées peptones ou polypeptides.

Le nombre des acides aminés différents formant les protéines est restreint : il en a été isolé vingt-trois en 1936, vingt-huit en 1964. A partir de ces vingt-huit acides aminés sont construites toutes les protéines de nos aliments et de nos tissus.

Les différences qui existent entre les diverses protéines dépendent de la nature des acides aminés qui les composent, de la proportion de chacun d'eux, comme aussi de l'ordre dans lequel ils sont combinés. Le nombre des divers assemblages possibles échappe à toute évaluation et a été comparé aux chiffres qui expriment en kilomètres la distance qui nous sépare des étoiles éloignées de nous de 50 à 100 années-lumière, autrement dit à des chiffres astronomiques. (On appelle année-lumière la distance parcourue par la lumière en une année, à la vitesse de 300 000 km par seconde. Le chiffre calculé est de l'ordre de 10^{14}.)

L'observation confirme ces évaluations théoriques. Le nombre des matières albuminoïdes diverses, dont sont faites les différentes cellules vivantes, est pratiquement illimité. Chaque espèce cellulaire a ses propres modèles de protéines, qui déterminent ses possibilités, son rythme de vie, ses fonctions. Dans cette infinité de compositions et combinaisons possibles, chaque cellule parvient — et c'est là un des plus impressionnants miracles de la vie — à reconstruire des protéines toujours semblables à elles-mêmes et qui lui permettent de conserver son type.

Les protéines sont très différentes dans leur structure d'une espèce vivante à une autre. Elles le sont moins d'un individu à l'autre de la même espèce. Elles diffèrent cependant suffisamment, pour que, en cas de greffe, un tissu provenant d'un autre individu soit reconnu comme étant étranger et rejeté comme tel. Ainsi, chaque individu construit des protéines qui lui sont propres et seuls les jumeaux univitellins les font identiques.

7

La ration alimentaire

En ce qui concerne la ration alimentaire, nous sommes, tout comme les animaux, guidés par l'instinct. Nous sommes avertis, par la sensation de faim, qu'il faut manger et, par la sensation de satiété, que notre besoin a été couvert. La ration alimentaire qui nous est nécessaire varie en fonction de nos dépenses. Elle croît lors de gros efforts physiques, diminue si la vie est sédentaire.

Il semble que, dans ce domaine, le comportement d'un peu plus de la moitié d'entre nous soit raisonnable et que nous choisissions la ration alimentaire quoitidienne de façon à couvrir, outre les dépenses quotidiennes, les besoins inhérents à la croissance jusqu'à l'âge adulte et ensuite à garder notre poids constant. Cependant, la vie nous entraîne trop souvent à commettre des erreurs.

Grâce à la motorisation, notre civilisation actuelle nous épargne de plus en plus l'effort physique et beaucoup d'individus n'ont pas su s'y adapter en mangeant moins. Dans les temps passés, revenaient régulièrement des périodes durant lesquelles les aliments se faisaient rares, spécialement au printemps, quand les réserves d'automne s'épuisaient. Plus près de nous, et cela pendant des siècles, des coutumes religieuses ont imposé des périodes de jeûne, au moins relatif, avant les fêtes de Pâques, par exemple. Aujourd'hui, nous disposons toute l'année d'autant de nourriture que nous voulons, nous n'observons plus les rites religieux et bon nombre d'entre nous abusent de cet excès de nourriture et en souffrent.

Il est ressorti d'une étude statistique, faite en Allemagne en 1973, que la moitié des jeunes gens de vingt à trente ans avaient un excès pondéral de plus de 4 kilos et 10 %, de plus de 16 kilos. Dans certains pays industrialisés, près de 40 % des individus sont obèses. Cette accumulation de graisse corporelle est un facteur qui abrège notre vie et favorise les maladies dégénératives.

Il semble que, lorsque notre alimentation est bien équilibrée, riche en vitamines naturelles et en minéraux, nous ayons moins tendance à manger en excès et que trop d'embonpoint soit essentiellement dû à l'abus d'aliments d'origine industrielle, riches en calories vides (sucre, riz et pain blancs, pâtes, pâtisseries et graisses raffinées). Chez beaucoup d'entre nous, l'instinct est mis en défaut vis-à-vis de ces aliments. Cette défaillance de l'instinct doit être compensée par l'intelligence : se peser régulièrement est un acte indispensable à celui qui prend indûment du poids.

Le jeûne

Une bonne approche de la connaissance de nos besoins nous est fournie par l'étude du jeûne. Dans l'inanition totale, l'organisme emprunte à sa propre substance les matériaux indispensables à la production d'énergie, sans laquelle toute vie s'arrête. Mais le temps pendant lequel un animal peut subsister sans aliments est très variable d'une espèce à l'autre. Des animaux à sang froid peuvent vivre quelques mois et certains d'entre eux, deux à trois ans sans manger. Les oiseaux et les mammifères à sang chaud, par contre, sont contraints de brûler rapidement leurs réserves pour maintenir la température de leur corps : ils résistent beaucoup moins longtemps à l'inanition. En ne recevant que de l'eau, un cobaye meurt en six jours ; un chien peut vivre trente-cinq jours.

Les mammifères hibernants constituent une catégorie intermédiaire. Privés de nourriture, ils cessent de maintenir leur température constante, s'engourdissent et peuvent s'abstenir de manger pendant plusieurs mois.

On admet que l'homme supporte aisément un jeûne de vingt jours. Au repos complet et à une température proche de celle du corps, ce temps est accru et peut atteindre quarante et même cinquante jours. Il est abrégé par l'abaissement ou l'élévation de la température extérieure, par des dépenses musculaires ou nerveuses, qui accélèrent l'usure des tissus.

Une surexcitation nerveuse accroît les dépenses. Il est bien connu que, dans les naufrages, les effondrements de mines, ce sont les êtres flegmatiques qui survivent, alors que les angoissés s'épuisent plus rapidement et meurent... de peur ! Certains états particuliers du système nerveux permettent par contre une économie considérable des combustions : on a vu ainsi des fakirs, certains psychopathes, s'abstenir d'aliments pendant des périodes étonnamment longues... et survivre.

Les mammifères succombent lorsqu'ils ont perdu 40 % de leur poids. Dans cet amaigrissement, le cœur et le système nerveux ne perdent pour ainsi dire aucune substance. Les graisses diminuent de 97 %. Le poids des muscles s'abaisse de 40 %, celui du foie de 60 %. Ainsi, pendant le jeûne, certains organes (cœur, système nerveux) se nourrissent aux dépens des autres. Le comportement du saumon démontre cette possibilité : lorsque ce poisson quitte la mer et émigre dans un fleuve pour frayer, sa musculature est très vigoureuse ; avant de frayer, il jeûne pendant six mois, ses muscles s'atrophient, mais, à leurs dépens, les organes sexuels prennent un développement considérable.

Un homme ne peut vivre sans éliminer de l'azote provenant de la destruction des protéines corporelles. A l'état de jeûne total, un homme adulte en désintègre environ 70 grammes par vingt-quatre heures, ce qui correspond à une perte d'azote de 14 grammes environ.

Lorsque la réserve de graisse est épuisée, l'excrétion d'azote augmente brusquement ; à ce moment, le chauffage du corps s'effectue aux dépens des précieuses protéines, et ce phénomène précède de peu la mort du sujet.

Au repos complet, soumis à une température extérieure qui ne l'oblige à lutter, ni contre le froid, ni contre un excès de chaleur, un homme adulte de poids moyen (70 kilos) emploie 1 600 calories par vingt-quatre heures (une grande calorie étant la quantité de chaleur nécessaire pour élever de 1° la température d'un litre d'eau) : c'est la dépense de fond, ou *métabolisme basal.*

Le dosage des diverses substances contenues dans l'urine d'une part, la mesure des échanges gazeux respiratoires (soit la consommation d'oxygène et la production de gaz carbonique) d'autre part, permettent d'établir approximativement les proportions respectives des protéines, des graisses et des sucres détruits pendant l'inanition. On peut admettre que, dans le jeûne, 15 % des dépenses sont couvertes par les protides, 10 % par les sucres et 75 % par les graisses. Les sucres sont les premiers épuisés ; dès lors, 85 % de l'énergie est fournie par la combustion des graisses. La quantité de carbone éliminée sous forme de gaz carbonique (CO_2) par vingt-quatre heures est de l'ordre de 200 grammes, ce qui correspond à la combustion de 135 grammes de sucre ou de 60 grammes de graisse.

L'alimentation journalière doit réparer ces pertes de matière et d'énergie.

Si l'on nourrit un animal exclusivement de glucides et de graisses, il meurt, car il ne peut remplacer les protéines usées. Sa survie est pourtant plus longue qu'en cas de jeûne complet. Les pertes azotées journalières d'un homme, dont les besoins énergétiques sont largement couverts par des glucides et des lipides, se réduisent de 14 à 2,8 grammes, les pertes en protéines de 70 à 14 grammes, mais ce minimum est irréductible.

Nécessité d'un apport de protides

Les animaux carnassiers vivent d'une nourriture exclusivement composée de viande maigre. Si l'homme devait s'en contenter, il devrait en manger 3 kilos par jour, ce qui entraînerait une surcharge et une usure prématurée de son foie et de ses reins. De fait, les personnes essentiellement carnivores, comme les Esquimaux, vieillissent et s'épuisent plus vite et meurent vers quarante ans.

Des chercheurs ont pu établir une balance exacte entre les recettes et les dépenses d'un organisme en pesant méthodiquement tout ce qui entre et tout ce qui sort. Il a été possible d'équilibrer l'alimentation d'un animal adulte de façon que son poids ne varie pas et d'établir la ration des différents nutriments dont il a besoin pour vivre.

On entend par équilibre azoté, une situation dans laquelle l'apport azoté est égal à la perte. En essayant de l'obtenir avec la quantité la plus basse de protéines d'origines diverses, on a constaté qu'à absorption digestive égale, toutes n'ont pas la même valeur d'utilisation. Le rendement des protéines végétales est, d'une manière générale, inférieur à celui des protéines animales et la source des protéines végétales n'est pas indifférente.

La plante verte a besoin de gaz carbonique, d'azote minéral (nitrate, par exemple) et d'énergie solaire pour la synthèse de ses protéines. L'animal, lui, ne peut les former qu'à partir de celles de sa nourriture. Comme ces protides alimentaires sont toujours différents de ceux qui lui sont nécessaires, il doit d'abord les scinder en les dégradant en leurs éléments constitutifs, les acides aminés, puis les resynthétiser selon son propre code, tout en éliminant les acides aminés dont il n'a momentanément pas besoin. Il est capable de former certains acides aminés à partir d'ammoniaque (NH_3) et de corps non azotés ; mais pour d'autres, qui lui sont indispensables, il ne peut le faire et doit les emprunter au monde extérieur.

Aussi longtemps que, dans les protéines alimentaires, seuls manquent des acides aminés que l'organisme sait synthétiser, cela lui est relativement indifférent. Si, par contre, des acides aminés qu'il ne sait pas former font défaut, des troubles nutritionnels graves apparaissent après un temps plus ou moins long.

Les dix acides aminés que l'organisme doit absolument trouver dans la nourriture pour pouvoir exister ont été appelés essentiels. Ce sont d'après les tables scientifiques Geigy : le tryptophane, la lysine, la méthionine, la phénylalanine, la thréonine, la valine, la leucine, l'isoleucine, l'histidine et l'arginine. L'inégale valeur alimentaire des diverses protéines tient à la nature et aux quantités relatives des acides aminés qui les constituent. La plupart des aliments contiennent en proportions variables tout le jeu des acides aminés essentiels, mais tel n'est pas le cas pour tous ; leurs protéines sont alors dites incomplètes.

Contrairement à la plupart des aliments végétaux, les produits animaux (lait, œufs, viande) nous fournissent un jeu d'acides aminés proche de celui dont sont faits les protides de notre organisme ; aussi sont-ils utilisés avec moins de pertes et en leur présence un régime équilibré est plus facile à réaliser.

Les végétaux contenant des protéines complètes sont le soja, le germe de blé, la levure de bière, certaines noix. Les protéines du maïs sont, par contre, incomplètes. Les mammifères ont besoin d'un acide aminé essentiel appelé tryptophane. Nourries avec du maïs qui n'en contient pas, les souris adultes maigrissent et les jeunes cessent de croître, par déséquilibre azoté. Si l'on ajoute du tryptophane au maïs, ces troubles disparaissent (voir p. 112).

Les proportions des différents acides aminés varient d'un tissu animal à l'autre et la valeur d'un aliment donné n'est pas la même suivant le tissu à réparer. Supposons par exemple qu'une femme doive refaire du sang après des règles surabondantes, il s'agit de reconstruire de l'hémoglobine, protéine riche en un acide aminé appelé histidine. Si, pour cela, elle a recours à du pain, qui en contient très peu, il lui faudra en ingérer des quantités énormes pour y parvenir. Par contre, la protéine du pain, appelée gluten, est très riche en acide glutamique, autre acide aminé dont le taux élevé n'est pas nécessaire à l'édification de l'hémoglobine, qui n'en renferme que très peu. L'organisme sera donc obligé, après avoir désintégré la molécule protéique du pain, de se débarrasser de l'excès d'acide glutamique, ce qui est une dépense inutile. Pour éviter de tels gaspillages de protéines, il faut que l'apport en soit varié, afin que l'insuffisance des unes soit compensée par les autres. L'organisme pourra ainsi puiser à chacune les éléments qui lui sont nécessaires.

Cette diversité est particulièrement importante pour le végétarien absolu (appelé également végétalien), qui devra, pour se maintenir en bonne santé, consommer régulièrement, outre les fruits et les légumes (feuilles, fleurs et racines), des céréales complètes, des graines oléagineuses (noix, noisettes, amandes, etc.) et des légumineuses, dont le soja. Ce dernier, riche en protéines de haute qualité, a été appelé la viande du pauvre.

Nécessité d'un apport de lipides, ou graisses

Il y a peu d'années encore, on n'attachait pas grande importance aux graisses, qu'on pensait être des aliments destinés à nous apporter des calories, donc de l'énergie, et pouvant être facilement remplacés par d'autres substances alimentaires. L'organisme est en effet capable de synthétiser certains corps gras à partir des glucides. On croyait également que le choix des graisses consommées était indifférent, pourvu qu'on puisse les digérer. Aujourd'hui, on sait que ces notions sont erronées. D'une part, un apport lipidique est nécessaire au transport des vitamines liposolubles, d'autre part, il existe des matières grasses qui nous sont indispensables et que nous ne pouvons synthétiser. Tout comme les acides aminés dont l'apport extérieur nous est vital, elles ont été dites essentielles. On les désigne encore par le terme commode de vitamines F (voir p. 99).

La déficience alimentaire en corps gras essentiels aboutit à diverses maladies chroniques de carence, qui, de nos jours, prennent de plus en plus d'importance.

Nécessité d'un apport de glucides (sucres ou amidons)

Si une alimentation est dépourvue de glucides, la combustion des graisses est incomplète et se fait avec un mauvais rendement. Des substances qui en dérivent et qui, normalement, s'oxydent pour fournir de l'énergie (telle que l'acétone, l'acide béta-oxybutyrique) sont éliminées par l'urine ; il en résulte un gaspillage énergétique.

Ainsi, l'alimentation exclusive avec une seule catégorie d'aliments entraîne la mort rapide ou du moins prématurée, tout comme le jeûne complet.

Nécessité d'un apport de sels minéraux

On a essayé de nourrir des animaux avec des aliments artificiellement dépouillés de leurs sels minéraux. Une telle nourriture est incompatible avec la vie. La déperdition constante des matières minérales par l'urine, les selles et la sueur doit absolument être compensée.

La ration alimentaire de l'homme doit ainsi comprendre une certaine quantité d'eau, de sels minéraux et les trois catégories d'aliments : protides, lipides et glucides, mais, comme nous allons le voir plus loin, cela est encore loin d'être suffisant.

Les normes alimentaires

D'innombrables études ont cherché à établir les proportions optimales de ces éléments, capables d'assurer la croissance normale des jeunes, l'équilibre pondéral de l'adulte dans les différentes conditions d'existence, un bon état de santé, une longévité et une descendance normales. On a eu recours pour cela à deux méthodes.

Une première approche, très imparfaite, a consisté à enfermer des sujets dans de vastes chambres respiratoires leur permettant de déployer une activité musculaire modérée, à déterminer la composition des aliments et des déchets, à mesurer les échanges gazeux et à trouver les proportions nécessaires pour que les apports compensent les pertes, l'état du sujet restant bon et le poids stable. Il est clair que, de cette façon, on ne peut étudier qu'un nombre restreint de possibilités. On trouva ainsi que l'équilibre était réalisé par une alimentation apportant 110 grammes de protides, 56 grammes de lipides et 425 grammes de glucides (moyenne de vingt-quatre heures, obtenue sur trois sujets en quarante-cinq jours).

Une deuxième méthode permet d'évaluer la ration de chacun en se basant sur la quantité d'aliments qui entre dans une grande ville. Le calcul a été fait pour Paris et il donna les résultats suivants par tête d'habitant : 102 grammes de protides, 70 grammes de lipides et 400 grammes de glucides. Dans cette deuxième méthode, il est évident que toutes nos erreurs alimentaires éventuelles sont additionnées, puis réparties à parts égales sur le nombre des habitants !

Cependant, ces deux méthodes ont donné des résultats concordants et la ration d'entretien journalière moyenne a été estimée à 100 grammes de protides, 70 grammes de lipides et 400 grammes de glucides. Dans cette ration, un peu plus de la moitié des protéines est empruntée au monde végétal, le reste au monde animal.

La ration d'entretien

On désigne sous le nom de ration d'entretien celle qui convient à un homme adulte n'effectuant pas de travail musculaire intense, mais limitant son activité physique aux quelques mouvements qu'exige la vie courante. Dans ces conditions d'activité modérée, un homme de 65 kilos subit des pertes d'énergie et de matières notablement supérieures à celles qui se produisent au repos. Il détruit environ 100 grammes de protéines, perd 2 500 grammes d'eau (dont 1 500 grammes par l'urine, 500 grammes par la peau et 500 grammes par les voies respiratoires) et excrète 22 grammes de sels divers, dont la moitié de sel de cuisine. Il rejette à peu près 300 grammes de carbone sous forme de 1 100 grammes de gaz carbonique.

Dans les cellules, les oxydations ou combustions se produisent par étapes, de façon ménagée, mais l'état initial et l'état final sont les mêmes qu'en cas de combustion vive à l'air et la chaleur totale dégagée est la même. Les sucres et les graisses se transforment totalement par combustion en gaz carbonique et en eau. Un gramme de sucre, en brûlant, dégage quatre calories. Un gramme de graisse en produit neuf.

Les protides ne brûlent pas complètement dans l'organisme ; ils forment des déchets encore combustibles, telle l'urée, excrétée par l'urine. L'énergie qu'ils fournissent au corps est d'environ quatre calories par gramme.

On peut ainsi évaluer la valeur de tout aliment en calories en connaissant sa teneur en protéines, glucides et graisses et en multipliant le nombre de grammes de la ration par quatre pour les deux premiers et par neuf pour les dernières. On arrive ainsi, pour une ration contenant 100 grammes de protides, 400 grammes de glucides et 70 grammes de lipides, à une ration calorique de $(100 + 400) \times 4 = 2\,000$ calories pour les glucides et les protides et de $70 \times 9 = 630$ calories pour les graisses, soit un total de 2 630 calories.

On estime que la valeur énergétique de la ration d'entretien est voisine de 2 500 calories pour un adulte de poids moyen, dont 1 600 calories pour le métabolisme de base (voir p. 63). Les 900 calories supplémentaires représentent l'effort pour le maintien de la température corporelle, ainsi que le coût du travail digestif et musculaire modéré. Lorsque le travail musculaire est intense, un apport supplémentaire de 50 à 200 calories par heure devient nécessaire. La ration d'entretien d'une femme équivaut à 80 % de celle de l'homme, soit à environ 2 000 calories.

A poids égal, glucides et protides procurent une quantité égale d'énergie, alors que les corps gras, toujours à poids égal, en fournissent un peu plus du double. Dans une ration alimentaire, du point de vue de l'apport calorique, 100 grammes de glucides ou de protides peuvent donc être remplacés par 44 grammes de graisses ; 50 grammes de graisses sont équivalents à 110 grammes de glucides ou protides. C'est ce qu'on appelle l'isodynamie des aliments, qui n'est valable que pour les aliments sources d'énergie, et non pour ceux qui servent à la reconstitution des tissus.

Ce que nous venons d'étudier est la valeur calorique et les proportions relatives des substances alimentaires constituant la ration d'entretien moyenne d'un homme adulte d'Europe ou d'Amérique du Nord. Il est possible que, dans les pays dits civilisés, nous ayons l'habitude de trop manger et que cela nous soit nuisible et abrège notre vie. D'autres races humaines, telles que les Indiens et les Arabes, se contentent d'une quantité de nourriture bien moindre. Il est possible, voire probable, que les processus d'oxydation de notre organisme soient ralentis par l'appauvrissement de nos aliments en vitamines et oligo-éléments et que leur rendement en soit amoindri, tout comme est diminué le rendement d'un combustible (bois, charbon, benzine) par une admission inadéquate d'oxygène.

L'organisme s'adapte d'une manière remarquable à d'importantes variations du régime alimentaire. Des paysans pauvres de contrées européennes vivent essentiellement de céréales et de légumes, auxquels ne s'ajoute que rarement de la viande, et rien ne prouve qu'ils s'en portent plus mal. D'après certains auteurs, un gramme de protides par kilo de poids et par jour (soit 70 grammes au lieu de 100) suffit à couvrir les besoins de l'homme adulte.

En réduisant la ration calorique de 2 500 à 2 000 calories, le corps commence par perdre un dixième de son poids, puis celui-ci se stabilise et la santé se maintient parfaitement.

Les discussions au sujet des proportions alimentaires les plus favorables à la santé humaine sont loin d'être closes. Comme je l'ai dit plus haut, la méthode statistique fait la somme de nos erreurs et les répartit équitablement sur chaque individu.

Quant à l'autre méthode, artificielle et fort dispendieuse, elle n'a pas permis d'envisager ni d'étudier toutes les combinaisons possibles. Les proportions choisies des divers aliments l'ont été arbitrairement, en fonction d'une idée préconçue de ce qu'est une alimentation normale. Les résultats obtenus indiquent seulement qu'il a été possible d'obtenir un certain équilibre pendant quarante-cinq jours, mais ils ne nous disent pas si c'est la meilleure façon de préserver la santé au cours d'une vie et d'assurer une bonne capacité d'effort. On discute essentiellement pour savoir quelle quantité de protéines et de graisses nous est nécessaire par jour.

Nous avons vu plus haut (p. 63) que, lorsque les besoins alimentaires de l'homme sont largement couverts par les glucides et les graisses, le besoin irréductible en protéines n'est que de 14 grammes par jour. 100 grammes seraient ainsi largement une ration de luxe.

Le professeur M. Hindhede, spécialiste danois en matière de nutrition, a conclu de son expérience personnelle que sa famille et lui-même (six personnes en tout) étaient plus vigoureux et mieux portants avec une ration journalière de protéines de 25 grammes seulement, soit le double environ du minimum vital.

Pendant le blocus du Danemark dû à la guerre (1939-1945), il fit diminuer l'élevage des porcs de 80 % et réserver à l'alimentation humaine l'orge, les pommes de terre, le son et le lait destinés à cet élevage. Il ordonna la confection de pain de seigle complet. La disette fut ainsi évitée à son pays. A cette alimentation, appauvrie en protéines d'origine carnée, correspondit une amélioration de la santé publique et une diminution de la mortalité par maladie ou vieillesse de 17 % , ce qui ne s'était jamais vu en temps de paix !

Selon une statistique de la fin du XIXe siècle, la consommation de viande à Leipzig, grande ville allemande, était de 82 kilos par année et par citadin, soit 225 grammes par jour, alors que celle du paysan de la même région n'était que de 23 kilos, soit 63 grammes par jour.

Des recherches concernant la santé des populations citadines ont montré partout le même phénomène : peu à peu, des familles, trop bien nourries parce que riches, dégénèrent et disparaissent en deux ou trois générations ; elles sont remplacées par des populations paysannes plus pauvres et plus robustes parce que de mœurs plus frugales, qui émigrent vers les villes. Elles s'enrichissent à leur tour, modifient leur façon de se nourrir et le cycle recommence.

Les mœurs alimentaires d'autres peuples

L'histoire ancienne nous enseigne partout les mêmes vérités. La nourriture spartiate des soldats grecs était composée surtout de figues, de noix, de pain d'orge et de fromage. A cette nourriture a correspondu une résistance physique et une capacité d'effort remarquables. Les Grecs gagnèrent des guerres, s'enrichirent et se mirent à consommer beaucoup de viande. Leurs soldats devinrent moins endurants et furent vaincus par les Romains, qui se nourrissaient à l'époque de pain d'orge, de millet, de lentilles et d'huile. Puis les Romains subirent la même évolution, devinrent faibles et furent vaincus par les Barbares.

Les paysans japonais de l'intérieur des terres sont essentiellement végétariens. Ils ne mangent du poisson qu'une ou deux fois par mois. Ils ne disposent pas de produits lactés, mais les remplacent par du soja. A cette nourriture correspond une capacité d'effort musculaire inconnue chez nous. Ainsi, des coolies japonais peuvent facilement couvrir en courant quarante kilomètres par jour pendant trois semaines consécutives, en se nourrissant de riz, de gruau concassé, de pommes de terre, de châtaignes et de racines. Au cours d'un tel effort, ils évitent la viande, qui les rend, disent-ils, moins agiles. Certains coolies sont capables de couvrir 110 kilomètres en quatorze heures et demie. En Mandchourie, des coolies chinois remarquablement vigoureux ont effectué de gros travaux en se nourrissant de blé concassé et de millet en hiver, complétés par des légumes verts dès le printemps. Des Russes employés dans un chantier naval s'alimentaient essentiellement d'une livre de pain de seigle par jour et d'oignons crus. Leur résistance et leur capacité d'effort étaient remarquables. Il en est de même de muletiers espagnols capables de faire à pied des trajets de 60 à 80 kilomètres par jour en mangeant du pain complet et des oignons crus. Lors de marches forcées, des soldats turcs se sont nourris quotidiennement de dattes (150 grammes) et de pain ; ils purent marcher douze heures au pas de course, trois jours de suite. Les mœurs alimentaires des Hounzas, petit peuple du Cachemire, connu pour sa santé hors pair, nous enseignent encore les mêmes faits.

D'après toutes ces expériences, effectuées dans des régions fort diverses, notre nourriture occidentale du temps de paix est une alimentation de luxe, qui exige de notre organisme un effort quotiden excessif de digestion et d'assimilation. Plus sobres, nous serions plus résistants et mieux portants.

8

ssimilation – L'évacuation

Notre santé dépend non seulement de ce que nous mangeons, mais encore de la façon dont notre tube digestif sait en tirer profit. Entre notre corps et le contenu de notre tube digestif, entre une plante et le sol qui la nourrit, un même rapport fondamental existe.

L'homme peut s'adapter à des rations alimentaires quantitativement et qualitativement très différentes. Lors de leur célèbre expédition au Pôle Nord en 1894, Nansen et son compagnon, dans leur hivernage, ont survécu plusieurs mois en se nourrissant seulement de viande et de graisse d'ours polaires et de phoques. C'est un remarquable exemple d'adaptation temporaire à un régime alimentaire exclusivement carné, auquel ils n'étaient guère habitués. Un végétarien convaincu, qui proscrit totalement la viande de son alimentation, tolère de plus grandes quantités de légumes qu'un homme habitué à un régime mixte. La digestibilité des aliments, condition première de leur bonne utilisation par l'organisme, ne dépend pas seulement de leur nature, mais aussi de l'accoutumance du tube digestif. Dans différentes provinces d'un même pays, les mœurs alimentaires sont très différentes; tel mets auquel on n'est pas habitué peut provoquer une indigestion et du dégoût, par manque d'adaptation : un aïoli de Marseille, un potage flamand à la bière ou du poisson séché à la vergue des pêcheurs du Nord ne sont pas tolérés par tous.

Pour qu'un nutriment nous profite, nous devons pouvoir le digérer et l'assimiler. On appelle digestion la solubilisation de l'aliment, liée en général à une scission des molécules qui le constituent. L'amidon est ainsi hydrolysé et transformé en sucre, les graisses neutres sont scindées en glycérine et acides gras, les protéines en acides aminés. Ensuite, il faut que la molécule simplifiée puisse traverser la paroi digestive.

Tant dans la digestion que dans l'assimilation interviennent de nombreux ferments, également appelés enzymes ou diastases, qui sont des molécules protéiques accélératrices de réactions chimiques (voir p. 80).

Pour qu'un aliment puisse aisément subir l'action de sucs digestifs, il doit être fragmenté et broyé par la mastication. Au cours de celle-ci, il est insalivé, ce qui en facilite la déglutition et le soumet à l'action de la ptyaline, ferment qui agit sur l'amidon et le transforme en molécules plus petites (dextrines). En outre, par voie réflexe, la mastication déclenche une sécrétion de sucs digestifs dans le reste de l'appareil digestif.

L'estomac sécrète la pepsine, sous l'action de laquelle les protéines alimentaires se dégradent en complexes plus simples appelés peptones, pour ensuite être dissociées dans l'intestin en particules élémentaires, les acides aminés, qui pénètrent dans le sang et à partir desquels se reconstituent les protéines humaines.

L'instestin et le pancréas sécrètent des ferments digestifs destinés à dégrader les amidons, les protéines et les graisses et appelés amylase, trypsine, lipase, etc. Enfin, le foie déverse dans le tube digestif de la bile, dont le rôle est d'émulsionner les corps gras et d'augmenter, en la doublant, l'efficacité des ferments pancréatiques (amylase et trypsine). La masse liquide des sucs digestifs atteint un volume quotidien d'environ six litres, soit deux litres par repas ; celle de la bile, environ un litre par jour.

Lorsque les molécules alimentaires ont été dissoutes et leurs structures simplifiées, elles peuvent traverser la paroi intestinale et être mises à la disposition de notre organisme pour le nourrir, autrement dit pour lui fournir l'énergie qui lui est indispensable et la matière première nécessaire à sa croissance et à sa réparation. Pour que tout se passe correctement, il faut donc qu'au moment où nous mangeons, les organes digestifs sécrètent des ferments en quantité suffisante. Certains troubles de santé sont dus à une insuffisance enzymatique et peuvent être améliorés par l'apport de ferments digestifs extraits de plantes (papaye, ananas, etc.) ou d'organes animaux.

Mais pour que la nutrition soit assurée, il est de plus indispensable, qu'il y ait harmonie entre la vitesse de digestion et celle du transport des aliments à travers le tube digestif. L'estomac joue le rôle de réservoir, brasse les aliments pour les soumettre à l'action du suc gastrique, puis les évacue peu à peu dans l'intestin grêle. Dans ce dernier, la masse alimentaire est propulsée dans un mouvement pendulaire de va-et-vient, qui en favorise le contact avec les sucs destinés à les transformer et les parois qui doivent les absorber. Ces dernières sont recouvertes de valvules et de villosités, qui en augmentent considérablement la surface. Lorsque les aliments ont traversé l'intestin grêle, dont la longueur est de sept mètres environ et dont la surface grossièrement développée est estimée à 43 mètres carrés

(Policard), les déchets non assimilés pénètrent dans le gros intestion sous forme liquide.

Si le transport à travers l'intestin grêle est trop rapide, la digestion et l'assimilation n'ont pas le temps de s'achever. Des matières alimentaires non assimilées pénètrent dans le gros intestin, où elles deviennent la proie des bactéries qui le peuplent. Tant que celles-ci se nourrissent de déchets alimentaires, tout se passe bien. Si, par contre, du fait d'une accélération du transit, d'un ralentissement anormal du processus de digestion, d'une ingestion excessive d'aliments, d'une mastication défectueuse, elles sont surabondamment nourries, elles prolifèrent, deviennent agressives, remontent dans l'intestin grêle et donnent lieu à des fermentations anormales, des ballonnements, des diarrhées.

Les selles

Dans l'estomac d'abord, puis dans l'intestin grêle, les aliments sont digérés, puis absorbés. Les matières qui pénètrent dans le gros intestin, qui mesure 1,65 mètre sont encore liquides. La partie droite appelée côlon ascendant contient des restes d'aliments utilisables et de la cellulose. Les premiers pourront encore être résorbés. Quant à la cellulose, sous l'action des bactéries, elle se dégrade partiellement en glucose absorbable. Les micro-organismes foisonnent dans le gros intestin et y synthétisent nombre de vitamines utiles à l'organisme (complexe B, voir p. 105-112, vitamine K, voir p. 104). En traversant le côlon transverse, puis le côlon descendant (à gauche de l'abdomen), l'eau et une partie de la bile sont récupérées. Les résidus se concentrent dans le sigmoïde, anse du côlon sise au-dessus du rectum et qui sert de réservoir pour les selles, qui ensuite seront évacuées à l'extérieur. Le mécanisme de concentration des matières fécales est d'une précision étonnante. Il faut que 86 % de l'eau soient résorbés pour qu'une selle ait une consistance normale. Si 88 % de l'eau sont absorbés, les selles deviennent trop dures et à 82 % de résorption, elles sont trop fluides.

La selle normale de l'homme doit avoir la forme d'une saucisse épaisse de 4 centimètres et longue de 15 à 20 centimètres. Sa couleur, brun clair ou brun foncé, est essentiellement déterminée par sa teneur en pigments biliaires, accessoirement par certains aliments (épinards, cacao, myrtilles, carottes ou betteraves, etc.). Dans le régime lacto-végétarien, la couleur est plus claire ; dans le régime carné, plus foncée. La première partie d'une selle normale est bosselée, le reste est lisse ; elle est revêtue d'un peu de mucus transparent. L'odeur en est faible, déterminée par la présence de scatol et d'indol, corps chimiques produits par les bactéries à partir de l'acide aminé tryptophane, échappé à l'assimilation. Une odeur forte ou acide est anormale.

Chez l'homme, tout comme chez le cheval, le chien, le chat, etc., la selle normale ne salit pas l'anus au passage. On ne devrait jamais employer plus d'un feuillet de papier hygiénique pour s'essuyer et ce dernier devrait rester propre ou au plus recueillir des traces de mucus.

Si l'alimentation est mixte et le repas principal pris à midi, l'évacuation fécale se fait le lendemain matin, après le petit déjeuner. Dix-huit à vingt heures sont ainsi nécessaires au parcours de tout le tube digestif. Quatre à cinq heures seulement sont employées au transit à travers l'estomac et l'intestin grêle et le reste du temps, à la traversée du gros intestin. Douze heures après une prise d'aliments, les déchets qui en proviennent commencent à s'accumuler dans la dernière partie du gros intestin. La selle évacuée le matin contient les restes des trois repas du jour précédent ; la deuxième partie de la selle, de plus petit calibre et plus molle, contient des résidus du repas vespéral.

Rares sont les individus qui émettent deux selles normales par jour, de même que rares sont ceux chez lesquels les selles restent normales en n'étant évacuées que tous les deux jours.

Une selle normale est principalement formée de la desquamation de l'épithélium intestinal, d'une masse plus ou moins importante de bactéries, de substances dont l'organisme se débarrasse par la bile, par le suc pancréatique et par l'excrétion à travers la muqueuse intestinale. Elle contient en outre des fibres végétales formées de cellulose (polymère du glucose), d'hemicellulose (polymère d'autres sucres), de lignine, très résistante à l'action des bactéries. Elle est homogène, exception faite de parties végétales dures et non comestibles, telles que peaux de raisins, d'amandes, débris végétaux mal mâchés, etc.

Ceux qui se soumettent à un jeûne total prolongé continuent à aller à la selle. Les excréments deviennent simplement moins abondants et ne contiennent plus que des éléments provenant de l'organisme même.

Les selles d'un individu qui se nourrit d'aliments totalement assimilables (viande, œufs, sucre, amidon, farine blanche, pain blanc, corps gras, etc.) ont la même composition que celles d'un individu qui jeûne. Seule la masse des matières fécales augmente. La cellulose et les autres fibres végétales accroissent le volume des selles par leur présence et leur capacité de retenir l'eau, mais encore par l'augmentation de la desquamation intestinale et de la prolifération bactérienne qu'elles occasionnent.

Le poids d'une selle normale est de 100 à 250 grammes ; il atteint 370 grammes en moyenne chez les végétariens. Lorsqu'il y a maladie du tube digestif, la masse des selles peut s'accroître par hypersécrétion ou hyperdesquamation ainsi dans une diarrhée aiguë. Elle peut également diminuer, et cela même considérablement, malgré une alimentation riche en cellulose, si les apports du foie, du pancréas et de la muqueuse intestinale deviennent moins abondants.

L'horaire des repas

Un autre point important est l'horaire des repas. Tout le monde sait que « grignoter » à toute heure du jour et de la nuit est malsain. Pour que la digestion se fasse de manière normale, il importe que les organes digestifs aient du repos, afin de pouvoir préparer les ferments qu'ils sécréteront à la prochaine prise d'aliments.

Mais il y a plus. Le travail de digestion demande un effort considérable (deux litres de liquides digestifs par repas !) ; aussi ne se fait-il pas correctement, lorsque l'organisme est fatigué. Les peuples du Nord ont compris que la digestion se fait spécialement bien le matin, après le repos de la nuit : le petit déjeuner est chez eux un repas opulent. Chez nous, au contraire, c'est un repas qui, souvent, est très peu abondant et beaucoup se contentent d'une tasse de café, avec ou sans croissant, car ils n'ont pas faim le matin. Ils ont mangé tard la veille, ont eu le sommeil agité. Leur langue est chargée. Le soir, leur organisme fatigué a refusé de sécréter les sucs digestifs aussitôt après le repas ; il lui a fallu d'abord quelques heures de repos. La digestion ainsi différée se fait mal et trouble le sommeil. Ce phénomène devient de plus en plus prononcé au fur et à mesure que l'âge avance et les personnes vieillissantes savent que le repas du soir doit être très léger ou nul, sinon des troubles digestifs chroniques s'installent ; ils ne disparaîtront que lorsque la cause du trouble, c'est-à-dire le repas trop tardif et trop copieux, sera supprimé et remplacé par un petit déjeuner plus abondant.

La méthode rapide pour supprimer ces désordres consiste à faire un lavement d'infusion de camomille d'un à deux litres le soir, pour éliminer le plus possible de population microbienne, puis, pendant un jour, à se nourrir exclusivement de bananes mûres ou d'autres fruits crus, ce qui modifie et normalise la flore intestinale. Le rééquilibrage par un horaire adéquat devient alors chose aisée.

Le contenu intestinal partie essentielle de notre environnement

L'intoxication intestinale est la principale cause du vieillissement des individus.

Joseph FAVIER

Toute notre vie, nous devons défendre l'intégrité de notre organisme contre les influences délétères de notre environnement. Il est fondamental de comprendre que le contenu de notre tube digestif fait encore partie de ce milieu ambiant ; c'est à son niveau que nous sommes le plus fragiles, le moins bien protégés. En effet, dans l'intestin, la muqueuse de revêtement, dont la surface grossièrement développée mesure environ 43 mètres carrés, n'est formée que d'une seule couche cellulaire d'une épaisseur de 25 à 30 microns (soit de 25 à 30 millièmes de millimètre). Au-dessous de ce revêtement et en contact intime avec lui se trouvent les capillaires sanguins et lymphatiques, dont la paroi est encore plus mince et la surface développée respectivement égale à 11 et 5 mètres carrés. Les matières que contient l'intestin grêle ne sont donc séparées du sang des capillaires que par une membrane plus fine que du papier de soie. Il arrive, lors de troubles digestifs, que les microbes dont est peuplé normalement le gros intestin, revêtu lui aussi d'une couche cellulaire unique, remontent dans l'intestin grêle. La vie de ces microbes est liée à la production de gaz et de substances toxiques. Lorsque la fine membrane de l'intestin a une structure normale, nous sommes suffisamment protégés contre la résorption éventuelle de microbes et de toxines, mais lorsque nous nous alimentons mal, cette membrane délicate devient anormalement poreuse et laisse passer à foison bactéries et poisons. Le foie, qui reçoit le sang, et les ganglions lymphatiques, dans lesquels se déverse la lymphe de provenance intestinale, fonctionnent à la façon de filtres. S'ils peuvent arrêter et neutraliser les germes et les toxines, il ne se passe rien, mais s'ils sont chroniquement débordés, des maladies graves apparaissent, dont nous parlerons plus loin (voir p. 215).

Toute digestion s'accompagne d'une dilatation des capillaires, donc d'un accroissement de leur porosité. La migration des bactéries et des toxines de l'intestin dans le sang augmente à ce moment. Les vétérinaires connaissent bien ce phénomène, qu'ils nomment « microbisme » par opposition à infection ou septicémie. Les animaux domestiques mènent généralement une vie beaucoup moins saine que les animaux sauvages et présentent des déficiences analogues aux nôtres. Les vétérinaires ont appris qu'il importe, lors de l'abattage, que les animaux de boucherie soient à jeun pour obtenir une viande qui se conserve bien. En pleine digestion, elle se colonise de microbes intestinaux et ne se garde pas.

9

La catalyse

Les nombreuses et diverses réactions chimiques, qui ont pour siège le corps humain, ne peuvent se dérouler que grâce aux phénomènes de catalyse, assurés par des catalyseurs. Sont ainsi nommées des substances qui, introduites au sein d'un système chimique capable de réagir,

1) orientent la réaction dans une direction déterminée
2) augmentent la vitesse de cette réaction
3) ne fournissent aucune énergie au système sur lequel elles agissent, mais en libèrent les énergies potentielles
4) sont capables de provoquer la transformation d'une masse de matière énorme par rapport à leur propre masse
5) se retrouvent plus ou moins inaltérées à la fin de la réaction.

Un exemple type de catalyse

L'oxygène et l'hydrogène gazeux et froids mis en présence, sont incapables de réagir l'un avec l'autre. Mais si dans ce mélange on introduit une fine toile de platine froide, on voit celle-ci rougir puis enflammer l'hydrogène, qui s'allie violemment à l'oxygène pour former de l'eau. Cette réaction s'accompagne d'un dégagement intense de chaleur. Une fois la réaction accomplie, la fine toile de platine se retrouve inaltérée et prête à reproduire la même réaction. Le métal dans cet exemple agit par sa grande surface. Il fixe momentanément, sur les fins cristaux dont il est constitué, les molécules d'hydrogène et d'oxygène à une distance favorable et la réaction se produit. Une lame de platine massive est peu active. Il faut, pour qu'il y ait réaction, que la forme et la dimension des facettes cristallines du métal correspondent à celles des molécules qui s'y appliquent. La structure spatiale du catalyseur joue ainsi un rôle.

Pour qu'un catalyseur puisse agir, il doit pouvoir s'emboîter avec l'élément catalysé ; il doit y avoir concordance de formes géométriques et attraction électrique adéquate, pour que l'emboîtement se produise, puis se libère. Cela est vrai en chimie minérale et en chimie des êtres vivants.

Les enzymes, ferments ou diastases

Aucune vie n'est possible sans catalyseurs et, dans une très grande proportion, les protéines que forment les cellules sont précisément des catalyseurs de réactions biologiques. On les appelle enzymes, ferments ou diastases, ces trois termes étant synonymes. Les enzymes s'unissent de façon temporaire à la substance à activer et de ce fait la rendent instable.

Deux types de ferments sont présents dans notre organisme :

1) les ferments endocellulaires, qui se trouvent à l'intérieur des cellules et assurent leur vie ;
2) les ferments exocellulaires qui, après avoir été synthétisés, sont excrétés par les cellules au service de l'ensemble de l'organisme, tels par exemple ceux déversés dans le tube digestif.

La forme géométrique complexe de la molécule protéique de l'enzyme trie parmi les molécules présentes celles qui peuvent s'emboîter avec elle. L'action de l'enzyme s'exerce ainsi de façon très sélective, facilitant une réaction donnée et pas une autre. Les enzymes sont adaptées à une structure chimique déterminée du substrat ; elles sont inactives sur des molécules presque identiques. Ainsi, une moisissure, le penicillium glaucum, détruit l'acide tartrique droit et laisse intact l'isomère gauche, de constitution chimique identique, mais qui en est l'image renversée, comme vue dans un miroir.

Une enzyme peut se comporter comme une clef qui n'est faite que pour une seule serrure et n'ouvre qu'une seule porte, ou comme un passe-partout, qui s'adapte à toutes les portes d'un immeuble, mais pas ailleurs.

Certaines enzymes agissent sur un groupe déterminé d'atomes d'une molécule et peu leur importe comment le reste est construit. D'autres transportent des atomes ou des groupes d'atomes à l'intérieur d'une molécule.

Une même enzyme, suivant les conditions d'acidité ou d'alcalinité du milieu (pH), dans lesquelles elle se trouve, peut inverser son action; elle peut ainsi construire ou détruire une même molécule. L'activité des enzymes maintient un équilibre indispensable. Cette propriété du juste milieu constitue un des phénomènes généraux de la vie cellulaire. La vitesse de réaction enzymatique augmente avec la concentration de la matière à transformer et avec la température : on sait que le froid ralentit le chimisme vital.

Une protéine, appelée apoferment, grosse molécule synthétisée par l'organisme et servant de catalyseur, a généralement besoin d'être activée par un élément de dimension beaucoup plus modeste et prélevé aux aliments. Selon sa nature, elle l'est par une vitamine ou un oligo-élément ou parfois par les deux. Elle n'a alors le plus souvent besoin que d'une molécule de vitamine ou d'un atome d'oligo-élément pour devenir efficiente. Ainsi un seul atome de fer, dont le poids atomique est de 56, suffit pour activer une enzyme respiratoire, dont le poids moléculaire est d'environ 50 000. Dans une telle enzyme, le poids du fer n'est que la millième partie du poids total du ferment et ceci est un phénomène général : l'oligo-élément ne représente, en poids, qu'une très faible proportion de la molécule globale du catalyseur, d'où son nom (oligo signifiant peu).

Vitamines et oligo-éléments sont ainsi des catalyseurs de catalyseurs.

10

L'équilibre acido-basique et le pH urinaire

L'unité de mesure du degré d'acidité ou d'alcalinité d'un liquide est le pH. Les valeurs du pH s'échelonnent entre 0 et 14. De 0 à 7, le pH indique un degré décroissant d'acidité ; à pH 7 se trouve le point neutre ; de 7 à 14, le pH indique un degré croissant d'alcalinité.

Les processus vitaux ne peuvent se dérouler normalement au sein de notre organisme que si le pH sanguin y est stable, légèrement alcalin (pH normal du sang veineux = 7,32 – 7,42). Différents systèmes régulateurs, dits tampons (bicarbonates, phosphates, protéinates, etc.), permettent de neutraliser, jusqu'à un certain point, aussi bien un excès d'acides qu'un excès de bases.

La plupart des transformations que subissent les substances chimiques de notre corps se font en chaînes, par paliers successifs. A chacun d'entre eux intervient un catalyseur particulier, qui assure cette transformation. Les corps intermédiaires formés sont le plus souvent des acides organiques.

Lorsqu'un ferment vient à manquer ou est insuffisamment activé, par déficience d'oligo-éléments ou de vitamines, la réaction qu'il assure se bloque ou se ralentit. Il peut se produire alors une accumulation anormale d'acides métaboliques, en amont du chaînon qui travaille au ralenti. Les acides, produits en excès, sont ensuite éliminés par les reins, ce qui confère à l'urine un pH acide. Déterminer le pH urinaire est aujourd'hui aisé et se fait à l'aide d'un papier réactif (Neutralit Merck) que l'on humecte avec une goutte d'urine. La couleur du papier indique immédiatement le pH. Il prend la couleur jaune en milieu acide, à un pH 5 ou en dessous. Dans un liquide neutre, il devient vert (pH 7). Plus le milieu est alcalin, plus sa couleur vire au bleu (pH 9).

Si le corps est sain, bien nourri et bien équilibré, s'il reçoit suffisamment de bases d'origine alimentaire, le pH urinaire est à peu près le même que celui du sang, compris entre 7 et 7,5, dès la deuxième urine du matin. Dans l'urine secrétée de nuit et émise au saut du lit, il peut avoir la valeur 5 ou en dessous, le repos nocturne servant à l'élimination par les reins des produits de déchet acides.

Dans une expérience personnelle, il m'est arrivé de constater un pH urinaire à 5, à trois heures du matin, à 7,5 à sept heures, au moment du lever, cela avant l'ingestion de quoi que ce soit : les acides métaboliques du sang avaient été éliminés dès avant trois heures et le pH urinaire avait repris approximativement la valeur du pH sanguin. J'ai également fait l'observation suivante : après cinq heures de travail sédentaire, intense, dans un local fermé, le pH urinaire avait la valeur 5 ; il passa à 7 après une heure de promenade en forêt (sans ingestion aucune). Dans ces conditions, l'oxygénation meilleure avait fait brûler les acides organiques, les avait convertis en gaz carbonique, éliminé par les poumons. A cette meilleure oxygénation et élimination de l'hyperacidité correspond une sensation de bien-être.

Ainsi, s'il est normal que le pH urinaire ait la valeur 5 (couleur jaune canari du papier Neutralit Merck) dans l'urine sécrétée durant la nuit ou également après un gros effort physique, au cours duquel il y a surproduction d'acide lactique par la musculature, il est tout à fait anormal qu'il reste en permanence à 5 ou au-dessous. Dans cette dernière situation, la voirie du corps est insuffisante et l'organisme souffre d'une accumulation d'acides avec déperdition de bases, essentiellement de sodium et de calcium. Cette souffrance peut se manifester par une grande pâleur, due à la contraction des capillaires (le taux d'hémoglobine étant normal), par des maux de tête, des douleurs migrantes, dites rhumatismales, des névralgies, qui disparaissent en peu de temps et sans aucun calmant, grâce à un apport d'alcalins (citrates ou bicarbonates). La permanence d'un pH urinaire à 5 ou au-dessous est liée à une sensation constante de fatigue « inexplicable » ou à l'apparition de ce que le public appelle « les coups de pompe », brusques accès de faiblesse, supprimés par un apport de bases. Dans notre mode de vie actuel, où nous sommes trop sédentaires, mal oxygénés, nourris d'aliments très appauvris en catalyseurs divers, il est courant de voir des troubles de santé dus à une accumulation d'acides.

Erik Ručka, homme de science hongrois, a été un des pionniers dans la reconnaissance de l'importance pour chacun du contrôle de cet équilibre acido-basique par la détermination du pH urinaire. Il a proposé pour assurer cet équilibre l'emploi d'un mélange de citrates que l'on peut obtenir en Suisse et en Allemagne, tant dans les pharmacies que dans les magasins de produits diététiques. L'acide citrique des citrates brûle facilement et se trouve éliminé par les poumons, sous forme de gaz carbonique ; les bases auxquelles il est lié sont ainsi libérées et mises à la disposition de l'organisme.

Les citrates sont des sels alcalins se trouvant dans les fruits et les légumes. Chez un individu bien portant, vivant sainement, cet apport naturel est suffisant pour assurer l'équilibre acido-basique. Mais combien d'entre nous vivent sainement de nos jours ? Lorsque nous avons été soumis longtemps à du surmenage, ou lors de maladies graves et prolongées, nous accumulons beaucoup d'acides dans notre organisme et il faut longtemps pour les éliminer. Ainsi, dans une expérience personnelle, après une très longue période de travail excessif, il a fallu pendant deux ans prendre des citrates alcalins pour ramener le pH urinaire à des valeurs normales.

Nous pensons que le contrôle du pH urinaire et sa normalisation doivent faire partie de tout plan de traitement d'une maladie chronique, qui peut toujours être accompagnée de perturbations métaboliques engendrant une acidification anormale de l'organisme.

Dans la défense de l'organisme contre une acidification anormale, le système tampon faisant intervenir le chlorure de sodium est spécialement puissant et efficace. Ce sel neutre, résulte de la combinaison d'un acide fort (HCl) et d'une base forte (NaOH). Il est très stable dans le monde minéral. Il en est tout autrement chez les êtres vivants. Lorsque l'acidité du milieu augmente, le chlore du sel de cuisine contenu dans le sang, passe du liquide extracellulaire dans le compartiment intracellulaire, où il est capté par les protéines. Il se concentre dans le tissu conjonctif (collagène) réparti un peu partout dans l'organisme, abondant entre autres dans le tissu souscutané. Dans le squelette, le chlore se fixe au phosphate de chaux, pour former la chloro-apatite et cette capacité de fixation est considérable. Le sodium restant dans le liquide extracellulaire devient alors disponible pour neutraliser les acides en excès et en faciliter l'élimination (cf. Kousmine *Helv. Ped. Acta*, vol. 2, 1945, fasc. 1).

Dans ces conditions, des sels alcalins formés d'une base forte (Na) et d'un acide organique faible prennent naissance, qui dévient le pH sanguin du côté alcalin. Ainsi est réalisée une situation paradoxale, un excès d'acides amenant une modification du pH sanguin dans le sens alcalin ! Cette situation sera corrigée par un apport d'alcalins et aggravée par un apport d'acides, qui de prime abord semble indiqué. Une telle situation est réalisée chez de grands malades, des cancéreux par exemple.

J'ai eu l'occasion d'étudier le métabolisme chloré chez des enfants atteints de néphrose lipoïdique, affection chronique des reins, caractérisée par des perturbations métaboliques très importantes avec formation de volumineux œdèmes. Un enfant atteint de cette maladie et pesant 46 kilos a éliminé en dix-sept mois, lors de l'amélioration de son état, un excédent de 580 grammes de chlore sur ce qu'il avait absorbé, ce qui correspond à une moyenne de 1,87 gramme de sel de cuisine par jour. Pendant la même période, il perdit 15 kilos d'œdèmes, qui ne pouvaient contenir que 63 grammes de chlore. 517 grammes s'étaient donc fixés dans les tissus de l'enfant, quantité énorme lorsqu'on sait que, normalement, le corps humain contient 1,8 gramme de chlore par kilo soit pour un homme de 70 kilos, 126 grammes au total. (Dans des conditions normales, le chlore de l'organisme y existe surtout sous la forme de sel de cuisine. 580 grammes de chlore correspondent à 955 grammes de ce sel.)

Un autre enfant pesant 24,5 kilos, atteint de la même maladie, a éliminé un excédent de 69 grammes de chlore en sept mois (= 108 grammes de NaCl). Un troisième pesant 28 kilos a éliminé 107 grammes en six mois (= 176 grammes de NaCl). Ce sont là des cas extrêmes, mais ce même phénomène existe, moins prononcé, chez beaucoup d'humains. Ces chiffres ont été obtenus par des analyses longuement poursuivies et un scrupuleux calcul de bilans. Ils ne peuvent être qu'approximatifs, mais n'indiquent pas moins l'existence d'un mécanisme d'adaptation des plus importants, dont la réalité a été dans la suite confirmée par des travaux américains. Ces observations nous montrent quelle énorme capacité de rétention chlorée possède un organisme aux abois et nous fait comprendre pour quelle raison un temps très long peut être nécessaire pour que tout le chlore retenu soit éliminé et pour que le pH urinaire devienne normal.

Dans les deux chapitres suivants, je traiterai des vitamines et des oligo-éléments. Nous possédons actuellement une foule de renseignements sur ces substances et en acquérons toujours de nouvelles. Le but de l'exposé n'est pas de vous infliger la mémorisation de ces faits, mais de vous rendre conscients de l'extrême complexité de la vie, de vous faire comprendre pourquoi, malgré toutes nos connaissances, nous sommes incapables de saisir et de régler les différentes interrelations. Il nous faut être modestes et prudents quand nous voulons corriger la nature dans quelque domaine que ce soit et surtout dans celui de notre alimentation, si intimement liée aux phénomènes vitaux.

11

Les vitamines

Généralités

Lorsque le physiologiste eut compris la valeur énergétique des aliments, classé les matières nutritives en protéines, graisses et glucides, établi l'importance particulière des protéines et l'impossibilité de s'en passer, ainsi que le rôle capital de certains minéraux, il lui sembla que la connaissance des matières nécessaires et suffisantes pour l'entretien de la vie humaine et animale était complète et le chapitre clos.

Ce fut une révolution dans la science traditionnelle lorsque, au début du siècle, Stepp montra qu'un mélange alimentaire de protéines, d'amidons et de sels minéraux, quantitativement et qualitativement suffisant, s'il était purifié par un traitement à l'alcool ou à l'éther, perdait sa capacité d'assurer la croissance et la vie des rats. L'adjonction de graisses neutres n'y changeait rien. Si, par contre, la petite quantité de matières extraites par l'alcool ou l'éther était rajoutée aux aliments traités, les animaux prospéraient à nouveau.

De cette observation fondamentale est découlée la notion de l'existence de substances que l'organisme animal est incapable d'élaborer et qui, à des doses minimes, de l'ordre du millionnième et même du dix-millionnième du poids de la ration alimentaire quotidienne (quelques milligrammes, dixièmes de milligramme, parfois même moins), sont indispensables à la vie. Elles furent pour cette raison nommées *vitamines*. Leur absence détermine des troubles et des lésions, plus ou moins caractéristiques pour chacune d'elles.

On sait aujourd'hui que les vitamines, tout comme les oligo-éléments, font partie de ferments, catalyseurs de réactions vitales. L'absence d'une vitamine donnée rend le ferment correspondant inopérant. Une quantité insuffisante ralentit cette réaction fermentaire. Comme chaque ferment remplit une fonction bien définie, le manque d'une vitamine se traduit par le trouble de la fonction de ce ferment.

Les vitamines ont été subdivisées en deux grands groupes d'après leur solubilité. Le groupe des corps solubles dans les huiles, ou liposolubles, comprend les vitamines A, D, E, F et K. Les autres vitamines (B, C, etc.), sont hydrosolubles, c'est-à-dire solubles dans l'eau. Les premières peuvent s'accumuler en assez grande quantité dans l'organisme et, prises en excès, sont toxiques. Celles du deuxième groupe s'éliminent facilement ; elles peuvent être de ce fait absorbées en quantités importantes et ne sont que peu stockées. Il importe donc que leur apport soit régulier.

Les vitamines liposolubles

1. *La vitamine A, ou Rétinol. Avitaminose A = xérophtalmie.*

Elle est anti-infectieuse et joue un rôle dans la vision.

La vitamine A biologiquement active ne se rencontre que dans le règne animal. C'est une substance qui s'oxyde facilement à l'air, mais est stable à la chaleur.

Le monde végétal est très riche en son précurseur, le carotène, formé de deux molécules de vitamine A couplées. C'est le pigment jaune orangé de la carotte, de l'abricot, de l'orange et de nombreuses fleurs. Il est présent dans toutes les feuilles vertes, surtout au moment où leur croissance est la plus rapide. C'est le règne végétal qui nous fournit 50 à 60 % de la vitamine A dont nous avons besoin. Dans le foie, dans la paroi de l'intestin grêle, le carotène peut se scinder sous l'action d'un ferment, mais une molécule de carotène ne nous fournit qu'une seule molécule de vitamine A ; la deuxième molécule est inactivée lors de cette transformation. Pour couvrir nos besoins, il faut donc au moins deux fois plus de carotène que de vitamine A d'origine animale.

Lorsqu'il y a excédent d'apport, la vitamine A est stockée dans le foie, qui en contient, chez l'homme normalement nourri, une réserve pour six à douze mois. Les poumons, les glandes génitales, les surrénales et la rétine en sont riches. Les autres organes n'en contiennent que des traces.

Chez l'enfant en bas âge, la transformation du carotène en vitamine A ne se fait que sur une faible échelle. Le carotène non transformé se dépose dans la graisse sous-cutanée et la peau prend alors une teinte orangée caractéristique. On peut observer le même phénomène chez des végétariens qui absorbent beaucoup de carottes.

La transformation du carotène en vitamine A se fait également mal en cas de maladie intestinale, hépatique, rénale, ou de diabète. De même, quand la thyroïde est déficiente, le carotène ne peut plus être transformé en vitamine A et l'hypothyroïdien peut, de ce fait, présenter des signes d'hypo-vitaminose A. D'autre part, un manque de vitamine A diminue la fonction sécrétoire de la thyroïde et un cercle vicieux s'établit, qui ne peut être rompu que par un apport de vitamine A animale. Les carnivores exclusifs ne possèdent pas le ferment transformant le carotène végétal en vitamine A. Ils puisent cette vitamine principalement dans le foie de leurs proies.

La couleur jaune de la graisse animale et du sérum est due à la présence de vitamine A ou de carotène. Le beurre n'est jaune qu'en été, lorsque les vaches mangent de l'herbe verte, riche en carotène. De même, c'est à la vitamine A et au carotène que le jaune de l'œuf doit sa couleur. Les poules nourries sans carotène, donc sans verdure, pondent des œufs dont le jaune est presque blanc.

Le sujet adulte sain a besoin de 0,75 à 0,9 milligramme de vitamine A par jour (soit de 2 500 à 3 000 unités internationales; 1 UI = 0,3 gamma * de rétinol). Si ce besoin doit être couvert par du carotène, la quantité nécessaire est estimée à 3,75/4,5 milligrammes soit cinq fois plus, en tenant compte du fait qu'une partie du carotène n'est pas résorbée (voir p. 284).

Voici quelques exemples de teneur en vitamine A par 100 grammes : huile de foie de morue ou de thon, respectivement 30 milligrammes (100 000 UI) et jusqu'à 250 milligrammes (8 000 000 UI); foie de veau, 8 milligrammes (2 700 UI); lait de vache, 0,04 milligramme en hiver et jusqu'à 0,3 milligramme en été; lait de femme, 0,01 milligramme; colostrum, le double.

Un jaune d'œuf foncé contient environ 0,9 milligramme de vitamine A et couvre ainsi le besoin quotidien.

Cent grammes de carottes renferment 8 milligrammes de carotène et 100 grammes d'épinards, 6 milligrammes.

Cent millilitres de plasma humain contiennent normalement de 0,1 à 0,3 milligramme (soit 100 à 300 gammas) de carotène. Ce taux dépend de l'alimentation. Il augmente en été, lorsque la consommation de légumes frais est importante. Il tombe à zéro lorsque la nourriture n'en contient pas.

* 1 gamma = 1 microgramme = un millième de milligramme.

Le taux plasmatique de la vitamine A est d'environ 50 à 60 gammas pour cent millilitres. Il est stable : en cas de carence alimentaire, il est maintenu par mobilisation des dépôts hépatiques. Il augmente pendant la grossesse et est plus élevé chez le fœtus que chez la mère.

De tous les tissus, c'est la rétine qui est la plus riche en vitamine A. Liée à une protéine, cette vitamine fait partie d'un pigment appelé pourpre rétinien, qui joue un rôle essentiel dans la vision.

Toute lumière qui pénètre dans l'œil scinde le pourpre rétinien localisé dans les bâtonnets de la rétine et libère la vitamine A qui est ainsi perdue. Cette réaction donne naissance aux impulsions nerveuses qui révèlent au cerveau l'image vue par l'œil. Le pourpre rétinien se reforme à partir de la vitamine A contenue dans les liquides intra-oculaires et se dégrade constamment, assurant la vision.

En l'absence de vitamine A, ce pigment ne peut être synthétisé et les animaux carencés deviennent aveugles. Un symptôme précoce d'hypovitaminose A chez l'homme est le manque ou la lenteur d'adaptation, lors du passage d'une lumière vive à l'obscurité (adaptation qui normalement se fait en huit minutes) ainsi que l'impossibilité de distinguer le jaune, le bleu et le rouge dans le champ de vision périphérique.

Une lumière, tant excessive qu'insuffisante, augmente le besoin de cette vitamine. La lumière violente la détruit rapidement. Le port de verres teintés la protège d'une destruction trop rapide.

Lorsqu'il souffre d'un déficit en vitamine A, un chauffeur éprouve de la difficulté à conduire de nuit. L'éblouissement par les phares d'automobile détache plus de vitamine A du pourpre rétinien que la lumière du jour. Une carence en vitamine A prolonge l'aveuglement. Des tests ont montré qu'une grande proportion des conducteurs d'automobile, victimes d'accidents nocturnes, souffraient d'un déficit en vitamine A (voir p. 285).

Dans nombre de maladies chroniques, dans les états fébriles, lors d'efforts physiques violents, lors de traitements par la cortisone, le besoin en vitamine A augmente et le foie s'en appauvrit. Cette vitamine est un antagoniste périphérique des œstrogènes et fait disparaître les malaises prémenstruels dus à une production excessive de ces hormones (voir sous-vitamines B1 et B2, p. 106 et 109).

La vitamine A réduit les placards athéromateux et, de ce fait, exerce un effet antiartérioscléreux, qui se trouve décuplé par l'administration simultanée de vitamine E.

On a observé chez le rat, qu'une dose de rétinol soixante fois plus élevée que le minimum requis, retarde la sénilité et augmente le pouvoir de reproduction (Sherman et al.). A fortes doses, la vitamine A possède des propriétés antiallergiques. Elle contrôle la stabilité et la perméabilité des membranes extra et intracellulaires en provoquant des modifications dans la configuration de leurs lipides. Elle joue par là un rôle essentiel dans la vie de chaque cellule. Tant l'excès que la carence en vitamine A perturbe la fonction de ces membranes, ce qui entraîne des manifestations cliniques similaires.

En avitaminose A, la peau devient sèche et cornée, par déficience des glandes sébacées, la sudation diminue, la desquamation augmente. Mais les lésions sont surtout caractéristiques à l'œil et ont été observées chez de très jeunes enfants nourris uniquement avec des décoctions de farine ou avec du lait totalement écrémé : les glandes lacrymales souffrent ; l'œil, insuffisamment baigné de larmes, devient sec, s'infecte, s'ulcère et devient aveugle, d'une part par opacification de la cornée, d'autre part par manque de pourpre rétinien. Cette maladie est appelée xérophtalmie.

La vitamine A contrôle également l'intégrité des cellules revêtant le tube digestif et les poumons. Les glandes gastriques, sans elle, ne sécrètent plus d'acide chlorhydrique. L'épithélium des muqueuses a besoin de vitamine A pour élaborer les mucopolysaccharides, substances contenues dans leurs sécrétions normales et qui s'opposent aux invasions microbiennes. C'est en raison de cette propriété que cette vitamine a été qualifiée d'anti-infectieuse. Enfin, chez le porc, l'avitaminose A entraîne l'apparition de symptômes neurologiques (ataxie) et la mise bas à terme ne se fait pas.

Chez l'animal d'expérience, l'absence de vitamine A entraîne des troubles hépatiques, des malformations fœtales, avec anomalie et fragilité osseuse et dentaire, les mâles deviennent stériles, leurs glandes sexuelles ne répondant plus à la stimulation normale par l'hypophyse.

La carence fœtale en vitamine A augmente la fréquence des hernies diaphragmatiques congénitales chez les rats ayant une prédisposition héréditaire à cette malformation. Ainsi, une faiblesse génétique peut ne se manifester chez certains individus que sous l'influence d'une carence alimentaire chez la mère (voir manganèse, p. 140 et maladies hérédogénératives chez l'homme, Cas 29 à 34, p. 192 à 198).

Toxicité

De trop fortes doses de vitamine A sont toxiques.

Normalement, lorsqu'une cellule devient trop vieille, elle s'acidifie, ce qui provoque, à partir de corpuscules spéciaux intracellulaires appelés lysosomes, une libération de ferments qui la détruisent en la dissolvant. Un excès de vitamine A fragilise les lysosomes et peut ainsi faire disparaître des cellules saines, en particulier dans le foie et les os qui deviennent anormalement cassants. Par le même mécanisme, un excès de vitamine A accélère la métamorphose du têtard, en hâtant la résorption de sa queue. On a cherché à exploiter cette propriété dans la lutte contre le cancer. A doses subtoxiques, cette vitamine semble pouvoir sensibiliser les cellules tumorales à l'action d'antimitotiques.

L'ingestion de foies d'ours, de renard ou de chiens polaires, extrêmement riches en vitamine A, peut provoquer une intoxication aiguë chez l'homme, qui se manifeste par des céphalées, des vomissements, de l'irritabilité, puis de la somnolence. Ces symptômes ont été également observés chez des enfants après l'ingestion en une fois de 300 000 UI de vitamine A (90 milligrammes), soit cent fois la dose normale pour un adulte ! Lors d'excès moindres, mais répétés, apparaissent une fatigabilité anormale, de l'insomnie, des douleurs musculaires, articulaires et osseuses avec gonflement des extrémités par épaississement des cartilages et du périoste. Chez un enfant intoxiqué par de trop fortes doses de vitamine A (trois cuillères à café d'une préparation pharmaceutique au lieu de trois gouttes) il y eut arrêt de croissance osseuse aux membres inférieurs, photophobie, agrandissement du foie. Le taux de vitamine A dans le plasma était de 280 gammas par 100 grammes au lieu du taux normal de 50/60.

L'ingestion journalière pendant cinq ans de 30 à 375 milligrammes (100 000 à 1 250 000 UI) de vitamine A par une malade, l'absorption de 120 milligrammes (400 000 UI) pendant huit ans chez un autre provoquèrent une tuméfaction de la rate et du foie, une sécheresse anormale de la peau avec formation de crevasses et prurit (tout comme dans le déficit), de la gingivite, de l'inappétence. On trouva un dépôt de 1,7 à 2,2 milligrammes de vitamine A par gramme de foie, soit dix fois plus que la valeur normale. Une telle surcharge met un temps très long – des années – à disparaître. Ainsi, l'intoxication par la vitamine A n'est que partiellement réversible. Déjà 12 milligrammes (40 000 UI) par jour pendant une très longue période peuvent conduire à une intoxication.

Des effets nocifs ont été observés chez des embryons d'animaux d'expérience : l'administration à la mère de doses de vitamine A seulement cinq fois supérieures aux doses physiologiques, a entraîné des malformations des os et des cartilages chez le fœtus tout comme le manque de vitamine A.

2. *La vitamine D. Avitaminose D = Rachitisme.*

La vitamine D, liposoluble, fait partie d'un grand groupe de substances biologiques très importantes à actions diverses et qui, toutes, possèdent dans leurs molécules une structure chimique de base appelée stérol, ou stérine. Le cholestérol, nombre d'hormones (sexuelles, surrénaliennes, dont la cortisone), appartiennent à ce groupe. La vitamine D existe dans le monde animal et végétal et porte respectivement les noms de D_3 ou cholécalciférol, et D_2 ou ergostérol.

La carence en vitamine D est de nos jours, malgré toutes nos connaissances, l'une des plus répandues de toutes les hypovitaminoses. Elle entraîne chez le jeune enfant l'apparition du rachitisme et cela d'autant plus que sa croissance est plus rapide, qu'il est plus suralimenté, gros, gras et lourd.

Cette maladie est caractérisée par un trouble dans la formation des os : les cartilages des zones de croissance prolifèrent, mais ne se calcifient pas. L'os de ces zones devient flexible et se courbe sous l'influence de la charge. Il reste déformé après la guérison de la maladie. Le rachitisme grave, encore fréquent dans le premier tiers de ce siècle, ne se voit plus guère aujourd'hui. Le rachitisme léger, par contre, est une maladie courante. Chez le jeune bébé rachitique, le crâne devient mou et dans la région postérieure, se laisse défoncer par la pression du doigt, comme une balle de ping-pong. Le front devient trop bombé. Au niveau du thorax apparaît ce qu'on appelle le chapelet rachitique, formé d'une succession de boursouflures costales, à droite et à gauche du bord sternal, à la jonction des côtes cartilagineuses et osseuses. Le thorax, trop mou, au lieu de se gonfler à chaque inspiration que fait l'enfant, s'enfonce sous l'influence de la traction du diaphragme. Le bas des côtes proémine comme un avant-toit et le torse prend la forme d'une cloche. Aux chevilles, il est facile de déceler un renflement, un ou deux centimètres au-dessus de l'extrémité des malléoles, signe précoce d'un rachitisme débutant. Chez un bébé rachitique, la percée des dents se fait en retard (norme = six mois), de même qu'il y a retard dans l'apprentissage de la tenue assise et de la marche. Chez l'enfant qui marche, les jambes se courbent en O ou en X. Chez l'adolescent (cela est spécialement arrivé pendant la guerre), les os fléchissent, se cassent, le bassin devient trop étroit et s'aplatit, ce qui, chez la femme, rendra plus tard les accouchements difficiles.

Le manque de vitamine D peut entraîner chez la femme gravide et en période de lactation un ramollissement des os avec décalcification, appelé ostéomalacie.

La vitamine D préside à l'assimilation du calcium alimentaire. Elle conditionne la formation dans le plasma sanguin d'une combinaison de calcium et de phosphore spécialement assimilable par l'os, qui fait défaut dans le sérum d'un rachitique. Un cartilage rachitique plongé dans le sérum d'un rachitique ne se calcifie pas ; il le fait dès qu'il est plongé dans un sérum normal.

L'activité anti-rachitique peut être conférée à des produits animaux, tels que lait et plasma, à des huiles végétales, aux céréales, aux levures, par leur exposition aux rayons ultra-violets. Mais une irradiation trop intense détruit la vitamine D en créant des isomères inactifs ou toxiques.

L'animal synthétise un précurseur de la vitamine D_3, dont la constitution chimique est voisine de celle de la cholestérine (le 7 – déhydrocholestérol). Ce composé se concentre dans les couches superficielles de l'épiderme, spécialement dans les glandes sébacées chargées d'enduire la peau, les poils et les plumes d'une fine couche de graisse protectrice. Sous l'influence de l'exposition solaire (ou de rayons ultra-violets artificiels), cette provitamine est convertie en vitamine D active, qui est ensuite absorbée par la peau et répartie dans tout l'organisme. Un lavage au savon précédant un bain de soleil enlève la couche grasse qui contient la provitamine et porte ainsi préjudice à la production de la vitamine D.

Chez les animaux, la vitamine D prend de même naissance sous l'action du soleil à la surface des poils et des plumes ; l'animal la récupère en léchant sa fourrure et en lissant ses plumes.

La capacité de synthèse de la vitamine D par la peau humaine blanche est considérable. Elle pourrait atteindre 18 UI par centimètre carré en trois heures (Bekemeier, 1958), soit 300 000 UI ou 7,5 milligrammes environ pour un individu mesurant 1,65 mètre, pesant 65 kilos et exposant tout son corps au soleil. Cela correspond à la moitié de ce qu'on appelle une dose thérapeutique de choc. On voit ainsi le taux de vitamine D dans 100 millilitres de sang passer, chez un individu normal, de 150 à 360 UI sous l'effet d'une forte exposition solaire. Le développement de la pigmentation cutanée s'oppose à la pénétration des rayons ultraviolets et constitue une défense contre les risques d'intoxication vitaminique D par insolation prolongée.

La provitamine D formée dans la peau ne possède cependant pas d'efficacité biologique directe. Pour devenir active, il faut que la structure de cette substance subisse une modification par adjonction d'un groupe hydroxyle (= OH) dans la molécule, transformation qui se fait dans le foie, sous l'action de ferments appropriés : cette nouvelle substance est appelée vitamine D_3, ou cholécalciférol. Dès qu'un certain taux de vitamine activée est formé dans le foie, cet organe en arrête la production. Il adapte ainsi constamment la quantité de vitamine D active aux besoins de l'organisme.

Une deuxième transformation du cholécalciférol a lieu dans les reins, où la molécule acquiert un deuxième groupe OH et devient encore plus active.

Une partie de la provitamine D, qui prend naissance sous l'effet du soleil, se trouve immédiatement transformée par le foie et les reins en produits actifs, une autre est mise en réserve, d'une part dans les tissus adipeux, dans lesquels elle se combine à différents acides gras, d'autre part dans les muscles, qui, grâce à leur masse, peuvent en stocker des quantités importantes. La provitamine D sera puisée dans ces réserves durant les mois d'hiver. On estime qu'un individu sain, sachant profiter du soleil, peut couvrir ses besoins par cette biosynthèse et qu'un supplément de vitamine D ne lui est pas nécessaire. Cette substance ne mérite donc guère, semble-t-il, son nom de « vitamine » et serait plutôt une hormone tissulaire. Cependant, les individus qui vivent trop enfermés, qui toute l'année ne découvrent que leur visage et leurs mains, les mineurs, les travailleurs de nuit, les populations nordiques, manquent de vitamine D par manque d'insolation. Les habitants des grandes villes, au-dessus desquelles plane en permanence une brume de fumées ou de brouillard absorbant les rayons ultra-violets, en sont également carencés.

Si l'homme ne profite pas du soleil, un apport extérieur, alimentaire ou pharmaceutique de vitamine D, ou une irradiation à la lampe de quartz, productrice de rayons ultra-violets, lui est indispensable.

Le besoin minimum de l'homme adulte a été estimé à 100 unités par jour, soit 2,5 gammas ; celui des enfants et adolescents, des femmes enceintes et allaitantes à 400-600 unités par jour.

L'activité vitaminique du lait humain varie considérablement (entre 0 et 180 UI par litre, le plus souvent moins de 30 UI). Elle s'y concentre dans les matières grasses. De 0,5 à 3 % de la vitamine D absorbée par la mère passe dans le lait.

Voici la teneur en vitamine D de quelques aliments exprimée en unités internationales (UI) et en gammas par 100 grammes :

	UI	gammas par 100 grammes
huile de foie de poisson	8500	212
harengs	900	22
sardines à l'huile	300	7
œufs	200	5
champignons	150-350	4-9
fromage	100	2,5
foie	50	1,2
beurre	40	1
lait de vache	0,5-4	0,012-0,1
(d'après les tables scientifiques GEIGY).		

Un jaune d'œuf (poids moyen 17 grammes) en contient de 25 à 85 UI.

La teneur en vitamine D d'autres aliments courants est faible : sucres, graisses, céréales, pommes de terre, n'en contiennent pas. Cependant, certains aliments d'origine végétale – huiles, céréales, levures, etc. – sont riches en un corps, appelé ergostérol, ou provitamine D_2 qui, sous l'influence des rayons ultra-violets, acquiert des propriétés antirachitiques.

La vitamine D_2 végétale est, à poids égal, moins active que la vitamine D_3 animale. Elle n'agit pas immédiatement sur la fixation du calcium, mais seulement après un temps de latence, temps apparemment nécessaire à sa transformation par le foie et les reins en substances actives. Après l'administration d'une forte dose de vitamine D, la teneur du plasma reste élevée pendant deux à huit mois. Ingérée, elle s'absorbe au niveau de l'intestin grêle, dans une proportion d'environ 80 %. La présence de bile, de sels biliaires, est indispensable à cette absorption, comme elle est indispensable à l'absorption de tout corps gras.

La muqueuse de l'intestin grêle est l'organe cible principal de la vitamine D_3, qui s'accumule dans les noyaux cellulaires et y stimule la formation de ferments indispensables à la résorption du calcium dans l'intestin.

Un autre organe cible essentiel est l'os. A son niveau, la vitamine D participe à la formation de la matrice organique, puis à la fixation du calcium dans cette matrice, mais pour que la vitamine D puisse exercer cette fonction, un apport suffisant de calcium est indispensable.

Nous perdons constamment du calcium par les reins, les intestins, la sueur. Ces pertes doivent être compensées. Le besoin quotidien en calcium est d'un gramme environ. Il est accru pendant la croissance, la grossesse (1,5 à 3 grammes) l'allaitement (2 à 4 grammes). De larges couches de la population ont un apport insuffisant en calcium. Un déficit tant en calcium qu'en vitamine D joue un rôle dans l'apparition de l'ostéoporose du vieillard. Celle-ci se traduit par une grande fragilité osseuse, qui entraîne un tassement vertébral souvent douloureux, avec diminution de la taille, ou la classique fracture du col du fémur à la suite d'une simple chute en position assise. Le manque d'exposition solaire en est probablement la cause principale.

Des corps gras alimentaires, absorbés en excès, se transforment dans l'intestin en savons calcaires insolubles, éliminés par les selles. L'acide oxalique et l'acide phytique drainent de même le calcium alimentaire sous forme de sels insolubles non résorbables. L'acide citrique par contre se combine au calcium en un complexe très soluble et en favorise l'absorption.

Les drogues antiépileptiques (phéno-barbital, hydantoïne) données pendant des temps prolongés interfèrent avec le métabolisme de la vitamine D, en accélérant sa destruction et peuvent ainsi provoquer des états de carence.

Toxicité

L'absorption de trop fortes doses de vitamine D provoque une intoxication, qui peut être mortelle et qui se manifeste par de l'inappétence, des vomissements, de la diarrhée, de l'amaigrissement, une inflammation rénale. Le taux de calcium dans le sang augmente jusqu'à 17 milligrammes % (taux normal : 9 à 10 milligrammes) par mobilisation du calcium des os, qui deviennent poreux et douloureux. Ainsi, dans l'intoxication, l'action de la vitamine D au niveau des os s'inverse, comme c'est le cas pour la vitamine A. Ce calcium libéré se dépose dans les organes mous (reins, vaisseaux, etc.) dont il perturbe les fonctions.

La tolérance à la vitamine D est cependant grande. On a vu des signes d'intoxication n'apparaître qu'après trente mois d'une consommation quotidienne de 150 000 UI, soit 3,75 milligrammes. Comme la vitamine D se dépose dans des tissus qui ne la remettent en circulation que progressivement, les symptômes d'intoxication ne disparaissent que lentement, et ce délai peut atteindre six mois. Les effets de l'intoxication par la vitamine D peuvent être neutralisés par la cortisone, qui abaisse la calcémie, diminue l'absorption intestinale du calcium et en augmente l'excrétion rénale.

Des études récentes ont montré qu'il existe de multiples dérivés de la vitamine D_3, avec des activités différenciées sur le rachitisme, la calcémie ou l'absorption intestinale du calcium. La proportion relative de tous ces corps actifs permet à l'organisme d'adapter à ses besoins la production de telle ou telle forme vitaminique. Ainsi, lorsque la calcémie baisse, la synthèse du produit dihydroxylé par les reins augmente, ce qui active la résorption du calcium au niveau de l'intestin.

Mais la vitamine D n'agit pas seulement sur le métabolisme du calcium. Elle est indispensable à la croissance de tous les tissus. Elle active les oxydations, élève le taux de l'acide citrique dans les tissus, le sang et l'urine, augmente la synthèse des phospholipides dans les intestins et le rein, intervient dans le métabolisme des acides nucléiques. C'est pourquoi le rachitisme s'accompagne de symptômes cliniques divers : mauvais état général, faiblesse, pâleur, transpiration excessives mauvaise humeur, hyperacidité urinaire.

3. *La vitamine E ou Tocophérol. Effet de carence : maladie de Dupuytren.*

Elle est antioxydante, agit sur le tissu conjonctif et favorise la fécondité.

La vitamine E est un liquide huileux, visqueux, miscible aux huiles. Sa découverte est relativement récente et son rôle incomplètement connu.

Si l'on donne à des rats une alimentation artificielle contenant de l'amidon, des graisses, des protéines purifiées, des sels minéraux et les vitamines A, B, C et D en quantités suffisantes, les animaux croissent normalement, mais, par manque de vitamine E, des désordres se manifestent dans leur sphère sexuelle : chez le mâle, les testicules dégénèrent et l'animal devient stérile définitivement. La femelle souffre moins : elle peut être fécondée, mais refuse de s'occuper des nouveau-nés ; plus tard, elle ne met au monde que des mort-nés, ou bien les fœtus et les placentas se résorbent. En l'absence de tocophérol, appelé également vitamine de fécondité, l'abeille ne devient pas reine. La vitamine E, tout comme la vitamine A, joue en outre un rôle dans le contrôle de l'intégrité lysosomale, (voir page 156) et cela tout spécialement dans les muscles. En cas de carence, des dystrophies musculaires et des paralysies apparaissent.

Cette substance est peu abondante dans la nourriture animale. Elle existe dans les plantes vertes, mais surtout dans les noix et les céréales, où elle se concentre dans les germes et le son. Elle est éliminée dans la préparation usuelle des farines, mais n'est pas détruite par la cuisson. L'huile de germes de blé en est particulièrement riche.

La vitamine E est présente dans tous les tissus ; l'hypophyse et la surrénale en contiennent deux cents fois plus que les autres organes. Elle est mise en dépôt dans les tissus gras à raison de 0,1 à 1 milligramme par gramme de graisse. Le plasma en contient de 0,8 à 1,6 milligramme par 100 millilitres. Elle a une fonction antioxydante et protège les acides gras polyinsaturés (vitamines F), la vitamine A, les hormones hypophysaires, surrénales et sexuelles d'une destruction prématurée par oxydation. Ainsi, une carence en vitamine E peut augmenter des déficiences vitaminiques et hormonales. En exerçant cette fonction antioxydante, le tocophérol se détruit.

La vitamine E réduit le besoin en oxygène de l'organisme par une meilleure utilisation de celui-ci. Ainsi elle augmente la résistance des alpinistes, qui font de gros efforts dans un air raréfié. Elle fait disparaître les douleurs d'angine de poitrine, dues à un manque d'oxygène dans le myocarde.

Le tocophérol agit sur le tissu conjonctif et produit à son niveau une détumescence, analogue à celle qu'on observe sous l'action de la cortisone. On admet que la maladie de Dupuytren, qui se manifeste par une rétraction, parfois invalidante, des tendons des muscles fléchisseurs des doigts et un durcissement de leurs gaines tendineuses, est due à un déficit en vitamine E. L'administration prolongée de fortes doses de cette vitamine fait régresser et parfois disparaître cette maladie. Il en a été ainsi chez une de nos malades atteinte en outre de xanthomes cutanés, dépôts de cholestérol jaune vif dans la peau, spécialement aux paupières, dus probablement à cette même carence et qui disparurent également au cours du traitement. Un manque de vitamine E chez la mère est une des causes principales de naissances avant terme. 150 milligrammes de tocophérol, donnés dès la naissance à des prématurés placés sous une tente d'oxygène, ont pu les préserver de la cécité, qui atteint 20 % des bébés non protégés. La vitamine E est antihémolytique : elle s'oppose à la destruction des globules rouges du nouveau-né et diminue de la sorte l'ictère dû à cette hémolyse. Une carence en vitamine E est ainsi une des causes de l'anémie du nourrisson. Il est probable que la myopie et le strabisme de jeunes enfants, si fréquents aujourd'hui, lui soient également attribuables. La vitamine E augmente la tolérance à la digitale. A la dose de 600 milligrammes par jour, elle favorise la cicatrisation des ulcères, variqueux et autres, celle de brûlures graves (cutanées, œsophagiennes, etc.). Appliquée localement sur ces plaies, elle calme la douleur et empêche la formation de cicatrices vicieuses (chéloïdes). Le tocophérol intervient dans la formation de l'émail des dents. Au niveau du foie, il accélère la synthèse de catalyseurs essentiels (coenzyme A, triphosphate d'adénosine = ATP) et stimule ainsi la fonction hépatique. Il participe vraisemblablement à certains systèmes d'enzymes respiratoires, ainsi qu'au métabolisme des protéines.

Il y a synergie entre les vitamines A, E et C.A des doses physiologiques, la vitamine E favorise le stockage de la vitamine A dans le foie, ainsi que sa formation à partir du carotène, tandis qu'elle les bloque à hautes doses. L'effet toxique de trop fortes doses de vitamine A est atténué par l'adjonction de vitamine E.

Le besoin en vitamine E a été estimé à 10-15 milligrammes par jour, quantité contenue dans 400 grammes de beurre, dans 10 millilitres (= 2 cuillères à café) d'huile de lin, dans 2 millilitres d'huile de germe de blé, dans 150 grammes de blé complet. Mais ce besoin est très différent d'un individu à l'autre et peut varier du simple au quadruple. Il s'accroît dans le stress, lors d'une croissance rapide, à la ménopause ou par la prise d'hormones sexuelles (pilules contraceptives). Bien que liposoluble, le tocophérol, contrairement aux vitamines A et D, a la réputation d'être atoxique.

4. *La vitamine F. Effet de carence : maladies dégénératives diverses.*

Elle règle la perméabilité des membranes. Elle est indispensable à la synthèse des prostaglandines, de la lécithine, de la myéline, etc.

On appelle vitamines F un groupe de substances qui sont toutes des acides gras polyinsaturés, possédant deux, trois ou quatre valences doubles. Ils sont dits essentiels, parce qu'ils sont indispensables à la vie et ne peuvent être synthétisés à partir d'autres substances par l'organisme humain. Ils s'appellent acides linolénique, homolinolénique, linoléique et arachidonique (voir annexe II, p. 320 et 321).

L'organisme humain peut dériver l'acide arachidonique — très important pour les fonctions et structures cérébrales — de l'acide linoléique, qui, lui, doit absolument être fourni par les aliments.

Le besoin en vitamine F active a été estimé à 12-25 grammes par jour (contenus par exemple dans 1-2 cuillères à soupe d'huile de tournesol pressée à froid) et il n'est pas souvent couvert ! (Schweigart).

Ces acides gras polyinsaturés se concentrent dans les graines oléagineuses de tournesol, lin, sésame, cartame, coton, pavot, etc., qui en sont extraordinairement riches. Les huiles tirées de ces semences contiennent de 50 à 70 % d'acide linoléique et linolénique. L'huile d'olive, par contre, n'en referme que 2 à 8 %. Ce sont des corps fragiles, qui se transforment aisément en isomères plus stables et biologiquement inactifs. Il en est ainsi par chauffage à température élevée, au moment de l'extraction ou lors de préparations culinaires. Les formes cis-cis 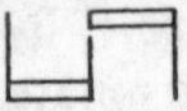 COOH biologiquement actives, deviennent dans ces conditions, par une rotation de fragments moléculaires au niveau de doubles liaisons, des formes cis-trans, inactives

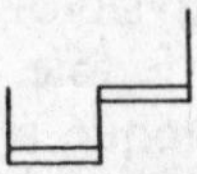

COOH (H. Sinclair).

L'herbe contient de la vitamine F, et une vache en consomme environ 300 grammes par vingt-quatre heures. Mais cette vitamine est en grande partie détruite par les bactéries du rumen et, de ce fait, le lait de vache en contient très peu. Il en est beaucoup plus pauvre que le lait de femme.

Le rat carencé en vitamines F a une soif exagérée. Il évapore une quantité anormale d'eau, par perméabilité excessive de ses membranes de revêtement. Lorsqu'on le met sous une cloche de verre, celle-ci se recouvre immédiatement de buée, ce qui n'est pas le cas pour un rat normal. La croissance des jeunes rats s'arrête.

Chez l'homme, une déficience chronique en vitamines F se traduit également par une perméabilité anormale des revêtements, une augmentation de la soif, surtout marquée chez les enfants, une sécheresse et une desquamation exagérées de la peau, une tendance aux allergies, aux maladies des vaisseaux (artériosclérose, phlébites et thromboses, infarctus du myocarde), une déficience du foie, des troubles digestifs chroniques (diarrhées et surtout constipation), une baisse de la résistance aux virus et aux bactéries, par l'apparition de tumeurs, etc. (voir p. 276 et suivantes).

Le cholestérol, précieuse matière première, à partir de laquelle l'organisme synthétise la vitamine D, les hormones sexuelles et surrénaliennes, forme des sels très solubles avec les acides gras polyinsaturés. En leur absence, il se lie aux acides gras saturés. Les sels qui en résultent sont peu solubles et précipitent, pour former des dépôts jaunes dans la peau, les muqueuses ou les vaisseaux et des calculs dans la vésicule biliaire. C'est un phénomène aujourd'hui courant chez les personnes qui consomment des quantités excessives de graisses animales et peu d'huiles.

Les prostaglandines

Les prostaglandines – bien mal nommées puisque la prostate n'en contient que peu – sont des corps biologiquement très actifs et importants, présents dans toutes les cellules et construits par elles à partir des acides gras polyinsaturés. Elles ont été isolées en 1935 (von Euler) et peuvent actuellement être synthétisées. Ce sont des régulateurs métaboliques, libérés à partir des phospholipides des membranes cellulaires, auxquelles sont incorporés leurs précurseurs.

On connaît actuellement 14 prostaglandines dérivées d'acides gras insaturés, dont le milieu de la chaîne, entre les carbones 9 et 13, forme une boucle englobant cinq carbones. Elles ne se différencient les unes des autres que par le nombre et la position des doubles liaisons (2-5), le nombre et la position de quelques rares groupes O et OH sur la chaîne.

La découverte des prostaglandines nous a permis de comprendre la multiplicité des symptômes dus à un manque de vitamines F, leur peu de spécificité, les améliorations de santé souvent spectaculaires obtenues par le remplacement des graisses saturées par les huiles insaturées, pressées à froid. Je dis bien « remplacement » et non pas « adjonction » : en présence d'un excès de corps gras saturés – beurre, par exemple – une correction de santé par un supplément de vitamines F ne se produit guère ou pas du tout (voir p. 211 : artériosclérose).

N'importe quelle altération de la membrane cellulaire provoque une libération de prostaglandines. Elles ont une action locale de protection. Elles règlent la pénétration dans les cellules, selon les besoins individuels et momentanés de celles-ci, des hormones, que les glandes à sécrétion interne déversent dans le courant sanguin. Elles jouent ainsi un rôle des plus importants dans la régulation des processus chimiques intracellulaires. On les a appelées hormones cellulaires.

Ces substances exercent leur action déjà à la dose de un millième de milligramme. Un changement minime dans leur structure modifie leur action, qui peut s'inverser, et qui diffère d'un organe à l'autre, d'une espèce animale à l'autre.

Très actives localement, la plupart des prostaglandines introduites dans le plasma n'ont une demi-vie que de une à trois minutes. Autrement dit, après ce laps de temps, la moitié en est inactivée. Ce sont des substances très vite produites, très rapidement dégradées, ce qui les rend peu maniables sur le plan pharmaceutique.

Voici un exemple de l'activité de la prostaglandine F : pour qu'un caillot sanguin anormal, appelé thrombus, se forme à l'intérieur d'un vaisseau, il faut dans un premier temps que les cellules, appelées plaquettes sanguines ou thrombocytes, s'agglutinent. La prostaglandine F s'oppose à cette agglutination. Aujourd'hui, la thrombose (formation de thrombus) est une complication post-opératoire fréquente et parfois grave, le caillot formé pouvant migrer et boucher des vaisseaux vitaux (embolies). Un déficit en prostaglandine F, dû à une carence alimentaire en acides gras polyinsaturés, pourrait expliquer cette anomalie.

Il est habituel de prévenir la thrombose en liquéfiant artificiellement le sang par des médicaments anticoagulants, ce qui peut provoquer d'importantes hémorragies. Ce procédé n'est donc pas sans danger et nécessite des contrôles de sang continuels en laboratoire. Or, chez le rat, la thrombose expérimentale peut être prévenue, soit par un régime riche en acide linoléique, soit par l'administration de prostaglandine F (Owien, Hellem et Odegaard).

En élevant la quantité d'acide linoléique alimentaire de l'homme, par un apport de 2 millilitres d'huile de lin par jour, il a été possible d'abaisser expérimentalement l'adhésivité plaquettaire, par conséquent la tendance aux thromboses. La nature des graisses alimentaires peut ainsi jouer un rôle déterminant dans l'apparition de ces phénomènes pathologiques. Chez mes malades, dont le régime alimentaire avait été corrigé depuis plus de deux mois, par un abaissement de la ration des graisses saturées et l'introduction d'huiles pressées à froid, riches en vitamines F, il n'y eut en trente ans d'observations aucune thrombose post-opératoire et cela sans anticoagulants. Ce fait a été constaté par des chirurgiens et les a surpris. Il est permis de penser que l'apport abondant et régulier d'acide linoléique a permis une production normale de prostaglandines protectrices et évité les thromboses, cela par une méthode plus rationnelle et moins dispendieuse que l'administration d'anticoagulants.

La prostaglandine qui s'oppose à la thrombose provient de l'acide linoléique ; une autre, dérivée de l'acide arachidonique, exerce un rôle inverse. S'il est en effet utile d'empêcher une coagulation intravasale, il est nécessaire en cas d'hémorragie d'activer l'agrégation des thrombocytes et, par là, de favoriser la formation du caillot. Une prostaglandine s'en charge. La formation de celle-ci n'est pas activée par un apport d'acide linoléique.

Les actions biologiques des prostaglandines sont multiples et variées. Ces substances règlent l'activité de la musculature lisse et celle des glandes. Comme elles activent la sécrétion d'eau et d'électrolytes dans l'intestin et stimulent sa motilité, leur libération excessive peut provoquer de la diarrhée. Elles stimulent la sécrétion d'hormones surrénaliennes (aldostérone et cortisone), probablement en agissant sur l'hypophyse, et interviennent ainsi dans la régulation du métabolisme de l'eau et des sels minéraux. Un déficit en prostaglandines serait un des facteurs responsables de l'hypertension artérielle. Au moment d'une stimulation nerveuse, des prostaglandines sont libérées par le cerveau et la moelle épinière et jouent un rôle dans la transmission de l'influx nerveux.

Ces corps sont nécessaires à la procréation. Ils facilitent la pénétration du spermatozoïde dans l'ovule. Le sperme, qui normalement, en est spécialement riche, en contient treize espèces différentes. Il a été trouvé appauvri en prostaglandines dans 8 % des stérilités masculines. La stimulation de l'utérus lors de l'accouchement est attribuée à une libération de prostaglandines, dont la teneur augmente à ce moment dans le liquide amniotique. Au moment des règles, le taux de ces substances s'accroît dans le sang circulant.

L'injection de prostaglandines peut provoquer de violentes et douloureuses inflammations avec fièvre. Les médicaments anti-inflammatoires du type de l'Aspirine ou de l'Indocid bloquent la synthèse de certaines prostaglandines et exercent un effet antagoniste sur d'autres. Ils s'opposent à leur effet stimulant sur les récepteurs sensitifs de la douleur.

Chez le rat, un apport de prostaglandines empêche la formation d'ulcères gastriques provoqués par de fortes doses de cortisone. Chez mes grands malades, largement pourvus en acide linoléique, je n'ai jamais observé cette complication, malgré des cures de cortisone prolongées.

En intensifiant ou réduisant les processus métaboliques intracellulaires, en réglant la synthèse des nucléotides intracellulaires (AMP et GMP cycliques), les prostaglandines interviennent dans des régulations biologiques des plus importantes et jouent chacune leur rôle propre dans la multiplicité des mécanismes d'autodéfense cellulaire. Une insuffisance de production de prostaglandines, par manque d'apport de matière première pour leur synthèse, ne peut qu'entraîner une baisse de vitalité et des troubles de santé divers.

L'alimentation actuelle est d'une part carencée en acide linoléique biologiquement actif, c'est-à-dire en matière première dont dérivent les prostaglandines, d'autre part, dans les pays occidentaux, elle est trop riche en calories. 30 à 45 % de celles-ci proviennent de graisses animales saturées. Le besoin de l'homme en vitamines F s'en trouve accru, car il est proportionnel à la quantité de calories et de corps gras saturés consommés. En effet, un individu normal réagit à un apport alimentaire de corps gras par une surproduction de lécithine et une augmentation de son taux dans la bile et le sang. Or, chaque molécule de celle-ci renferme un à deux acides gras polyinsaturés.

L'abus de corps gras, doublé d'une carence en vitamines F, favorise entre autres le développement de l'artériosclérose (voir p. 211).

D'aucuns ont formulé l'espoir que la synthèse de prostaglandines à vie plus longue, pourrait nous permettre de soigner toutes sortes de troubles de façon plus efficace, plus « naturelle ». Si la nature a attribué à ces régulateurs puissants une si grande diversité, une vie si brève, et des fonctions si différentes au niveau cellulaire, peut-on espérer des effets bénéfiques de corps synthétiques à vie prolongée, auxquels seraient soumises toutes les cellules — celles qui en ont besoin et les autres — et ne devrait-on pas s'attendre à des quantités d'effets secondaires indésirables ? N'est-il pas beaucoup plus logique et plus sage de fournir à l'organisme un apport optimal de matière première sous la forme d'acide linoléique naturel et de lui laisser le soin d'opérer lui-même ces délicates synthèses ?

5. *Les vitamines K. Effet de carence : hémorragies.*

Les vitamines K ont été appelées antihémorragiques parce qu'en leur absence, le foie ne forme plus la prothrombine, ainsi que d'autres facteurs assurant la coagulation normale du sang.

L'injection d'une vitamine K rétablit cette coagulabilité et fait disparaître la tendance aux hémorragies. En favorisant la synthèse de la prothrombine — constituant du complément — cette vitamine joue également un rôle dans les réactions immunologiques.

On connaît deux vitamines K naturelles et tout une série de formes synthétiques à formules chimiques simplifiées (naphtoquinones). La vitamine K synthétique, hydrosoluble, est la plus utilisée en thérapeutique ; très active, elle peut, à fortes doses, léser les globules rouges et en provoquer l'éclatement (hémolyse). Elle est plus agressive que les vitamines naturelles, qui n'ont cette action qu'à doses énormes. Étant liposolubles, les vitamines K naturelles ont besoin de bile et de corps gras pour être résorbées.

Les vitamines K sont formées par les végétaux à chlorophylle sous l'effet de la lumière, et jouent un rôle dans la photosynthèse. Elles interviennent dans la phosphorylation oxydative et sont essentielles à la respiration cellulaire.

On les trouve dans les légumes verts (épinards, choux, choux de Bruxelles), dans les pommes de terre, les tomates, les huiles végétales, le foie. Le lait, la viande, les fruits n'en contiennent que des traces. Elles furent primitivement extraites de la luzerne, puis de la farine de poisson en putréfaction, riche en bactéries qui en produisent.

Les vitamines K résistent à la chaleur, mais s'altèrent à la lumière.

Le besoin quotidien de l'adulte est de 4 milligrammes dont l'alimentation ne fournit en moyenne que 0,1 milligramme. La majeure partie provient du travail des bactéries du côlon : la vitamine K est abondante dans les matières fécales humaines, même si le régime alimentaire en est dépourvu, et il n'existe de ce fait pas d'avitaminose K, par manque d'apport ou apport insuffisant. Il peut cependant y avoir carence en cette vitamine par défaut de résorption, en cas de lésion de la muqueuse intestinale, de diarrhée chronique, ou encore par absence de bile dans l'intestin lors d'une jaunisse. Un déficit de vitamine K peut survenir chez le nouveau-né, avant l'établissement d'une flore intestinale capable de la synthétiser, ou lors de la destruction de cette flore par un traitement prolongé aux sulfamidés ou aux antibiotiques.

Vers 1920, une maladie sévissait dans des élevages d'herbivores aux États-Unis ; elle était caractérisée par des hémorragies parfois mortelles, dues à l'ingestion de mélilot fermenté. C'est à partir de cette matière première que fut isolé, en 1941, un antagoniste de la vitamine K, le dicoumarol, responsable de ces désordres. Comme c'est très souvent le cas, les structures chimiques de ces deux substances à actions opposées sont analogues. Cette découverte permit, d'une part de guérir la maladie du mélilot par administration de vitamine K, et, d'autre part, d'abaisser la coagulabilité sanguine par le dicoumarol et ses dérivés, dans la lutte contre les thromboses et les embolies.

Les salicylates, l'acide para-aminobenzoïque, les anticoagulants peuvent déclencher des hémorragies par baisse excessive du taux de prothrombine, ce qui peut être corrigé par un apport de vitamine K pharmaceutique.

Les vitamines hydrosolubles

Le complexe vitaminique B

On a d'abord appelé « vitamine B » un facteur dont la carence provoque une maladie appelée béribéri, caractérisée par des paralysies, surtout des membres inférieurs, et une insuffisance cardiaque avec formation d'œdèmes. Mal soignée, elle est mortelle.

La nourriture des peuples orientaux est moins variée que la nôtre. Le riz en constitue l'élément majeur. Dans la deuxième moitié du XIXe siècle, l'industrie alimentaire rendit aisé le décorticage du riz, et tout le monde voulut se nourrir de beau riz blanc. L'usage de ce riz se généralisant, de véritables épidémies de béribéri apparurent dans ces pays.

C'est en 1891 qu'on prit conscience pour la première fois de la relation de cause à effet entre le béribéri et la consommation de riz poli, ainsi que de la possibilité de guérir cette maladie en redonnant aux malades ce qu'on avait enlevé au riz ! (Eikmann.) Lors de la guerre russo-japonaise, en 1904, le gouvernement japonais interdit, par loi martiale, l'usage du riz poli dans l'armée : mesure sanitaire importante, qui contribua à la victoire du petit Japon sur le colosse russe.

En pratiquant l'analyse de la poudre de riz provenant du décorticage, on s'aperçut cependant qu'elle contenait non pas un corps actif unique, mais tout un groupe de substances de structures chimiques différentes et qui, toutes, sont des vitamines. Comme elles se trouvent en compagnie les unes des autres dans la nature, on créa pour les désigner le terme de complexe B. Nous allons les passer en revue.

1. *La vitamine B_1 ou Aneurine ou Thiamine. Avitaminose B_1 = Bériberi.*

Elle est libératrice d'énergie

La vitamine B_1 est l'un des éléments les plus importants du complexe B. On en a aujourd'hui déterminé la formule chimique et effectué la synthèse.

Pour être active dans l'organisme, l'aneurine doit se combiner à de l'acide pyrophosphorique, processus appelé phosphorylation. Cette transformation en une nouvelle substance nommée cocarboxylase, s'opère dans la muqueuse de l'intestin grêle et le foie. En présence de magnésium, la cocarboxylase se lie à diverses protéines pour former des ferments, dont vingt-quatre ont été identifiés jusqu'à présent.

Incorporée à ces enzymes, la vitamine B_1 participe à un très grand nombre de réactions biologiques ; une hypovitaminose B_1 entraîne de ce fait des troubles variés. En compagnie de l'acide panthoténique, autre vitamine du complexe B, elle joue un rôle essentiel dans la transformation des matières alimentaires, sucres, graisses et protéines, en gaz carbonique et eau, avec libération d'énergie.

La dégradation normale des sucres, dont l'aboutissement est l'acide carbonique évacué par les poumons, passe par des étapes où apparaissent des acides organiques. Si, faute de vitamine B_1, cette chaîne de transformations se ralentit ou se bloque, il y a d'une part déficit d'énergie, d'autre part accumulation d'acides intermédiaires dans l'organisme, dont l'acide pyruvique, délétère à concentration élevée.

Ce sont le myocarde et le système nerveux, qui ont le besoin le plus constant et le plus pressant de l'énergie fournie par l'oxydation des sucres. Aussi, de tous les organes, sont-ils ceux qui souffrent le plus rapidement de l'avitaminose B_1. Celle-ci se traduit cliniquement par une insuffisance et une dilatation cardiaques avec formation d'œdèmes et des troubles nerveux, sensitifs et moteurs (convulsions, paralysies, etc.).

Avec l'acide pantothénique, l'aneurine conditionne la synthèse de l'acétylcholine, substance indispensable à la transmission des commandes dans le système nerveux (voir cas 6, p. 168). Dans l'avitaminose B_1 il y a de ce fait, au niveau du tube digestif, par exemple, perturbation sécrétoire et motrice (constipation). Un manque d'aneurine diminue également l'activité de l'adrénaline, hormone surrénalienne, régulatrice du système nerveux sympathique.

Les symptômes précoces d'un déficit d'aneurine sont de nature psychique : dépression, diminution des facultés de jugement. Si la carence s'accentue, l'individu devient anorexique, irritable, fatigable. Le rendement de son travail s'abaisse. Il se plaint de faiblesse musculaire, de paresthésies, de troubles digestifs et circulatoires (hypotension). Chez les alcooliques et les cancéreux, dont les besoins en vitamines sont particulièrement élevés, peuvent survenir, par insuffisances de vitamine B_1, des encéphalopathies, parfois mortelles, avec confusion mentale, désorientation, trouble de l'équilibre et de la vue.

La vitamine B_1 intervient encore dans la synthèse de l'urée, dans la sécrétion de l'hormone hypophysaire thyréotrope. Elle s'oppose à l'accumulation de l'acide lactique (substance qui, présente en excès dans les muscles, provoque la sensation de courbatures). Chez le rat, il a été démontré que son apport accélère la réparation de nerfs lésés. L'aneurine participe dans le foie à l'inactivation des hormones œstrogènes (ovariennes).

L'intégrité de la muqueuse intestinale est indispensable à l'utilisation de la vitamine B_1 et un déficit peut résulter d'un trouble de la phosphorylation au niveau de cette muqueuse, processus sans lequel l'aneurine est inopérante.

Il est aisé de provoquer l'avitaminose B_1 chez des pigeons en les alimentant uniquement avec du riz décortiqué, chauffé deux heures à 120 degrés. Les animaux deviennent apathiques, maigrissent, sont incapables de voler et même de se tenir sur leurs pattes. Si à ce moment, on leur injecte deux millièmes de milligrammes d'aneurine, on les voit reprendre une allure normale de façon spectaculaire. Sinon, ils sont pris de convulsions et meurent.

Une hypovitaminose B_1 peut résulter d'un apport insuffisant ou d'un besoin accru. Ce besoin augmente dans les maladies fébriles ou prolongées, pendant la grossesse, en cas d'efforts physiques intenses, lorsque la température extérieure est élevée, lorsque l'alimentation est riche en hydrates de carbone raffinés (sucre et farineux), dans l'alcoolisme chronique.

L'organisme ne dispose pas de réserves de vitamine B_1. On estime le besoin quotidien de l'homme adulte à 0,6-2,3 milligrammes. Le sérum sanguin en contient 18 à 62 gammas par litre. Vers la fin de la grossesse, cette teneur n'est que de 11,5 gammas chez la mère, de 5,5 gammas chez le nouveau-né.

La vitamine B_1 est très répandue dans la nature. Elle est synthétisée par les végétaux, par les algues et quelques champignons, par de nombreuses bactéries. La concentration de cette vitamine dans les aliments varie beaucoup selon l'insolation, le degré de maturité, l'état du sol, etc. Elle abonde surtout dans la levure, les germes des semences, les parties du grain qu'on élimine lorsqu'on polit le riz ou blute les autres céréales, procédés destinés à favoriser la conservation et la rentabilité des farines et des graines. Le pain complet, les pommes de terre, le foie, les rognons, la cervelle, le cœur en sont relativement riches.

Voici la teneur en vitamine B_1 de quelques aliments, exprimée en milligrammes par 100 grammes :

levures	3-24
germes de céréales	1-1,8
farine complète	0,56
farine fleur	0,07 (!)
pommes de terre	0,15
légumineuses	0,3-0,9
légumes verts	0,15-0,3
viande	0,7-1,2
lait de vache	0,04-0,09

La vitamine B_1 est entièrement détruite par un chauffage à 120 degrés. La cuisson normale des légumes occasionne une déperdition de 25 à 50 % en quinze minutes, mais une partie de la vitamine perdue se retrouve dans l'eau de cuisson (18-37 %) qu'il est donc important de récupérer.

Si les végétaux sont blanchis, c'est-à-dire plongés dans de l'eau bouillante additionnée d'une petite quantité de sel de cuisine, puis lavés à l'eau froide, une grande partie de la vitamine B_1 est lessivée. Dans les conserves de légumes, la vitamine B_1 passe également dans le liquide, qu'il est donc indiqué de consommer.

En ce qui concerne les viandes, une cuisson à 90 degrés entraîne une perte de 12 à 20 %, un rôtissage, de 50 à 85 % selon la durée. L'entreposage, la conservation et la manipulation des denrées alimentaires les appauvrissent en aneurine. Par contre, cette vitamine résiste au surgel.

Un supplément d'aneurine nous protégerait contre les piqûres de moustiques !

Il y a plus de soixante-quinze ans que la nocivité du décorticage du riz a été dûment démontrée et, cependant, le béribéri reste endémique en Extrême-Orient. De 1954 à 1958, 15 000 enfants sont décédés du béribéri aux Philippines, parfois de façon aiguë par insuffisance cardiaque !

Un professeur d'Université renommé (E. Lehnartz) s'est penché sur ce problème et a trouvé que, dans nos pays, la nourriture hospitalière est déficiente en vitamine B_1, ce qui ne peut qu'entraver la guérison des malades et augmenter le coût de la maladie. Mais rien ne change et l'on continue à donner de la farine fleur, des soupes blanches, des pâtes et du pain blanc aux malades.

Déjà, en 1945, R. Williams a déclaré que l'utilisation de farines blanches raffinées, au lieu de céréales complètes, était le plus grand désastre alimentaire de l'histoire universelle (1946, *Service scientifique Roche*, n° 4).

Deux solutions se présentent à l'esprit : l'une, la plus logique et la plus sûre, est le retour à l'emploi des céréales complètes ; l'autre, imparfaite et dispendieuse, est l'enrichissement des produits, préalablement raffinés, en vitamines synthétiques ou extraites par exemple du son de riz.

2. *La vitamine B_2 ou Lactoflavine ou Riboflavine*

Elle joue un rôle important dans la respiration cellulaire et dans la vision.

Le terme de lactoflavine (lac, lactis = lait ; flavus = jaune) provient du fait que la vitamine B_2 a été isolée la première fois à partir du petit-lait, auquel elle confère sa couleur jaune verdâtre. Il en a fallu 5 400 litres pour fournir un gramme de lactoflavine, sous forme de poudre cristalline jaune orangé. Le terme de riboflavine a été donné à cette vitamine parce qu'un sucre à cinq atomes de carbone, le ribose, est incorporé à sa molécule.

La vitamine B_2 est présente dans toutes les cellules vivantes. Combinée à l'acide phosphorique, à de l'adénosine et à diverses protéines porteuses, elle forme un grand nombre de ferments jaunes (au moins quarante : oxydases, déshydrogénases, réductases, etc.) qui font partie de nombreuses chaînes de transformations à actions réversibles. Comme donneurs ou accepteurs d'hydrogène, ces enzymes participent au métabolisme oxydatif (phénomènes de respiration) de presque tous les nutriments des organismes végétaux et animaux — glucides, lipides, protides et substances nucléaires. Beaucoup de ces réactions ne peuvent s'accomplir qu'en présence de nicotinamide, autre substance du groupe vitaminique B.

Certains ferments jaunes détachent l'hydrogène du substrat et permettent à celui-ci de s'allier directement avec l'oxygène de l'air pour former de l'eau, réaction s'accompagnant d'un important dégagement d'énergie.

La présence de vitamine B_2 est nécessaire à la fixation du fer dans l'hémoglobine. Tout comme la vitamine B_1 (voir p. 107), elle fait partie de ferments qui inactivent les œstrogènes dans le foie, et intervient ainsi dans une importante fonction hormonale.

La lactoflavine ne se trouve à l'état libre que dans le lait et la rétine. Elle joue, conjointement avec la vitamine A, un rôle dans les phénomènes de vision. Sous l'action de la lumière, elle se transforme par réduction, et devient capable d'exciter le nerf optique. A l'obscurité, elle s'oxyde et redevient vitamine B_2.

L'avitaminose B_2 pure est inconnue chez l'homme, car les bactéries sont capables d'en synthétiser un minimum dans l'intestin.

Des symptômes d'hypovitaminose B_2 sont par contre fréquents. Ils se manifestent par de la photophobie, une vascularisation de la cornée, des rhagades aux commissures labiales, une coloration rouge vif de la langue avec atrophie des papilles, une altération de la muqueuse digestive, des lésions séborrhéiques, desquamatives, eczémateuses et prurigineuses de la peau, surtout localisées aux plis cutanés et dans la région anogénitale, des dilatations capillaires, une diarrhée avec selles grasses (stéatorrhée), des troubles de la croissance. Les maladies du foie et le diabète se compliquent souvent d'hypovitaminose B_2. Mais lorsqu'un régime alimentaire est déficient en B_2, il l'est également en d'autres vitamines du groupe B. Ainsi, les symptômes observés ne sont-ils pas spécifiquement attribuables à un déficit de B_2.

Le besoin en vitamine B_2 est de 2 à 4 milligrammes par jour. Il est accru dans la grossesse, pendant la lactation, lors de maladies chroniques. Il augmente avec le nombre de calories consommées, par l'exposition à une forte lumière, au froid, lors d'un travail épuisant. Le sérum en contient de 2,6 à 3,7 gammas, les globules rouges de 18 à 26 gammas, le foie de 2 500 à 4 000 gammas par 100 grammes.

La riboflavine est synthétisée par les bactéries, les champignons, les végétaux supérieurs. Les levures en sont spécialement riches. Le lait, le foie, les rognons, le cœur, le blanc d'œuf, les céréales complètes, les légumes verts sont de bonnes sources de vitamine B_2.

3. *La vitamine B_6 ou Pyridoxine*

Elle catalyse le métabolisme des acides aminés et nucléaires.

La vitamine B_6 existe dans la nature sous trois formes interconvertibles : la pyridoxine, forme végétale ; le pyridoxal et la pyridoxamine, respectivement formes animale et microbienne.

Tout comme la vitamine B_1, la vitamine B_6, pour être active, doit se lier d'abord à l'acide phosphorique, puis à diverses protéines. Ainsi se forment une quarantaine de ferments, qui occupent des positions clés dans le métabolisme des acides aminés et qui peuvent, selon les besoins du moment, les former ou les détruire.

La vitamine B_6 intervient dans la régénération des substances nucléaires, acide desoxyribonucléique (ADN, voir page 154) et ribonucléique messager ainsi que dans la structuration des membranes et des cellules nerveuses. Elle joue un rôle dans le métabolisme des acides gras insaturés dans la synthèse des hèmes (protoporphyrines) et celle de l'adrénaline.

On estime que l'homme a besoin de 2 à 4 milligrammes de pyridoxine par jour. Ce besoin est fonction de la consommation de protéines et augmente avec elle. Il est accru dans la grossesse et la lactation, abaissé par un apport de choline, d'acides gras essentiels, de biotine, d'acide pantothénique. Le sérum sanguin en contient de 3 à 8 gammas par 100 millilitres sous forme de phosphate, l'ensemble de l'organisme de 40 à 150 milligrammes.

La carence en vitamine B_6 perturbe la synthèse et la dégradation des protéines. Les symptômes qui en résultent sont très divers. En effet, à mesure que s'installe l'hypovitaminose B_6, les nombreux systèmes enzymatiques dans lesquels elle intervient ne se bloquent pas tous en même temps, ni dans les mêmes proportions.

Chez l'animal, un manque de vitamine B_6 entraîne un arrêt du développement et l'apparition de troubles nerveux (ataxie, paralysies, convulsions). Ces derniers cessent en quelques minutes par l'injection de pyridoxine. En cas de carence, les chiens et les singes présentent de l'artériosclérose, notamment des coronaires et des artères rénales, le rat souffre de lésions cutanées, d'un trouble de l'irrigation des extrémités (pattes, museau, narines, oreilles), d'une diminution de la résorption de la vitamine B_{12}. Des symptômes analogues apparaissent quand il y a déficit d'acides gras essentiels.

L'homme en hypovitaminose B_6 est apathique, dépressif. Il peut présenter des signes de confusion mentale, de la polynévrite, de l'anémie, de la séborrhée, des fissures aux coins des lèvres, une inflammation de la muqueuse buccale, de la conjonctivite.

Des nourrissons nourris exclusivement au lait (aliment pauvre en vitamine B_6) peuvent, comme les animaux, être atteints de convulsions par déficit de pyridoxine.

La carence en vitamine B_6 accélère le vieillissement : la régénération des protéines, en particulier dans le foie, se ralentit ; il y a anémie et diminution de la synthèse des anticorps, donc baisse de la résistance aux infections.

Certains cas de surdité de l'oreille interne répondent à l'administration pharmaceutique de vitamine B_6 (50 à 100 milligrammes par jour), de même que certains vertiges (type Ménière) et le mal de mer.

La pyridoxine augmente la tolérance aux rayons X.

L'isoniazide, médicament antituberculeux majeur, est un antagoniste de la vitamine B_6 ; lors de longs traitements antituberculeux, un complément de B_6 (40 à 100 milligrammes par jour) est nécessaire pour éviter l'apparition de symptômes de carence.

Les symptômes neurologiques de la pellagre et du béribéri cèdent à la pyridoxine. Il existe donc des possibilités de suppléance entre les vitamines B_6, B_1 et la nicotinamide.

Une hypervitaminose B_6 n'a pas pu être observée, ni chez l'homme, ni chez l'animal. Chez ce dernier, un apport abondant de B_6 peut accroître certaines activités enzymatiques jusqu'à 300 %.

La vitamine B_6 se trouve dans toutes les cellules vivantes. Les plantes en contiennent de grandes quantités, surtout les tissus verts. On en trouve dans la levure de bière, le jaune d'œuf, le foie, les rognons, les céréales complètes, la mélasse (mais pas dans le sucre raffiné).

Voici la teneur en vitamine B_6 de quelques aliments exprimée en milligrammes par 100 grammes :

levure de bière (sèche)	4-10
germes de froment	1,7
céréales complètes	0,3-0,6
soja	0,8-9,5
jaune d'œuf (un jaune d'œuf moyen pèse 17 grammes)	18,7
morue séchée et fraîche, respectivement	6,6 et 3,5
foie	1,7-2,5
viande (muscles)	0,4-0,8
lait	0,1-0,3
légumes verts, épinards	0,08-0,13

L'égermage et le blutage des céréales enlèvent de 80 à 90 % de cette précieuse vitamine : les deux tiers se trouvent dans le germe.

La vitamine B_6 est stable à la chaleur et aux acides, mais son action diminue sous l'influence des rayons ultraviolets, donc par exposition solaire. Les microbes intestinaux la synthétisent et les selles en éliminent de 0,7 à 0,9 milligramme par jour.

4. *La vitamine PP ou Nicotinamide ou Amide nicotinique.*

Elle catalyse la respiration cellulaire. Avitaminose PP = Pellagre.

Substance très répandue dans les règnes animal et végétal, la nicotinamide, ainsi appelée parce qu'on l'a obtenue la première fois à partir de la nicotine, se trouve dans tous les tissus. Le foie, les reins, le cœur en sont particulièrement riches, de même que les levures, les champignons, les arachides et les légumineuses.

Dans l'organisme, la nicotinamide est incorporée à de nombreux systèmes fermentaires comprenant de l'acide phosphorique, du ribose et des nucléotides (adénine). Ces enzymes sont des accepteurs et des donneurs d'hydrogène (autrement dit, ils interviennent dans les processus fondamentaux de la respiration cellulaire) et agissent de concert avec les ferments jaunes, contenant la vitamine B_2. Ils font donc partie des mêmes chaînes de transformation. Ces enzymes interviennent dans le métabolisme des hydrates de carbone, des lipides et des protides, mais aussi dans celui des hormones masculines et féminines, de la vitamine A, etc.

Un acide aminé essentiel, le tryptophane, peut être considéré comme une provitamine de la nicotinamide. Les vertébrés, les champignons, quelques bactéries peuvent transformer cet acide en vitamine PP en présence de vitamine B_1, B_2, B_6 et de biotine, avec un rendement de 1 milligramme pour 60 milligrammes d'acide aminé.

L'avitaminose PP, ou pellagre, fréquente parmi les populations dont le maïs, céréale pauvre en tryptophane, constitue l'essentiel de l'alimentation (par exemple dans les États du Sud des U.S.A.) survient surtout chez les travailleurs de force. Elle rend la peau intolérante à l'irradiation solaire : dans les régions exposées, celle-ci se tuméfie, devient rouge, sèche et rugueuse, très brune, puis s'atrophie. L'appareil digestif s'altère à son tour : la muqueuse de la bouche et du pharynx s'enflamme, des vomissements et de la diarrhée apparaissent. Enfin, le système nerveux est touché : dans les cas légers, le malade se plaint d'un manque de mémoire, de nervosité, de fatigabilité, d'angoisses. Les formes graves s'accompagnent de démence.

Chez le chien atteint de pellagre, la langue devient noire.

L'ablation de segments importants du tube digestif, l'usage de médicaments à formule chimique analogue à celle de la vitamine PP et qui se substituent à elle, peuvent en perturber l'utilisation ou la résorption et causer l'apparition de symptômes pellagroïdes. L'alcoolisme chronique, la cirrhose du foie, le diabète, certaines tumeurs (carcinoïdes) peuvent s'accompagner de pellagre.

Le sang complet contient de 0,4 à 1 milligramme pour 100 millilitres d'amide nicotinique, dont la plus grande partie se trouve dans les globules rouges. Le taux dans le sérum n'est que de 0,0016 à 0,005 milligramme pour 100 millilitres.

Le minimum de vitamine PP nécessaire pour prévenir la pellagre est de 4,4 milligrammes pour 1 000 calories ingérées, soit 10 à 20 milligrammes par jour chez l'adulte. Ce besoin est fortement accru pendant la croissance, la grossesse, la lactation par le surmenage physique et par une alimentation très riche en protéines. Le diabétique peut en avoir besoin de 400 à 500 milligrammes par jour.

Aux U.S.A., la ration alimentaire moyenne ne fournit que 0,5 à 1 gramme de tryptophane et 8 à 18 milligrammes d'amide nicotinique par jour.

5. *L'acide pantothénique. Effets de carence : hypotension, mauvaise résistance aux infections.*

Il fait partie du coenzyme A, nécessaire à de nombreuses synthèses.

L'acide pantothénique est un liquide jaune, visqueux, stable au contact de l'oxygène de l'air et de la lumière, mais altéré par la chaleur.

Il fait partie de l'un des catalyseurs les plus importants du métabolisme intermédiaire, le coenzyme A (dans lequel il est lié à de l'acide phosphorique, de l'adénine, du ribose et de la cystéine).

On appelle cycle de l'acide citrique de Krebs une série de transformations qui dégradent par étapes successives tous les nutriments en gaz carbonique et eau, pour en libérer l'énergie. L'intervention du coenzyme A est indispensable à l'accomplissement de ce cycle fondamental.

Le coenzyme A est également nécessaire à la synthèse du cholestérol et des hormones surrénaliennes, à celle des hèmes (voir p. 133), des acides biliaires, des phospholipides. Ce catalyseur participe à la transformation des hydrates de carbone en graisses, à la synthèse de l'acétylcholine, substance apparaissant à l'extrémité de la fibre nerveuse lorsque le nerf est excité et permettant la transmission de la commande nerveuse parasympathique. L'organe le plus riche en coenzyme A, donc également en acide pantothénique, est le foie.

L'adulte a besoin de 6 à 10 milligrammes d'acide pantothénique par jour, besoin qui croît pendant la grossesse, la lactation, la croissance, les stress (infections, traumatismes), ainsi qu'avec la quantité d'aliments ingérés. L'acide pantothénique n'agit qu'en présence de biotine et d'acide folique.

Le sang complet contient de 0,2 à 2 milligrammes d'acide pantothénique par 100 ml. L'élimination urinaire est de 1,5 à 6,5 milligrammes par jour.

L'acide pantothénique se trouve dans la levure (18 à 35 milligrammes par 100 grammes), les cacahuètes, le lait, les champignons, les fruits et légumes (0,2 à 0,8 milligramme par 100 grammes), la viande (1,6 à 7,5 milligrammes par 100 grammes), les poissons (0,1 à 0,5 milligramme par 100 grammes), le jaune d'œuf (7 à 9,9 milligrammes par 100 grammes), dans les déchets provenant du polissage du riz (8 milligrammes par 100 grammes). La gelée royale, et plus encore les ovaires des poissons, en sont extrêmement riches.

Cette vitamine est formée par les bactéries intestinales, en particulier par le colibacille.

Étant donné le grand nombre de réactions dans lesquelles interviennent l'acide pantothénique et le coenzyme A dont il fait partie, les symptômes de carences sont très divers. Chez le rat, on note un retard de croissance, une atrophie et une inflammation de la peau, une dépigmentation des poils, une atteinte du système nerveux et une dégénérescence graisseuse du foie, des troubles digestifs, une atrophie muqueuse avec apparition d'ulcères duodénaux.

Chez l'homme carencé, il y a fatigabilité accrue, hypofonctionnement des surrénales avec hypotension, chute du taux de cholestérol et des anticorps sanguins, faiblesse et mauvaise résistance aux infections, fourmillements aux extrémités, pieds brûlants, perturbation du caractère.

Il est possible de synthétiser des antagonistes de l'acide pantothénique. L'un d'eux (la mercaptopurine) est employé dans le traitement de la leucémie, pour ralentir la prolifération des cellules malignes.

6. *Les vitamines B_{12} ou Cobalamines. Effet de carence : anémie pernicieuse.*

Elles sont nécessaires à la multiplication cellulaire.

La vitamine B_{12} est de découverte relativement récente. Il s'agit d'une substance, dont la structure est analogue à celle du pigment rouge du sang, l'hémoglobine (voir p. 133) et du pigment vert des plantes, la chlorophylle. Alors que le noyau porphyrique de l'hémoglobine contient un atome de fer, celui de la chlorophylle un atome de magnésium, celui de la vitamine B_{12} est centré par un atome de cobalt. Il en résulte un pigment rouge griotte, instable à la lumière (voir annexe II, p. 326).

On connaît plusieurs formes de vitamines B_{12}, dont l'aquocobalamine, très active, est la forme de réserve dans le foie humain.

Tout comme d'autres vitamines, les cobalamines existent à l'état libre ou incorporées à divers ferments.

La vitamine B_{12} est un facteur de croissance pour beaucoup d'organismes inférieurs. Elle est synthétisée en présence de cobalt par les microorganismes du terreau, qui en est très riche (170 gammas pour 100 grammes). On en trouve également dans les algues. Elle manque par contre totalement dans les végétaux supérieurs et la levure. Elle est indispensable aux animaux supérieurs, dont elle stimule la croissance. Produite en abondance par la flore digestive, elle ne peut cependant être absorbée, à partir de cette source, que par les ruminants et les coprophages. On en trouve de grandes quantités dans les matières fécales (10 à 15 gammas par jour).

Le besoin journalier n'en est que de 3 gammas. La ration alimentaire quotidienne moyenne aux U.S.A. en fournit de 15 à 30 gammas, dont seulement 2 à 5 sont résorbés.

La vitamine B_{12} est stockée dans le foie. La réserve totale de l'organisme est de 2 000 à 5 000 gammas, qui devraient empêcher l'apparition de symptômes de carence pendant trois à huit ans, en l'absence de tout apport.

Sont riches en vitamine B_{12} le thymus, la rate (25 gammas pour 100 grammes) et surtout le foie qui en contient dans 100 grammes de 50 à 70 gammas, soit environ vingt fois le besoin quotidien.

La vitamine B_{12} joue un rôle important dans la synthèse des acides aminés, le métabolisme des protéines, des graisses et des hydrocarbones. Elle est surtout, avec l'acide folique, indispensable à l'élaboration des acides désoxyribonucléiques (ADN), des noyaux cellulaires. C'est la raison pour laquelle la carence en B_{12} se fait sentir en premier lieu dans les tissus à croissance rapide (organes hématopoïétiques) ou dans ceux où les échanges protéiques sont intenses (système nerveux).

L'alimentation mixte apporte suffisamment de cobalamine. Il existe cependant chez l'homme une maladie par avitaminose B_{12}, mais elle n'est pas due à un déficit d'apport. Pour pouvoir être résorbée dans la première partie de l'intestin, il est indispensable que cette vitamine se lie à un facteur (appelé « intrinsèque ») sécrété par les glandes muqueuses de l'estomac. En l'absence de cette substance, jusqu'à 99 % de la vitamine B_{12} ingérée sont évacués par les selles. Une anémie progressive s'installe par déficit de formation des globules rouges dans la moelle osseuse, devenue incapable d'en produire en quantité suffisante et d'en terminer la maturation. Les érythrocytes déversés dans le sang sont chargés d'une quantité excessive d'hémoglobine, fixant et transportant un maximum d'oxygène, mais leur nombre est insuffisant et leur vie anormalement courte. La quantité des globules blancs et des plaquettes sanguines diminue également. Des lésions de la muqueuse buccale et du système nerveux apparaissent. Avant la découverte de la cobalamine, cette anémie était appelée pernicieuse, parce que régulièrement mortelle. Elle fut d'abord traitée avec succès par des injections d'extraits hépatiques, dont fut isolé le principe actif, soit la vitamine B_{12}. Le besoin journalier de cette vitamine est de 3 gammas, mais un gamma par vingt-quatre heures suffit déjà pour protéger de l'anémie pernicieuse. Le sérum normal en contient de 10 à 90 nanogrammes (= $1/10^9$ gramme) pour 100 millilitres.

Un régime végétarien strict, une sous-alimentation, le chauffage prolongé des aliments, des parasites intestinaux (ténia) peuvent engendrer une carence en B_{12}. La cuisson en détruit environ un tiers. Chez les personnes âgées et pendant la grossesse, la vitaminémie B_{12} peut devenir anormalement basse.

A doses pharmaceutiques très élevées (qui correspondraient chez l'homme à 1 000 gammas par jour et plus), la vitamine B_{12} accélère la prolifération des cellules cancéreuses chez la souris et probablement aussi chez l'être humain.

7. *Les acides folique et folinique. Effet de carence : anémie.*

Ils sont indispensables à la multiplication cellulaire.

L'acide folique est une provitamine très répandue dans le règne animal et végétal. Les bactéries, les levures et autres champignons en sont riches. En présence de vitamine C et de vitamine B_{12}, l'acide folique est transformé dans le foie de l'homme en sa forme active, l'acide folinique ou facteur citrovorum, qui peut être mise en réserve dans cet organe.

Tout comme la vitamine B_{12}, l'acide folinique est un facteur important de la croissance et de la reproduction cellulaires. Ces deux substances interviennent dans la synthèse des acides nucléiques, mais à des stades différents. L'acide folinique est indispensable à la formation des purines et des pyrimidines, que la cobalamine fixe ensuite au ribose. Ces deux corps ne sont donc pas interchangeables. Tous deux sont présents dans les chromosomes.

L'acide folinique est en outre nécessaire à la formation de l'hémoglobine et intervient dans la synthèse d'acides aminés, tels que la méthionine et l'acide glutamique.

Le besoin journalier de l'adulte en acide folique est estimé à 0,05-0,4 milligramme. Cent millilitres de sérum sanguin en contiennent de 0,35 à 2,38 gammas. La teneur globale du corps humain est de 12 à 15 milligrammes dont 7 sont renfermés dans le foie.

L'acide folique est instable et se décompose sous l'action du soleil et des rayons ultraviolets ; la cuisson en détruit 50 à 95 %. Voici la teneur en acide folique de quelques aliments (crus) exprimée en milligrammes par 100 grammes : levures 2-80 ; épinards 0,4-1,1 ; farine de soja 0,3-0,7 ; foie 25.

La ration alimentaire moyenne en contient seulement de 0,1 à 0,2 milligramme. Le reste est synthétisé par les bactéries du tube digestif. Aussi est-il possible de provoquer un état de carence en perturbant la flore intestinale par l'administration prolongée de sulfamidés ou d'antibiotiques. La grossesse, la lactation augmentent le besoin en acide folique et une carence en cette vitamine est souvent en cause dans l'anémie de la femme enceinte.

La vitamine C et la vitamine B_{12} intervenant dans la genèse de la forme active de l'acide folique, un déficit de l'une ou de l'autre de ces vitamines peut entraîner une insuffisance en acide folinique. Celle-ci est souvent réalisée chez les enfants des zones tropicales. Elles se traduit par une baisse de l'appétit, de l'anémie, une atrophie des organes lymphatiques, une diminution du nombre des globules blancs et des thrombocytes dans le sang, un trouble de la croissance et de l'ossification, des désordres digestifs, un manque d'anticorps, des lésions de la peau et des muqueuses.

Des substances chimiquement proches peuvent se substituer à l'acide folique et en bloquer l'activité (barbituriques et hydantoïne, employés chez les épileptiques). Des antagonistes de cette vitamine, telle l'aminoptérine, sont employés dans le traitement des leucémies pour arrêter la prolifération des cellules malignes.

8. *La vitamine H ou Biotine*

Effet de carence : Erythrodermie desquamative du nourrisson.

La biotine est une vitamine soufrée, peu soluble. Elle catalyse le transport du groupe CO_2 d'une molécule à l'autre (carboxylation) et intervient dans le métabolisme des purines, dans celui des acides gras, des protéines et des hydrocarbones (cercle citrique de Krebs), dans la synthèse de l'urée.

Le besoin journalier de l'homme est de 0,1 à 0,3 milligramme, quantité fournie normalement par les bactéries intestinales. Les matières fécales en renferment de deux à cinq fois plus que les aliments. Le foie en contient très peu (0,2 milligramme par 100 grammes d'organe environ).

On pense que la biotine se trouve dans toutes les cellules vivantes, souvent en concentration très faible. Elle est synthétisée par les végétaux, en particulier lors de la germination des graines.

De relativement bonnes sources de biotine sont le foie, les rognons, le lait, le jaune d'œuf (0,05 milligramme par 100 grammes), les levures, les noix (0,037 milligramme par 100 grammes), les arachides, le chocolat, les fruits, les légumes, les céréales, le soja (0,07 milligramme par 100 grammes), les champignons, la partie du riz éliminée lors du polissage.

Le blanc d'œuf cru fixe et bloque la biotine et a été employé chez l'animal pour provoquer des symptômes de carence. Celle-ci se manifeste par une dégénérescence de la peau, du pelage, des plumes, de la musculature. Le chien privé de biotine présente de l'anémie et une paralysie spastique. La résistance aux infections diminue. On a pu de même observer chez l'homme, après l'ingestion de grandes quantités de blanc d'œuf cru pendant 4 à 7 semaines, de l'inappétence, des myalgies, de la fatigue, une dermite desquamative séborrhéique, une irritabilité nerveuse, des paresthésies et des anomalies dans le tracé de l'électrocardiogramme. Des symptômes de carence en biotine peuvent accompagner la cirrhose du foie.

L'érythrodermie desquamative séborrhéique du nourrisson (maladie de Leiner-Moussous), dans laquelle toute la peau du bébé devient rouge vif et desquame en lambeaux, guérit par un apport de biotine. Elle peut être due à un manque de celle-ci dans le lait maternel ou à une perte exagérée provoquée par de la diarrhée.

Les antibiotiques, en tuant les bactéries productrices de biotine, peuvent entraîner des symptômes de carence. Les sulfamidés peuvent agir comme antivitamines, en se substituant à la biotine, lors de la formation de ferments.

Deux substances hydrosolubles sont considérées comme faisant partie, tantôt du groupe des vitamines B, tantôt de celui des hormones cellulaires. Elles peuvent en effet être synthétisées par l'organisme, mais seulement en faibles quantités. Leur apport alimentaire semble de ce fait indispensable. Ce sont la choline et l'inositol.

La Choline. Effet de carence : myasthenie (?)

C'est une base très répandue chez les plantes et les animaux. Elle est présente dans la bile. Le sang en contient 0,3 milligramme pour 100 millilitres, la paroi de l'intestin grêle de 1,6 à 4,3 milligrammes par 100 grammes (voir sa formule chimique en annexe II, p. 322).

La choline est nécessaire à l'élaboration des acides nucléiques (ADN et ARN). Elle augmente le péristaltisme intestinal et diminue la tension artérielle par dilatation des vaisseaux sanguins périphériques. La carence en cette vitamine provoque chez les animaux la formation d'ulcères gastriques, l'apparition d'hémorragies dans le myocarde et les surrénales, une dégénérescence graisseuse du foie, qui peut être améliorée par un apport abondant de protéines, de choline, d'inositol et de lécithine.

Les jeunes animaux privés de choline présentent des lésions rénales avec hypertension. Le taux de cholestérol sanguin s'élève.

La choline n'a aucune toxicité. Le besoin quotidien a été estimé à 1 gramme (Schweigart). Un supplément de 1 gramme est indiqué en cas de néphrite et d'hypertension et peut faire disparaître les maux de tête, les étourdissements, les bourdonnements d'oreilles, les palpitations, la rétention d'eau.

L'acétylcholine, résultant de la combinaison de l'acide acétique (CH_3COOH) et de la choline, est une substance d'importance vitale et extrêmement active même à doses minimes. (Son action est encore décelable à la concentration de 1 cent millionnième de milligramme par litre.) Elle est indispensable à la transmission des messages nerveux aux muscles. La vitamine B_1 et l'acide pantothénique sont nécessaires à sa synthèse. Elle est antagoniste de l'adrénaline dans son action sur la pression sanguine, qu'elle abaisse et sur le rythme cardiaque, qu'elle ralentit.

L'Inositol. Effet de carence : calvities masculines (?)

L'inositol dont la formule chimique brute ($C_6H_{12}O_6$) est identique à celle des sucres simples, mais dont les atomes sont disposés différemment (voir annexe II, p. 322), est un constituant de toutes les cellules dans les deux règnes. C'est une vitamine de croissance pour les végétaux inférieurs tels que les levures. Par 100 grammes, le foie, la cervelle en contiennent

110 à 180 milligrammes ; les muscles 10 milligrammes, le myocarde 100 milligrammes chez le bœuf, et 37 milligrammes chez le porc. Le thé, les haricots verts, la politure du riz en renferment de 1 à 4 milligrammes par kilo.

L'inositol peut être synthétisé par l'organisme animal, probablement à partir du glucose, mais en l'absence d'apport alimentaire, les souris perdent leurs poils (les mâles plus vite que les femelles), les souriceaux cessent de croître. Un apport d'inositol (une cuillère à café par jour) peut faire disparaître certaines calvities masculines. Une carence en inositol provoque de la constipation, de l'eczéma, des lésions oculaires (cette substance est spécialement concentrée dans le cristallin). L'inositol augmente les contractions du gros intestin, améliore les fonctions digestives et fait disparaître la constipation. Il abaisse le taux du cholestérol sanguin.

Il existe une substance analogue à la lécithine dans laquelle la choline est remplacée par l'inositol. On la trouve dans le foie, le cœur, le germe de blé, les graines de soja. Elle est indispensable au métabolisme des gaines nerveuses myéliniques.

Le besoin quotidien en inositol est estimé à un gramme (Schweigart).

9. *La vitamine C ou Acide ascorbique. Avitaminose C = scorbut.*

Elle est un catalyseur ubiquitaire.

Le scorbut, maladie due à la carence en vitamine C (ascorbique signifie : qui s'oppose au scorbut) est connu depuis l'Antiquité. Il survient lorsque les fruits et les légumes crus font défaut dans la nourriture pendant un temps prolongé (de 90 à 180 jours). Décrit déjà par les Romains, il le fut plus tard sous le nom de « peste », lors de la septième croisade (1248-1254), car il apparaissait de façon épidémique dans des places fortes assiégées ou chez les équipages de navires lors de voyages prolongés, l'épuisement des réserves physiologiques survenant sensiblement dans le même délai chez la plupart des individus soumis au même régime carencé. Dans le passé, le scorbut frappait avec prédilection des soldats, des marins, c'est-à-dire des individus de sexe masculin soumis, lors de longues campagnes, à toutes sortes d'efforts physiques et psychiques au cours desquels le besoin en vitamine C s'accroît. En l'absence ou l'insuffisance de son apport alimentaire, ces hommes atteignaient, spécialement à la suite de blessures et d'infections bactériennes, les limites de leur tolérance métabolique (Scrimschaw) et tombaient les uns après les autres, victimes du scorbut.

Jadis, cette maladie était fréquente en raison de la difficulté de conserver et de transporter des aliments contenant la vitamine C. L'action salutaire des végétaux et en particulier du jus de cynorrhodon, des racines de raifort, du persil, des baies sauvages, du citron, etc., a été reconnue dès le Moyen Age ainsi que celle de l'infusion de jeunes pousses de conifères, en 1534 au Canada.

D'après les descriptions anciennes, le scorbut se manifestait au cours du quatrième mois de haute mer : gencives gonflées et saignantes, déchaussement, puis chute des dents, hématomes sous-périostés, musculaires et sous-cutanés, jambes enflées et ulcérées, léthargie insurmontable se terminant par la mort.

Ce fut le mérite et la performance du célèbre navigateur James Cook, dans la deuxième moitié du XVIIIe siècle, d'avoir su protéger du scorbut la majeure partie de son équipage au cours d'un voyage de trois ans, pendant lesquels cinq hommes seulement en furent atteints. Cela fut réalisé, non seulement par l'administration régulière de choucroute crue ou de sirop à base de citrons et d'oranges, mais encore grâce à une hygiène permettant d'éviter les infections et, par là, de diminuer les dépenses en vitamine C.

Mais si la connaissance de l'avitaminose C est ancienne, la découverte de la substance active et sa synthèse sont récentes. Celle-ci fut d'abord isolée à partir des surrénales, puis du paprika vert. Nous savons aujourd'hui que la vitamine C est un acide, dont la structure rappelle celle d'un sucre simple tel le glucose, formé comme ce dernier de six atomes de carbone et d'oxygène, mais seulement de six ou huit atomes d'hydrogène (au lieu des douze du sucre), dont deux peuvent être cédés ou pris à d'autres corps. Il sert donc, comme un grand nombre d'autres catalyseurs biologiques, de transporteur d'hydrogène et participe par là aux phénomènes de respiration cellulaire (voir formule chimique en annexe II, p. 323).

L'acide ascorbique n'est pas une vitamine pour tous les animaux. En effet, la quasi totalité des espèces animales peut en réaliser la synthèse dans le foie, à partir du glucose. D'après nos connaissances actuelles, seuls l'homme, les autres primates et le cobaye en sont incapables et de ce fait sujets au scorbut.

Les mitochondries et les microsomes, extraits du foie de rat, transforment in vitro le glucose en acide ascorbique, grâce à l'action successive de deux ferments, dont l'un est absent chez les animaux incapables d'opérer cette synthèse. Des chercheurs ont été amenés à penser que, chez ces espèces, il s'agit d'une erreur génétique congénitale acquise, qui les a rendues dépendantes d'un apport extérieur de cette substance vitale.

Les observations suivantes, pleines d'enseignement, ont été faites chez des cobayes. Le besoin en vitamine C varie énormément d'un individu à l'autre chez ces animaux (dans le rapport de un à vingt !) ce qui laisse supposer que certains d'entre eux sont capables de former cette substance, mais en général en quantité insuffisante. Leur comportement fut d'autre part très différent selon leur sexe : alors qu'aucun mâle ne résista plus de vingt-huit jours à l'absence totale de vitamine C alimentaire, sur cinquante femelles, dix seulement (soit 20 %) périrent avant le trente-sixième jour ; trois femelles, ayant survécu quatre-vingt-dix-huit jours, furent sacrifiées et l'on trouva dans leurs foies un taux d'acide ascorbique plus élevé, qu'il ne l'avait été chez aucun des animaux morts après un temps de carence beaucoup plus court. Une femelle continua à vivre sans aucun apport de vitamine C. Soumises à un déficit normalement mortel, certaines femelles peuvent donc produire de l'acide ascorbique en quantité suffisante pour survivre. Un régime, riche en protéines, active ce processus métabolique, les arachides mieux que la caséine du lait.

Dans le genre humain, on constata également, déjà dans le passé, que les femmes étaient moins sujettes aux scorbut que les hommes. Dans un groupe de volontaires soumis à un régime carencé en vitamine C, l'unique femme présenta un scorbut manifestement moins grave que celui des hommes (Bartley).

Certaines études (Wilson et Nolan) ont montré que 36 % des femmes âgées ont une alimentation trop pauvre en vitamine C, sans pour autant présenter de manifestations scorbutiques évidentes, contrairement à ce qui s'observe chez les hommes dans les mêmes conditions. Les femmes peuvent donc apparemment, grâce à leur métabolisme particulier, compenser partiellement le défaut génétique responsable de l'hyposcorbinémie (Stone). Cette possibilité d'adaptation explique la différence des besoins en acide ascorbique existant d'un individu à l'autre.

La vitamine C se retrouve dans tous les organes, mais en concentrations différentes. En sont spécialement riches certaines glandes à sécrétion interne (hypophyse, surrénales, corps jaune de l'ovaire), mais également le foie, le cristallin, les globules blancs du sang ; ces derniers sont porteurs d'une réserve mobilisable qui tombe à zéro lorsque la nourriture n'en contient pas. Chez le cobaye, l'acide ascorbique ingéré se concentre dans la muqueuse intestinale, tissu dont le renouvellement est particulièrement rapide.

Le plasma sanguin à jeun renferme 1 milligramme de vitamine C pour 100 millilitres. Après quarante jours de privation de cette vitamine, le taux tombe à 0,1 milligramme et s'élève à 1,5 milligramme pour 100 millilitres par saturation. Le corps humain contiendrait en tout 1,5 gramme de vitamine C. Le besoin quotidien minimum serait de 6,5 milligrammes, l'apport recommandé par l'Organisation mondiale de la santé, de 30 milligrammes, quantité très forte par rapport à celle de la plupart des autres vitamines. L'estimation de ce besoin varie cependant, selon les auteurs, de 15 à 100 milligrammes par jour. 65 % de l'acide ascorbique sont excrétés par les reins, sous différentes formes, en particulier sous la forme d'oxalates, dont il serait la principale source.

La vitamine C est un régulateur métabolique de premier ordre. Elle active de nombreuses enzymes et exerce un effet protecteur contre les carences en autres vitamines (A, B_1, B_2, D, E, K, acide pantothénique, biotine, acide folique). Selon une image de Höjer, c'est un « carburant » du métabolisme cellulaire. Si les cellules en disposent en suffisance, leur fonctionnement est normal. S'il y a hypovitaminose C, leur travail se ralentit ; elles mettent en circulation des produits insuffisamment dégradés, ce qui est nocif à l'organisme. La suppression de l'hypovitaminose C ramène le métabolisme cellulaire à son niveau physiologique, ce qui est perçu par l'individu sous forme de bien-être. Cette substance est nécessaire à la transformation du cholestérol en hormones surrénales (cortisone, désoxycorticostérone, etc.). Elle intervient dans cette glande, dans la synthèse de la noradrénaline (hormone ergotrope et sympathicotonique, c'est-à-dire facilitant le travail) dont elle ralentit ensuite la destruction. Son importance est primordiale dans tous les états de stress – blessures, brûlures, hémorragies, opérations chirurgicales, surmenage, infections – qui en augmentent la consommation. Elle accroît la tolérance à la chaleur.

Les animaux scorbutiques montrent une hyperglycémie avec baisse de la tolérance hydrocarbonée, faible teneur en glycogène hépatique et résistance à l'insuline. La vitamine C intervient dans la formation des mucopolysaccharides, substances présentes dans les membranes cellulaires et assurant leur étanchéité normale. Elle joue un rôle dans la formation des anticorps et favorise l'action de la catalase, ferment indispensable à la défense anti-infectieuse (ainsi, la gingivite scorbutique résulte d'un affaiblissement de la résistance des gencives aux toxines et bactéries, normalement présentes dans la bouche). Elle abrège la durée des maladies banales (grippes, angines) et en évite les complications (pneumonie, rhumatisme aigu). Un gramme de vitamine C par jour réduit la durée de la grippe de 30 % (Professeur Andersen, *Med. Tri.*, 1974, n° 45). Prise préventivement, elle en diminue la fréquence.

La vitamine C tue le bacille de Koch *in vitro*. Elle atténue l'action nocive du virus de l'herpès chez le lapin. Chez le cobaye, une infection avec du streptocoque hémolytique ne produit des lésions myocardiques que chez des animaux carencés en vitamine C.

L'acide ascorbique augmente la tolérance à certaines substances plus ou moins toxiques, tels les sulfamidés (Jürg Bär). Si l'on en administre à un premier lot de cobayes à des doses juste suffisantes pour empêcher l'apparition du scorbut et à un second lot en quantités beaucoup plus fortes, allant jusqu'à saturation, on constate que les animaux du second lot sont infiniment plus résistants et supportent une quantité de toxines, mortelle pour les cobayes subcarencés. La vitamine C prévient partiellement le choc anaphylactique (allergique) du lapin, accélère la coagulation sanguine, conditionne la résorption du fer alimentaire, en assure l'incorporation dans la ferritine, protéine qui le transporte et favorise ainsi la formation de l'hémoglobine. Le manque de fer d'autre part facilite l'apparition du scorbut.

L'acide ascorbique est en outre indispensable au maintien de la croissance et de la structure normale des os, des cartilages et des dents. Il est nécessaire au renouvellement du tissu conjonctif : en son absence, ce dernier disparaît, la matrice osseuse se résorbe, phénomène que l'on observe par exemple dans l'ostéoporose des vieillards.

Si actuellement le scorbut déclaré est exceptionnel chez l'homme (sauf chez les prisonniers des camps de concentration), les états préscorbutiques sont, par contre, fréquents ; ils se traduisent par une fatigabilité accrue, un manque d'appétit, des hémorragies sous-cutanées et gingivales, un état dépressif survenant surtout au printemps, une résistance diminuée aux infections, des troubles digestifs, du rhumatisme, un déchaussement dentaire, des avortements ou la stérilité.

Le besoin en vitamine C est éminemment variable. Il s'élève dans la grossesse et la sénescence. Il augmente avec le travail physique. Mesuré chez des soldats, il a passé de 18 milligrammes par jour en activité normale à 211 milligrammes lors d'un travail pénible. Étant indispensable à de nombreuses fonctions, ce besoin est fortement accru dans beaucoup de maladies dans lesquelles son apport accélère la convalescence et permet au métabolisme tissulaire de retourner plus rapidement à la normale.

La vitamine C est tout aussi indispensable aux végétaux qu'aux animaux. Elle conditionne et accélère la croissance des plantes et se concentre dans les bourgeons et les feuilles, où elle participe aux phénomènes de la photosynthèse. Elle catalyse la formation des sucres. Les tissus riches en carotène ont également une haute teneur en acide ascorbique.

L'acide ascorbique est particulièrement abondant dans les choux, les épinards, les poivrons, les tomates, les fraises, les groseilles, les agrumes. Le foie en contient 20 milligrammes par 100 grammes, le persil 150 milligrammes, la plupart des fruits et des baies 50 milligrammes, les pommes de terre 30 milligrammes. Le lait de femme est plus riche (44 milligrammes par litre) en vitamine C que le lait de vache, dont un litre n'en contient, cru, que de 5 à 28 milligrammes (Schweigart). Les aliments d'origine animale (viande, lait), la plupart des légumes-racines, les céréales, en sont pauvres. Vitamine du métabolisme intracellulaire, l'acide ascorbique disparaît dans les organismes au repos, telles les semences, et réapparaît en abondance après la germination. C'est ainsi que pour provoquer l'apparition de scorbut chez des cobayes, il suffit de les nourrir exclusivement de céréales.

Comme toute substance vitale très réactive, la vitamine C est un corps instable. En solution aqueuse, au contact de l'air, elle se dégrade rapidement par oxydation. Cete destruction est accélérée par la chaleur.

Elle disparaît plus ou moins totalement du lait par la pasteurisation, de la viande par la conservation, des légumes par la cuisson. Par contre, les pommes de terre cuites « en robe des champs » et protégées ainsi du contact de l'air, gardent leur teneur en acide ascorbique.

L'avantage de la vitamine C naturelle sur l'acide ascorbique synthétique réside dans son association constante avec le principe P, dit de perméabilité (voir p. 126).

La vitamine C est donc un catalyseur ubiquitaire indispensable à la vie et exerçant de multiples fonctions. L'homme a apparemment désappris, du moins partiellement, à la former à partir du glucose, par absence ou faiblesse du gène responsable de la synthèse d'un unique ferment hépatique. C'est un régulateur métabolique hors pair. Les tissus des animaux qui savent la synthétiser sont plus riches en cette vitamine que les nôtres, fait dont on ne saurait conclure que nos besoins soient inférieurs aux leurs. Certains auteurs pensent que ce sont ces taux trouvés chez les animaux capables de synthèse qu'il serait souhaitable de réaliser chez l'homme, afin d'obtenir une efficacité métabolique optimale. Ils estiment que si l'on assurait à la population un apport abondant de vitamine C, il serait possible d'améliorer et la santé publique et le rendement du travail dans une proportion sans commune mesure avec les frais engagés.

L'hypervitaminose C est inconnue. Une saturation tissulaire en vitamine C n'entraîne guère d'effets secondaires indésirables, ni de réactions toxiques (Lowey). Il arrive parfois que de hautes doses produisent des troubles digestifs (diarrhée, nausées), de l'agitation, de l'insomnie, des maux de tête, mais cela est exceptionnel et n'est pas durable, l'excès éventuel d'acide ascorbique étant rapidement excrété par les reins et la sueur. Nous n'avons observé ces phénomènes d'intolérance que tout à fait exceptionnellement, pour autant que la vitamine C soit absorbée le matin, dissoute dans de l'eau sucrée.

Les facultés intellectuelles et corporelles, les performances sportives sont exaltées par l'acide ascorbique, qui diminue les courbatures musculaires consécutives à l'effort physique. Une dose, correspondant à un gramme de vitamine C par jour chez l'homme, donnée à des souris cancéreuses, n'a jamais eu un effet stimulant sur la croissance du cancer. Peut-être celle-ci a-t-elle même été légèrement ralentie.

Les maladies banales, bactériennes ou virales, sont spécialement nuisibles aux grands malades chroniques et peuvent être à l'origine d'une rechute. Comme nous l'avons vu, la vitamine C prémunit contre de telles infections. Tenant compte de ces faits, j'ai protégé ces malades — cancéreux, polyarthritiques, paralysés, etc. — en leur donnant un gramme d'acide ascorbique par jour. Régulièrement, ils viennent me dire, lors des épidémies hivernales de grippe, que bien qu'exposés à la contagion au sein de leur famille, eux les plus faibles, les plus handicapés, ont été épargnés ou légèrement atteints pendant deux ou trois jours, alors que les autres avaient été malades pendant une à trois semaines.

La polémique soulevée autour de cette vitamine au sujet de sa mise en vente libre dans de grands magasins a fait abandonner, à l'une de mes malades âgée et ancienne cancéreuse, sa protection hivernale par consommation journalière d'un gramme de vitamine C. Alors qu'elle avait passé bien des saisons sans participer aux épidémies de grippe, l'abandon de la vitamine C lui en fit contracter une qui dura plusieurs semaines, comme c'est si souvent le cas chez les vieillards. La reprise de la protection par l'acide ascorbique au cours des hivers suivants la mit à nouveau à l'abri des infections grippales. Sa conviction personnelle est faite quant à l'utilité de cette façon de faire.

Ceux qui affirment que l'administration de fortes doses de vitamine C est ridicule parce qu'elles sont rapidement excrétées, ne tiennent pas compte du fait que le transit, même rapide, dans l'organisme d'un catalyseur puissant, peut accélérer et normaliser au passage des réactions métaboliques. Je suis donc pleinement d'accord avec ceux qui affirment que juger du besoin en vitamine C par le taux sanguin et l'excrétion urinaire est arbitraire et insuffisant. Ce ne sont guère ces chiffres qui importent, mais ce qui se passe dans les organes et les tissus (*Médecine et Hygiène*, nº 1067, 30.VII.1973).

10. *Les vitamines P*

Elle contrôle la perméabilité capillaire.

Il existe plusieurs vitamines P de structures analogues : ce sont la citrine du paprika, du cynorrhodon, de l'écorce du citron ; la rutine du citron et de l'eucalyptus ; la cyanidine des cerises, cassis et prunes. Elles agissent sur la paroi des capillaires, en augmentant leur résistance, s'opposent à leur rupture et diminuent leur perméabilité. Elles sont antihémorragiques, anti-inflammatoires et antiallergiques. Elles diminuent la tendance à la formation d'œdèmes, en particulier aux membres inférieurs.

On a appelé ces corps *flavones* à cause de la couleur jaune de certains d'entre eux. Ce sont des transporteurs d'hydrogène. On se demande encore s'il s'agit vraiment de vitamines et on les dénomme souvent « vitaminoïdes ». Dans la nature, les flavones accompagnent la vitamine C. Chez l'animal, c'est le thymus qui en est le plus riche.

Le besoin quotidien en serait d'environ 30 milligrammes.

Un apport abondant de flavones retarde la puberté.

11. *La vitamine H_1 ou Acide para-aminobenzoïque*

Elle fait partie d'un ferment indispensable à la vie et à la croissance de nombreux microbes ennemis de l'homme.

La formule des premiers antibiotiques découverts, les sulfamidés étant analogue à celle de l'acide para-aminobenzoïque (voir annexe II, p. 232), certains microbes se trompent et les insèrent dans leurs structures, ce qui cause leur perte. Introduite dans un milieu de culture, la molécule de sulfamidé vient ainsi occuper au sein de l'organisme microbien la place de l'acide para-aminobenzoïque et, de ce fait, supprime la fonction de l'enzyme, normalement activé par ce dernier. On ne connaît rien de très précis quant à l'action de cet acide chez l'homme, qui semble pouvoir le synthétiser et, de ce fait, tolère les sulfamidés. Ces derniers, en inhibant certains ferments, peuvent néanmoins causer de la faiblesse, de l'anémie, de l'eczéma.

Le blanchissement des cheveux, le vitiligo (voir p. 190) peuvent être influencés favorablement par un apport de cette vitamine (200 milligrammes trois à cinq fois par jour, d'après B. Sieve). Son emploi a été également préconisé dans le traitement du rhumatisme, dans lequel elle semble agir en synergie avec la cortisone et permet d'en diminuer les doses.

La procaïne est un dérivé de l'acide para-aminobenzoïque et son effet « antivieillissant » est probablement dû à la libération de ce dernier, à partir de la procaïne injectée.

La levure de bière est particulièrement riche en acide para-aminobenzoïque et en contient 0,5 milligramme par 100 grammes. Le foie, les champignons, les germes de blé, les épinards, le gruau d'avoine, le lait en renferment de petites quantités.

12

De quelques oligo-éléments

La diététique et la médecine protectrice ne progresseront que quand on se rappellera que le sol fait l'aliment de l'homme.

André Voisin

Généralités

Tous les corps chimiques naturels existant sur notre planète sont omniprésents, tant dans le sol et l'eau que dans les micro-organismes, les végétaux, les animaux et l'être humain. Seule leur concentration varie (Schweigart).

Le rôle de tous ces éléments dans les phénomènes vitaux ne nous est pas connu. Nous savons seulement que la présence à l'état de traces de quelques-uns d'entre eux, est indispensable au fonctionnement normal des chaînes fermentaires. Ceux-là sont dits essentiels. La présence d'autres oligo-éléments est favorable, mais paraît être facultative ou fortuite. Il y a peu de temps encore, on considérait tous les oligo-éléments comme étant des « impuretés »! Il est probable que les années à venir nous apprendront le rôle indispensable, voire vital, de quantités minimes d'autres substances encore.

Les oligo-éléments sont des catalyseurs et des régulateurs de processus vitaux. Tout comme les vitamines, ils peuvent être soit des catalyseurs directs de ferments, soit des catalyseurs de catalyseurs. Leur action favorable sur les phénomènes vitaux ne s'exerce qu'à des concentrations définies. Trop peut être aussi nuisible que trop peu. La concentration tissulaire de la plupart d'entre eux est de l'ordre de 10^{-6} (1 milligramme par kilogramme), à 10^{-14} (1 cent millionnième de milligramme par kilogramme). Aucune vie ne peut exister sans eux. L'absence d'un seul élément essentiel conduit à la mort.

A une enzyme donnée correspond un oligo-élément précis. Un autre peut parfois lui être substitué s'il jouit de propriétés analogues, quant à sa valence et à son poids atomique. Ainsi, le magnésium, le manganèse, le zinc peuvent plus ou moins se substituer dans l'activation de différentes phosphatases, fonction qu'ils n'exercent qu'après avoir formé des complexes avec les acides aminés essentiels, alanine ou cystéine.

L'amylase salivaire et pancréatique peut être activée par le cobalt, le nickel, le calcium et le zinc.

D'autres oligo-élements ont des propriétés analogues à celles de macro-éléments minéraux ; ils entrent, dans certaines circonstances, en compétition avec eux et, de ce fait, sont des régulateurs de réactions chimiques. C'est ainsi que le magnésium peut exercer une action antagoniste de celle du calcium ; le lithium, de celle du sodium ; le rubidium, de celle du potassium.

Les oligo-éléments peuvent, suivant la réaction acide ou basique du milieu, former des complexes avec les acides ou les bases en excès et maintenir la réaction (pH) normale des tissus : telle est l'action de l'aluminium et du zinc.

Les oligo-éléments, généralement, activent les ferments, mais ils peuvent également les inhiber : cela dépend entre autres de leur concentration ou du pH du milieu dans lequel ils se trouvent. En voici un bel exemple :

La carpe possède en abondance une enzyme détruisant la vitamine B_1. Pendant la guerre, par suite du blocage du Japon, ce poisson, très abondant dans ce pays, devint un aliment important. Des sujets en ayant mangé beaucoup furent atteints de béribéri par avitaminose B_1. Ils purent être guéris par administration de vitamine B_1 et purent consommer des carpes sans dommage, à condition de prendre en même temps des composés de cuivre, de fer ou de manganèse, ces oligo-métaux ayant la propriété d'inactiver l'enzyme destructrice de la vitamine B_1 de la carpe.

La plupart des oligo-éléments accélèrent les réactions fermentaires et, par là, augmentent notre vitalité. Quand nous en sommes carencés, nous devenons malades ou semi-bien-portants et nous n'employons pas optimalement les possibilités de vie et de santé que la nature met à notre disposition.

Chacun sait combien un « changement d'air » peut être bénéfique et combien l'organisme peut en être reconnaissant. Ce n'est probablement pas de l'air que provient ce bienfait, mais des oligo-éléments qui, sur un autre sol, sont différents de ceux du pays que nous habitons. Ils nous sont apportes par l'eau et les aliments que nous consommons. Parfois, l'air s'en charge aussi : le fait est patent au bord de l'océan, où les embruns nous aspergent d'iode et de magnésium.

Sachons qu'aujourd'hui, l'homme, en blutant et raffinant les farines, élimine dangereusement de sa nourriture précisément les parties de la graine riches en oligo-éléments. Le cobalt, le cuivre, le manganèse, le zinc, sont surtout contenus dans le germe et dans la partie externe des graines de céréales. L'usage exclusif ou prépondérant d'aliments raffinés conduit à un déficit permanent en oligo-éléments. Seuls les aliments naturels (céréales complètes, fruits, miel, noix, légumes crus, viandes et poissons frais, œufs, lait) assurent un apport suffisant de ces substances. En cuisant les aliments, en faisant des conserves, l'homme dénature les protéines fermentaires, solubilise les métaux. En jetant l'eau de cuisson des légumes, il diminue l'apport de beaucoup de minéraux, dont les oligo-éléments.

Bien des maladies des plantes sont dues à une carence en oligo-éléments. La richesse du sol n'est pas le seul facteur qui détermine ou non les carences. L'absorption d'un élément peut être entravée par la présence d'autres corps, ou parce qu'il se trouve sous forme insoluble.

Nous ne connaissons que fort imparfaitement les substances chimiques contenues dans les végétaux, que nous prélevons sur un sol donné, et qu'il s'agit ensuite de rendre à celui-ci sous forme d'engrais. En poussant trop les cultures et en employant des engrais artificiels nécessairement incomplets, l'homme perturbe l'équilibre minéral des sols. Ce déséquilibre se reporte insidieusement sur les plantes, les animaux qui en vivent et, finalement, sur lui-même.

La plupart des oligo-éléments essentiels sont des métaux ; les métalloïdes — iode, fluor, chrome — font exception à cette règle. Nous nous bornerons ici à l'étude des oligo-éléments essentiels les mieux connus.

1. *L'iode. Effets de carence : goitre, crétinisme.*

Il est un des constituants de l'hormone thyroïdienne.

L'iode a été l'un des premiers oligo-éléments dont on a reconnu l'importance capitale et cela tout spécialement dans des pays montagneux, isolés de la mer, tels la Suisse, certaines contrées du Moyen-Orient, de l'Asie du Sud-Est, de l'Himalaya, de l'Amérique latine et de l'Amérique centrale, etc.

En effet, le sol de ces régions est, par endroits, très pauvre en iode, élément indispensable au bon fonctionnement de la glande thyroïde et dont la carence provoque l'apparition de goitres. En Suisse, par exemple, la répartition du goitre, dit endémique, a cadré avec les zones dans lesquelles l'intense érosion, survenue après la glaciation du quaternaire (il y a dix millions d'années) a appauvri le sol en iode, substance très soluble et facilement entraînée par les eaux de ruissellement. Comme les habitants de certaines vallées peu accessibles ont vécu presque exclusivement des produits de leur sol, ils ont été soumis à l'influence directe de la composition de ce dernier. Dans les régions où la terre était particulièrement pauvre en iode, un goitre est apparu chez un enfant sur cinq. Un goitre est une augmentation du volume de la thyroïde, liée à une insuffisance de sa fonction.

Les individus atteints de cette maladie restent nains, par défaut de croissance osseuse. Leur peau est sèche et boursouflée, les traits de leur visage sont épais. Ils se ressemblent tous commes des frères et ont l'air d'appartenir à une race particulière. Ils sont atteints de crétinisme. La déficience thyroïdienne est caractérisée par un abaissement du métabolisme basal, donc de l'ensemble des combustions corporelles, et par un ralentissement de toutes les fonctions vitales, dont l'intelligence.

Ainsi, un sol pauvre en iode, une existence trop étroitement liée à ce sol, entraînent une altération profonde de l'organisme. Il a suffi de donner aux enfants de ces régions un milligramme d'iode par semaine, pour que leur croissance et leur développement se déroulent normalement et que le goitre n'apparaisse pas.

L'iode est un métalloïde présent dans tous les végétaux. Les plantes marines, le varech, en renferment jusqu'à un gramme pour cent grammes de poids sec. Ainsi, 100 grammes d'algues sèches fournissent 1 000 milligrammes d'iode, quantité suffisante pour couvrir le besoin d'un homme pendant vingt ans! Les plantes terrestres par contre en contiennent au maximum 0,04 milligramme par 100 grammes de poids frais, ou 0,2 milligramme pour 100 grammes de poids sec. Les plus riches d'entre elles renferment ainsi 5 000 fois moins et les pauvres, 200 000 fois moins d'iode que les plantes marines. Une ration quotidienne normale de 2 kilogrammes de tels fruits et légumes ne couvre donc pas le besoin de l'organisme.

Chez les animaux, l'iode est présent dans toutes les cellules. Notre corps en contient normalement de 20 à 50 milligrammes, dont 20 à 40 % se trouvent dans la thyroïde, qui ne pèse que 20 grammes. Alors que, dans l'ensemble de l'organisme, la concentration d'iode est de 0,05 milligramme par kilo. Elle est de 500 milligrammes par kilo dans la thyroïde, soit dix mille fois plus forte.

L'iode fait partie des hormones thyroïdiennes, qui contrôlent les oxydations cellulaires, la croissance, le développement physique et mental. Sans hormones thyroïdiennes, toutes les fonctions sont ralenties. Un apport de 0,1 à 0,2 milligramme (100 à 200 gammas) d'iode par jour est nécessaire à la production normale de ces hormones.

On a calculé que, dans une région du canton de Berne où le goitre est fréquent, la ration alimentaire quotidienne ne contient que 13 gammas d'iode, soit le dixième environ de l'apport normal.

Un supplément modéré d'iode augmente la vitalité. Trop d'iode devient toxique par suractivation de la thyroïde. Des vétérinaires ont constaté qu'un petit complément d'iode au fourrage de la vache provoque une augmentation de la production de lait de 50 % et que des poules qui recevaient un peu d'iode ont produit, avec moins de nourriture, des œufs plus gros.

2. *Le fer. Effets de carence : anémie, fatigabilité.*

Il est un des constituants de l'hémoglobine.

La nature construit, à partir d'une structure moléculaire de forme géométrique élégante, appelée « noyau porphyrique », une série d'enzymes colorés, de la plus grande importance biologique (voir annexe II, p. 326).

Dans la chlorophylle, pigment vert des feuilles, ce groupe moléculaire, dont les dérivés sont appelés porphyrines, est centré par un atome de magnésium. Dans le règne animal, la porphyrine, dénommée « hème » est centrée par un atome de fer. Associée à des groupes protéiques différents, elle forme divers ferments, dont l'hémoglobine, pigment rouge du sang qui transporte l'oxygène des poumons aux tissus, la myoglobine, rouge également qui stocke l'oxygène dans le muscle, les cytochromes, qui assurent la respiration cellulaire, la catalase qui participe à la défense antimicrobienne et préserve l'hémoglobine d'une destruction prématurée, etc.

Le fer est donc un minéral aussi essentiel pour nous, que le magnésium l'est pour les plantes à feuilles vertes.

Le corps humain contient 3,5 à 5 grammes de fer, dont 60 % se trouvent dans l'hémoglobine circulante (taux normal d'hémoglobine : 14 grammes par 100 millilitres de sang chez l'homme, 12 grammes chez la femme). 16 % sont contenus dans les hèmes cellulaires, 8 % dans la myoglobine ; 16 % sont mis en réserve dans des dépôts. Le fer libéré par la destruction de l'hémoglobine et des enzymes qui en contiennent, est restitué à ces réserves pour réutilisation.

La teneur en fer du plasma ne représente que 0,1 % du fer total. Une femme adulte perd environ 30 milligrammes de fer tous les mois pendant ses règles. Aussi le taux de fer sérique s'abaisse-t-il chez elle à 90 gammas par 100 millilitres après les règles, pour remonter à 120 gammas avant les règles suivantes. (On estime qu'une grossesse coûte à la femme 600 milligrammes de fer, dont 250 milligrammes sont perdus au cours de l'accouchement.)

Chez les individus du sexe masculin le taux de fer sérique est plus élevé et beaucoup pluus stable (140 gammas par 100 millilitres, soit 1,4 milligramme par litre). Il en est de même du fer tissulaire : chez l'homme, le foie contient 0,4 gramme de fer, chez la femme ménopausée 0,23 gramme et chez la femme réglée 0,13 gramme seulement.

Une diminution des réserves de fer, avec maintien du fer sérique à un taux normal, se constate chez 32 % des femmes réglées et 45 % des donneurs de sang : les 400 grammes de sang que l'on prélève en une fois à un donneur contiennent 200 milligrammes de fer, qu'il serait bon de remplacer par un supplément d'apport.

Le fer alimentaire s'absorbe surtout dans le duodénum et la première partie du jéjunum. Il est ensuite transporté aux sites d'utilisation par une protéine fournie par le foie, *la transferrine*, dont chaque molécule se charge de deux atomes de fer.

Un sujet normal ne retient que 5 à 10 % du fer alimentaire (un sujet carencé, 20 %). La perte journalière habituelle étant de 0,5 à 1 milligramme, il faut ingérer au moins dix fois plus de fer pour la compenser. La présence de cobalt, d'acide succinique, de sorbitol, de vitamine C favorise l'absorption du fer.

Le fer est très répandu dans la nature et cependant, nous en sommes fréquemment carencés.

Sans fer, pas d'hémoglobine ; le sang devient pâle : il y a anémie. Mais en outre, par diminution du taux des ferments respiratoires, une souffrance tissulaire s'établit, qui se manifeste par une baisse de vitalité, une grande lassitude, un affaiblissement de la musculature, une altération de toutes les structures épithéliales, une atrophie des muqueuses de l'estomac et de la langue avec sensation de brûlure, de l'inappétence et des diarrhées, une peau sèche et craquelée, la formation de crevasses aux coins de la bouche, des troubles de la déglutition, une nervosité, avec déficit du pouvoir de concentration, une défectuosité des ongles, qui deviennent fragiles, déprimés en leur milieu, une chute et un blanchissement prématuré des cheveux, qui deviennent cassants.

Les malades atteints de carence martiale paraissent plus âgés qu'ils ne le sont.

L'anémie par carence de fer est bien connue chez les bébés recevant trop longtemps une alimentation lactée exclusive, très pauvre en fer. Cette anémie est encore plus marquée chez les prématurés, car la majeure partie du fer n'est prélevée par le fœtus à l'organisme maternel qu'au cours des derniers mois de grossesse. Le nouveau-né normal possède un stock de 0,25 gramme de fer. Dans la suite, pour assurer les besoins de la croissance, il doit en absorber un excédent sur ses pertes de 0,5 milligramme par jour.

On a remarqué que les jeunes enfants carencés en fer se mettent à manger de la terre et ne le font plus dès qu'ils reçoivent cet élément. Tant que le fer manque, l'appétit laisse à désirer, la résistance aux infections est mauvaise et celles-ci sont accompagnées de température excessive.

La taille moyenne des écoliers s'est accrue de 6 centimètres en quinze ans en Europe occidentale et aux U.S.A. Le besoin en fer en est augmenté et l'enfant qui croît trop et trop vite ne parvient pas à le couvrir. Dans le sexe féminin, l'âge nubile s'abaisse tous les dix ans de quatre à six mois et la ménopause est retardée, ce qui élève les pertes de fer chez la femme. Cette évolution est spécialement marquée dans les classes sociales aisées. Les adolescentes appartenant à ce milieu ont un besoin en fer particulièrement élevé.

L'anémie ferriprive de l'adulte est connue depuis longtemps. Jadis, elle survenait surtout chez de jeunes femmes. On parlait alors de chlorose, à cause de leur teint verdâtre. Certaines de ces anémies étaient attribuables aux troubles d'assimilation dus au port de corsets excessivement serrés, conférant aux jeunes femmes une élégante « taille de guêpe » et une pâleur « aristocratique ».

Des règles trop abondantes, des hémorragies digestives chroniques, dues à des hémorrhoïdes ou à un abus d'acide acétylsalicylique (base de l'aspirine et de médicaments analogues), des diarrhées fréquentes ou une gastrectomie peuvent aboutir à un manque de fer. Mais, de nos jours, des carences en fer s'observent sans qu'on puisse leur attribuer une cause précise. Elles sont si répandues, même dans des pays aussi prospères que la Suède, qu'on en accuse maintenant le régime alimentaire. En Allemagne, Seibold et al. ont constaté, d'une part, un manque de fer chez 65 % des sujets examinés et chez 100 % des femmes enceintes, d'autre part une teneur en fer des repas standards de 30 à 50 % inférieure aux valeurs désirables. De façon générale, la ration quotidienne se situait entre 6,5 et 8,5 milligrammes par jour au lieu des 10 à 15 milligrammes recommandés. Pour élever l'apport du fer alimentaire, il est nécessaire de réduire la consommation des graisses, des farines blanches et du sucre raffiné, très pauvres en fer. Le remplacement des ustensiles de cuisine en fer ou en fonte par des récipients en acier inoxydable ou en aluminium ont également contribué au manque de fer dont nous souffrons. Dans une grande partie du monde, il semble que la carence martiale soit un des troubles de malnutrition les plus répandus, le groupe le plus vulnérable étant celui des femmes en âge de procréer et celui des vieillards.

Le fer s'accumule dans les foyers inflammatoires, ce qui entraîne un abaissement du taux du fer sérique. Il y joue un rôle anti-infectieux et inactive certaines toxines.

Par l'abaissement de la résistance aux infections, par l'altération des structures épithéliales, le manque de fer favoriserait le développement du cancer.

La carence martiale n'affecte la synthèse de l'hémoglobine que tardivement. Lorsqu'il y a anémie clinique, les stocks de fer sont déjà largement épuisés. Il n'y a donc pas de parallélisme entre le taux de l'hémoglobine et celui du fer sérique : le taux d'hémoglobine peut encore rester normal, alors que celui du fer sérique est tombé de 75 %.

Lors d'une montée en altitude avec effort physique, l'organisme réagit au déficit d'oxygène par une forte et rapide diminution du fer sérique, à partir duquel il synthétise de la myoglobine, de l'oxydase et du cytochrome C, autrement dit des ferments tissulaires. Cet appel de fer peut être si intense que de l'hémoglobine est sacrifiée pour mettre du fer à la disposition des tissus et ce n'est qu'au bout de quelques jours que le taux de cette dernière augmente à son tour, pour compenser le manque relatif d'oxygène dans l'atmosphère. Mais tandis que ce taux s'élève de 30 à 50 %, celui de la myoglobine augmente de 50 à 70 % et celui du cytochrome C de 100 à 200 % (Delachaux). Le déroulement de ces processus nécessite un minimum de trois à sept jours ce qui explique la fatigabilité accrue à ce moment et la fréquence extraordinaire des accidents sportifs au troisième jour du séjour en montagne. Il est préférable de se reposer ce jour-là ! Un supplément de fer sous forme pharmaceutique accélère et facilite cette adaptation.

Parmi nos aliments, c'est le sang qui renferme le plus de fer (environ 50 milligrammes dans 100 grammes).

Les céréales complètes en sont riches (de 15 à 23 milligrammes par 100 grammes) mais le blutage et le raffinage les appauvrissent (de 86 % pour la farine blanche et le riz poli, de 96 % pour les flocons d'avoine !). Cela a conduit certains pays à ajouter artificiellement du fer à la farine blutée.

Les épinards, le persil, les poireaux, les choux, les pommes de terre (1,4 milligramme par 100 grammes), les carottes, les cerises, les asperges, contiennent une forte proportion de fer par unité énergétique, mais nous ne pouvons en consommer suffisamment pour couvrir nos besoins. Le lait n'apporte que 1,15 milligramme de fer par litre. 100 grammes de viande maigre en contiennent 1,8 milligramme, 100 grammes de foie ou de rognon de 0,9 à 1,8 milligramme.

Les graisses sont très pauvres en fer. Le sucre brut en contient 2,6 milligrammes par 100 grammes, qui disparaissent totalement lors du raffinage. La mélasse en renferme 6,7 milligrammes par 100 grammes.

Un jaune d'œuf ne contient que 1,2 milligramme de fer. Un apport de deux jaunes d'œufs crus par jour, incorporés aux aliments peut cependant faire remonter le taux de fer sérique de façon remarquable (par exemple de 46 gammas à 140 gammas par 100 millilitres en six semaines), ce que l'on n'obtient que difficilement avec des médicaments.

Pour reconstituer les réserves tissulaires, l'apport de fer doit se poursuivre pendant des mois (Hallberg) et parfois, chez les femmes, pendant toute la période féconde. Il doit être l'équivalent d'un gramme de sulfate de fer par jour au cours de la grossesse.

Cependant, si un déficit de fer nous est hautement préjudiciable, un excès de fer nous est nocif.

Un pancréas sain est nécessaire au contrôle de l'absorption du fer alimentaire. Le suc pancréatique contient un facteur inhibiteur de cette absorption. Une fonction pancréatique insuffisante peut entraîner une surcharge de fer anormale.

En résumé, nous dirons que l'importance nutritionnelle du fer réside dans le fait que ce métal joue un rôle central dans le métabolisme énergétique de toutes les cellules. C'est l'oxydation des substances alimentaires qui fournit l'énergie nécessaire aux tissus. Pour que ces oxydations puissent se produire, l'oxygène doit d'abord être transporté des poumons aux tissus par l'hémoglobine, puis, au niveau tissulaire, il ne peut être utilisé que grâce à l'activité de ferments contenant du fer.

Le fer n'est pas le seul oligo-élément dont le déficit entraîne de l'anémie. Pour que la synthèse normale de l'hémoglobine soit possible, la présence de traces de cuivre est indispensable et pour que le globule rouge porteur de l'hémoglobine puisse naître dans la moelle osseuse, il faut que l'alimentation contienne du cobalt.

3. *Le cuivre. Effets de carence : troubles nerveux, anévrismes, anémie.*

Il catalyse la désaturation des acides gras.

Le cuivre est un métal catalytique des plus importants. Il fait partie de nombreuses enzymes, dont une des plus importantes, la cytochrome-oxydase, intervient, en les activant, dans les processus respiratoires des cellules animales et végétales, des levures et de quelques bactéries. Il joue un rôle dans la formation de la chlorophylle des plantes, de l'hémoglobine et d'autres corps porphyriques chez les animaux, en facilitant la pénétration du magnésium et du fer dans le noyau porphyrique. Le cuivre, de même que le magnésium et le manganèse, est indispensable à l'activité de la vitamine C, dont il facilite l'oxydation. Il catalyse la désaturation des acides gras, autrement dit la synthèse des corps gras nobles du cerveau. Sa présence est indispensable à la formation d'un tissu conjonctif normal.

On a pu produire une cupropénie chez les animaux à croissance rapide, tels les porcs, en les soumettant dès la naissance à un régime lacté exclusif, contenant moins d'une part pour un million de cuivre. Dès le trentième jour d'une telle alimentation le taux du cuivre dans le sang tomba au cinquième de la concentration normale. Une anémie sévère apparut. Malgré un apport suffisant, le taux du fer sérique diminua par mauvaise résorption. L'injection parentérale de fer ramena ce taux à la normale, mais ne guérit pas l'anémie, qui ne disparut que par addition de cuivre. Si l'on continue à administrer aux jeunes animaux une alimentation carencée en cuivre, des anomalies squelettiques apparaissent du type scorbutique — malgré un apport normal de vitamine C — avec retard de la croissance épiphysaire, incurvation des jambes et fractures pathologiques. Les poils se dépigmentent, la kératinisation de la peau est déficiente. L'élastine du tissu conjonctif est défectueuse, ce qui produit de graves lésions au niveau du cœur et des vaisseaux, entraînant la mort vers le centième jour par rupture d'anévrismes dissécants, infarctus du myocarde, etc.

La cupropénie revêt une importance économique considérable dans certaines zones du Sud-Ouest australien, où le sol a une faible teneur en cuivre. Les animaux carencés présentent des lésions artérielles et meurent brusquement d'apoplexie. Le manque de cuivre dans le sol entraîne en effet la pauvreté en cuivre de l'herbe qui, à son tour, occasionne la carence en cuivre de l'herbivore.

Pour qu'un élevage de moutons ait un bon rendement, il faut que l'animal atteigne rapidement un poids de cent kilos. Pour arriver à ce résultat, on le fait paître non la petite herbe rase des pâturages alpestres, mais la belle herbe verte, vite poussée sur des pâturages engraissés avec des nitrates. Les animaux acheminés à la boucherie ont belle apparence, mais lorsque les brebis ainsi élevées mettent bas, on constate que leurs agneaux naissent paralysés ou se paralysent tôt après la naissance et périssent. Les lésions nerveuses et les symptômes qu'ils présentent — pattes raides, manque d'équilibre — sont semblables à ceux de malades humains atteints de sclérose en plaques. Les recherches ont montré que cette maladie est due à une carence en cuivre. Si le sol des pacages où naissent de tels agneaux est traité en même temps par des nitrates et du cuivre, ou si l'on injecte aux brebis portantes des sels de cuivre, les agneaux naissent sains, mais le cuivre n'a aucune action sur l'animal malade. Ainsi, l'engrais trop unilatéral fait pousser une herbe apparemment vigoureuse, malgré un épuisement du sol en cuivre. L'animal adulte qui la consomme ne semble pas en souffrir, mais un déséquilibre est créé et la génération suivante n'est plus viable (Bourrand). La raison de cette maladie des agneaux doit probablement être recherchée dans la dysfonction d'enzymes cupriques indispensables à la synthèse de lipides cérébraux.

Une carence, même modérée, en cuivre diminue la synthèse des phospholipides du foie, en perturbe le métabolisme et provoque des anomalies dans la structure de l'élastine et du collagène. Chez les moutons, la laine devient anormale ; elle perd sa frisure par trouble de la kératinisation et prend un aspect dit « de fil de fer ». Elle est dépigmentée, moins abondante et moins résistante qu'une laine normale.

La présence de cuivre est indispensable à la fertilisation des œufs.

La carence en cuivre des arbres fruitiers est fréquente et entraîne une pâleur des feuilles, appelée chlorose, un retard de floraison des pommiers et des poiriers. Pour que les plantes prospèrent, le sol doit contenir au moins 2 grammes par 100 kilos de ce métal sous forme de sels solubles.

Le besoin quotidien de l'homme en cuivre a été estimé par certains auteurs à 0,6 milligrammes, par d'autres à 2 ou 3 milligrammes ou encore à 0,03 milligramme par kilo de poids. Le sérum humain en contient environ 0,1 milligramme pour cent millilitres. Ce taux augmente dans les infections et lors de vaccinations, parallèlement à la formation des anticorps. Ce métal joue un rôle important dans les phénomènes de guérison. Il potentialise dix à vingt fois l'action anti-inflammatoire de l'acide acétylsalicylique (aspirine) et protège la muqueuse gastrique contre son effet irritant. Un excès de cet élément est rejeté par la bile.

Le cuivre provenant des aliments est absorbé par l'intestin, gagne le foie à l'état de « cuivre libre » pour y être incorporé dans une protéine porteuse spécifique, la céruloplasmine, dont chaque molécule en transporte huit atomes. Cette protéine, déversée dans le sang, contient 95 % du cuivre circulant, 5 % restant libres. La céruloplasmine facilite l'incorporation du fer dans la transferrine et par là l'utilisation de ce métal.

Comme pour le fer, l'enfant naît avec une réserve de cuivre qui doit lui suffire pour quelques mois, jusqu'à ce que son alimentation devienne mixte, car le lait en est très pauvre. La concentration du cuivre dans la peau du nouveau-né est de cinq à dix fois celle de l'adulte.

Le cuivre s'accumule dans les organes très actifs des plantes, telles les jeunes feuilles et les pousses. Les céréales complètes en sont riches (graines, germes, son, dont 100 grammes couvrent largement notre besoin journalier). Le riz complet contient 35 milligrammes de cuivre par kilo, la crème de riz 3 milligrammes seulement ! Les germes de froment nous en fournissent 30 milligrammes par kilo, les lentilles 20 milligrammes par kilo. D'autres aliments riches en cuivre sont les légumes verts, les fruits à noyaux et les fruits secs, les noix, le foie, les poissons, les crustacés, les champignons, le chocolat, le poivre. Le fromage préparé dans des chaudrons en cuivre en contient jusqu'à 14 milligrammes par kilo. Le lait de femme est trois fois plus riche en cuivre et deux fois plus riche en fer que le lait de vache, qui est très pauvre. Les laits secs le sont également et leur usage chez des bébés peut entraîner de l'anémie. 10 milligrammes de cuivre et plus par jour, sous forme de sels inorganiques, sont toxiques et déclenchent des diarrhées et des vomissements. L'argent est le principal antagoniste de cuivre. Le calcium, le molybdène, le zinc, les sulfates le sont également, par ordre décroissant.

Les conserves de légumes ont, jusqu'en 1941, été verdies par adjonction de cuivre, pratique aujourd'hui interdite, sauf pour les épinards, où la teneur tolérée est de cent milligrammes par kilogramme !

Chez l'homme, des maladies par carence de cuivre sont moins bien connues que chez les animaux. On sait cependant que certains troubles digestifs chez des personnes âgées, certaines anémies ne peuvent guérir que par un apport de cuivre. Un tel apport peut être utile à certains rhumatisants.

Il existe chez l'homme une maladie héréditaire récessive (maladie de Wilson) caractérisée par un déficit de la synthèse de la protéine porteuse de cuivre, la céruloplasmine. Ne pouvant pas être transporté, le cuivre se dépose dans les artères et d'autres tissus. Au niveau des yeux, sur le pourtour de la cornée, se forme un anneau vert caractéristique. La structure du cristallin est altérée. De l'ostéomalacie peut apparaître, des fractures spontanées se produire. Des lésions du foie entraînent des crises abdominales douloureuses, de la diarrhée, des vomissements, de l'ictère, de la cirrhose ; celles des reins, une excrétion massive d'acides aminés et de la glycosurie : celles du système nerveux, des tremblements, de l'épilepsie et des troubles psychiques.

4. *Le manganèse. Effets de carence : troubles de la minéralisation, stérilité.*

Il joue un rôle important dans la photosynthèse et la reproduction.

Comme les autres oligométaux essentiels, le manganèse se rencontre dans toutes les plantes, là où la vie est la plus intense, c'est-à-dire dans les organes de reproduction (étamine, graines) et dans les feuilles vertes. Le bois en est dix fois plus pauvre. Il joue un rôle dans la photosynthèse : la carence en manganèse abaisse l'absorption par la plante du gaz carbonique atmosphérique ; les nitrates du sol montent dans les feuilles, mais n'y sont pas transformés en acides aminés et en protéines.

Chez les animaux, cette carence entraîne un trouble de la minéralisation osseuse avec décalcification. Privés de manganèse, les animaux sont stériles.

Le corps humain contient de onze à vingt milligrammes de manganèse et entre 10 et 25 % de cette quantité sont quotidiennement perdus et doivent être remplacés. Ce métal se concentre dans le foie, le pancréas, les reins et l'intestin. Localisé dans les mitochondries, il participe aux processus de phosphorylation oxydative et à la synthèse des lipides. Il favorise le métabolisme des graisses dans le foie et y intervient dans la synthèse de l'urée. Il active la phosphatase alcaline, l'arginase, la pepsine et la trypsine et facilite par là la digestion. Son excrétion se fait par la bile.

L'adulte a besoin de cinq milligrammes de manganèse par jour, qu'il trouve facilement dans les légumes verts, les fruits frais, les noix, les céréales complètes, le thé. Le cassis en est particulièrement riche. Le manganèse est très peu abondant dans la nourriture d'origine animale. Le traitement industriel des céréales (blutage, glaçage) leur en fait perdre la majeure partie. La trop large utilisation d'aliments raffinés laisse présumer que le monde civilisé souffre d'une carence en manganèse. Le besoin de l'enfant est de 0,2 milligramme par kilo de poids. Cette ration ne lui est apportée ni par le lait de vache, ni par la farine blanche.

Dans des expériences de laboratoire, il fut prouvé que le déficit alimentaire en manganèse chez les souris femelles entraîne, chez leurs descendants, l'apparition d'une ataxie irréversible, c'est-à-dire d'un manque de coordination des mouvements volontaires avec trouble de l'équilibre. Il suffit d'une seule ration alimentaire de manganèse avant le quatorzième jour de gestation, mais non plus tard, pour empêcher l'apparition de l'ataxie (*Medical Tribune*, Jg 1, n° 30, 1968, L. S. Hurley). Le manganèse est en effet indispensable à la formation des organes de l'équilibre : canaux semi-circulaires et otolithes de l'oreille interne.

Dans certaines souches de souris, nourries normalement, 60 % des souriceaux sont atteints d'une ataxie congénitale héréditaire semblable, avec malformation des otolithes. Un supplément abondant de manganèse pendant la gestation est capable de protéger complètement les jeunes animaux de cette anomalie, qui, cependant, en l'absence d'un apport accru de ce métal, réapparaît chez leurs descendants. Le défaut génétique transmis de génération en génération demeure donc inchangé, mais ne se manifeste plus grâce au complément de manganèse.

De nos jours, nous assistons à une augmentation de la fréquence des malformations congénitales les plus diverses (malformations d'organes, d'enzymes, de chromosomes). Par analogie avec ces observations, il serait permis de penser que des maladies congénitales ou héréditaires, dues à la présence de gènes anormalement faibles, ne se montrent pas fatalement, mais deviennent manifestes en l'absence d'éléments nutritionnels importants, dont nous appauvrissons systématiquement nos aliments. (Voir autres maladies hérodo-dégénératives, p. 193.)

Un excès de manganèse est nocif. Des mineurs, travaillant à l'extraction de dioxyde de manganèse, en inhalent quotidiennement et peuvent présenter des troubles nerveux ressemblant à la maladie de Parkinson.

5. *Le cobalt. Effet de carence : anémie pernicieuse.*

Le cobalt (Co) fait partie de la vitamine antianémique B_{12}, découverte entre 1930 et 1940, qui a rendu possible le traitement fructueux de l'anémie dite pernicieuse (voir p. 115).

En présence de cobalt, les micro-organismes du tube digestif synthétisent cette vitamine, indispensable à leur développement. Ainsi l'animal tout comme l'homme doit recevoir cet oligo-élément dans sa nourriture pour que des microbes puissent se développer normalement dans son tractus digestif. Quand la flore intestinale est pathologique, cette synthèse diminue.

Les ruminants ont un besoin élevé en cobalt. Ils sont très sensibles au déficit de cet oligo-élément et à l'avitaminose B_{12} que cette carence entraîne. En présence de cobalt, la flore bactérienne du rumen est plus abondante et plus variée, assurant la digestion de la cellulose et sa transformation en sucre. Bactéries et ruminants vivent ainsi en symbiose, se rendant un service mutuel.

En Nouvelle-Zélande, en Australie, en Angleterre, des troupeaux entiers de moutons sont tombés malades parce qu'ils ont pâturé toute l'année sur des terres pauvres en cobalt. La maladie qui atteint surtout les jeunes, dont le besoin vitaminique est plus grand à cause de la croissance, est caractérisée par la pâleur des muqueuses due à l'anémie, l'amaigrissement, l'inappétence. Les femelles ne produisent pas assez de lait. L'apport d'un demi-milligramme de cobalt par animal et par jour amène la guérison.

En cas d'avitaminose B_{12} par déficit de cobalt, la vitamine B_{12} en injections produit des guérisons spectaculaires, mais transitoires.

Le cobalt est indispensable au développement des micro-organismes du sol. Le terreau, particulièrement riche en bactéries, l'est également en vitamine B_{12}.

Le cobalt se stocke dans les graines et favorise la formation du carotène (provitamine A) lors de la germination.

Chez l'être humain, le cobalt, tout comme la vitamine B_{12}, se concentre dans le foie. Le besoin en vitamine B_{12} est de 1 à 2 gammas par jour, ce qui correspond à 0,0045 - 0,009 gammas de cobalt pur. Ce besoin est très facilement couvert par l'alimentation naturelle.

Un excès de cobalt favorise l'apparition du goitre.

6. *Le zinc. Effets de carence : stérilité, malformations fœtales, nanisme, retard de la guérison des plaies.*

Il joue un rôle dans la division cellulaire et les échanges gazeux pulmonaires.

Oligo-élément essentiel, le zinc (Zn) est, après le fer, le plus abondant représentant de ce groupe de substances : le corps humain en contient de 1,5 à 2,3 grammes. Les phanères, les os, en sont riches. Il fait partie d'au moins vingt enzymes, dont certaines participent à la synthèse des protéines et des acides nucléiques (ADN et ARN) et sont indispensables à la division cellulaire, donc à la croissance. Les déshydrogénases, la phosphatase alcaline sont des ferments contenant du zinc. Il catalyse les oxydations, active un ferment qui permet la libération rapide du gaz carbonique dans les poumons : le sang ne stagne pas plus d'une seconde dans les capillaires pulmonaires, temps pendant lequel l'acide carbonique (H_2CO_3) qui y est dissout doit se décomposer en eau (H_2O) et en gaz carbonique (CO_2) afin que ce dernier puisse être rejeté dans l'air d'expiration ; sans catalyseur, cette réaction nécessite cent secondes, et nous ne pourrions exister : nous serions asphyxiés ; le zinc catalyse cette réaction et l'accélère cinq mille fois, rendant ainsi la vie possible. Or, il faut un atome de zinc par molécule de ferment pour que la catalyse ait lieu. Si la concentration du zinc augmente, l'effet s'inverse et l'enzyme est inhibée.

Le zinc joue un rôle dans le métabolisme du glucose. Sa présence est indispensable à la mise en réserve de l'insuline. En état de carence, la tolérance au glucose diminue (comme dans le diabète).

Lorsque les souris nouveau-nées sont privées de zinc, la croissance, l'ossification, la sortie des dents, l'ouverture des yeux sont retardées. L'administration de zinc fait disparaître ces anomalies. Si l'apport du zinc est insuffisant, les femelles deviennent stériles. Chez les rats et les souris, un déficit en zinc pendant la gestation entraîne chez 90 % des fœtus des malformations pouvant être localisées au squelette, aux yeux, au cerveau, au cœur, aux poumons, au système uro-génital. Le corps est incapable de faire des réserves de zinc. Des rates privées de zinc dès la fécondation ont mis au monde des petits non viables. La mise bas dura vingt-quatre heures au lieu de deux, et les femelles moururent d'épuisement ou d'hémorragies. La carence en zinc s'était ainsi manifestée dans les vingt et un jours de gestation (Apgar). Même si, au cours de celle-ci, la privation totale de zinc ne dure qu'une semaine, la moitié des animaux nouveau-nés présente un déficit de taille et des malformations. En l'absence d'apport extérieur, la réserve de zinc présente dans le corps maternel ne suffit donc pas à couvrir les besoins des fœtus.

Depuis 1958, une carence en zinc a été relevée, chez divers animaux domestiques. Chez le porc, elle entraîne une inflammation de la peau, de la diarrhée avec vomissements, de l'inappétence, une perte de poids, qui peut être mortelle au bout d'une période qui va de quatorze à vingt-trois jours.

Le plasma humain contient normalement 80 à 120 gammas de zinc par 100 millilitres. Le besoin quotidien en est de 15 à 20 milligrammes que l'homme absorbe avec les céréales, les œufs, la viande, les pois, les haricots. Celui qui est contenu dans les protéines animales est mieux résorbé que celui des végétaux. Dans les périodes de jeûne et de restriction calorique, il y a perte accrue de zinc urinaire, qui peut atteindre de 10 à 15 % de la quantité corporelle totale.

Le zinc abonde dans le monde végétal, surtout dans les feuilles vertes et les graines. Dans les céréales, ce sont le germe et le son, autrement dit les parties des céréales qu'on élimine, qui en renferment. Le lait en contient 3 à 4 milligrammes, le jus de raisin 48 milligrammes et le vin 61 milligrammes par litre.

La croissance végétale nécessite la présence de zinc. Les plantes peuvent en être carencées, soit par appauvrissement du sol, soit par enrichissement trop poussé des terres arables en phosphore. La déficience du sol se reporte sur le végétal, puis sur le consommateur de celui-ci. La terre qui contient moins de 2 milligrammes de zinc par kilo donne de mauvaises récoltes de froment, d'orge et de seigle. Haricots, tomates demandent un sol riche en zinc.

Ce métal augmente la résistance des arbres au froid. Sans zinc, les pins meurent : 0,2 gramme par mètre cube de terre leur est indispensable.

Il est hautement probable que, sous l'effet des technologies alimentaires modernes, l'homme souffre actuellement de carence, ou de subcarence, en cet oligo-élément. Ainsi le contrôle de certains régimes hospitaliers, censés devoir favoriser la guérison des malades, a montré un apport quotidien de zinc de 7 à 16 milligrammes, donc inférieur ou juste suffisant pour couvrir le besoin de l'homme bien portant.

La teneur en zinc des cheveux est considérée comme un bon indicateur de sa présence dans l'organisme. Chez le nouveau-né et l'adulte, elle est de 174 à 180 p. p. m. Pendant la croissance, elle s'abaisse à 74 p. p. m. jusqu'à 4 ans, puis s'élève progressivement. Chez les enfants carencés en zinc, (teneur des cheveux comprise entre 30 et 70 p. p. m.), on constate un retard de croissance de plus de 10 % avec baisse du taux des protéines sériques, anorexie et déficience dans la perception du goût.

La capacité d'apprendre des rats est supérieure, si leur ration alimentaire est riche en zinc et on a observé que les cheveux des meilleurs étudiants contenaient plus de zinc et de cuivre que ceux dont le travail laissait à désirer. (Voir p. 202 et suivantes.)

Le zinc se trouve concentré dans la portion externe de l'émail dentaire, ainsi que dans les régions cariées. Il est peu soluble dans les acides. Son accumulation relative dans les caries est peut-être une barrière opposée par la nature à leur progression.

On a trouvé un déficit de zinc dans l'anémie pernicieuse, la thalassémie, les maladies malignes, les infections chroniques, dans le psoriasis généralisé, le diabète, chez les alcooliques et les schizophrènes, dans la grossesse et chez des femmes prenant la pilule contraceptive. Le même phénomène s'observe dans la sous-alimentation, en particulier après des traumatismes ou des opérations graves, chez des individus nourris par voie parentérale, chez les grands brûlés, dont l'exsudat contient deux à quatre fois plus de zinc que le plasma.

Le zinc plasmatique est anormalement bas dans la tuberculose pulmonaire, le mongolisme, l'infarctus du myocarde, la cirrhose du foie, chez les sujets atteints d'ulcères torpides des membres inférieurs ou d'insuffisance rénale chronique. La zincopénie devrait être envisagée comme un facteur du retard de croissance chez les enfants atteints de maladies chroniques graves telles que l'iléite régionale, la mucoviscidose, la maladie coeliaque, le syndrome néphrotique.

Un déficit de zinc retarde, un apport de sulfate de zinc (trois fois par jour, 220 milligrammes en capsules après le repas) accélère jusqu'à trois fois la cicatrisation des plaies et aussi celle des ulcères variqueux liés à une carence de cet élément. On attribue l'action favorable du zinc sur la guérison des plaies et des fractures, sur la prise de greffes, à une stimulation de la synthèse des protéines. En administrant du radio-zinc à des animaux blessés, on a pu mettre en évidence l'accumulation de cet élément au niveau des plaies cutanées, osseuses et musculaires.

Une seule maladie humaine a pu être attribuée avec certitude à un déficit majeur en zinc. Il s'agit d'un nanisme qu'on observe en Égypte et dans d'autres pays arides et chauds des États-Unis et du Moyen-Orient (Iran). Cette maladie est caractérisée par un impressionnant déficit de croissance, le développement de certains individus adultes pouvant n'atteindre que celui d'enfants normaux de huit à dix ans, avec une insuffisance de taille de 20 %, de poids de 45 %. Ce nanisme s'accompagne d'un ralentissement du développement sexuel, d'apathie, d'une augmentation du volume du foie et de la rate, d'une perturbation de l'absorption du glucose, d'une rugosité anormale de la peau, d'une perte du sens gustatif. Il se rencontre chez des individus ne recevant pratiquement pas de protéines animales et se nourrissant de pain blanc et de fèves, dont le zinc est mal résorbable. La transpiration excessive dans ces pays secs et chauds produit une déperdition de 2 à 5 milligrammes par jour de ce métal qui n'est pas compensée par l'alimentation. Ces pertes de zinc sont encore souvent aggravées par des hémorragies chroniques dues à des parasites intestinaux. Ces malades sont toujours des géophages, c'est-à-dire des mangeurs de terre ; ils cherchent peut-être d'instinct à compenser par là leur carence.

Un apport de protéines animales, relativement riches en zinc, accélère quelque peu la croissance de tels enfants. Celle-ci ne devient cependant rapide, accompagnée d'une normalisation du développement sexuel et de la disparition des autres symptômes, que par un supplément de 25 à 75 milligrammes de zinc par jour (une à trois fois 110 milligrammes de sulfate de zinc). Une carence en zinc ne se compense que lentement. Il peut être utile de prolonger l'apport correcteur pendant six mois.

La connaissance du rôle que joue le zinc dans la croissance a été mise à profit dans certains élevages. C'est ainsi qu'en ajoutant 60 p. p. m. de zinc à la pâtée des poulets, on a augmenté la synthèse protidique de 25 %, ce qui a permis d'abaisser considérablement le prix de revient de la volaille.

Mais si une petite quantité de zinc est indispensable à toute vie, un excès de zinc est toxique et entraîne des troubles digestifs et nerveux (parésies, ataxie, somnolence). Ces symptômes ont été décrits à la suite de l'ingestion de douze grammes de zinc en deux jours, ainsi que chez des sujets dont les aliments avaient été contaminés, à raison de 0,2 à 5 milligrammes par gramme, lors de leur préparation dans des ustensiles culinaires galvanisés. Une surcharge prolongée de zinc peut entraîner des carences secondaires d'autres métaux. Inversement, un excès de cadmium, de cuivre, de manganèse, inhibe l'action biologique du zinc et peut provoquer des symptômes de carence de cet élément chez l'homme. Il s'agit donc là d'équilibres biologiques subtils.

7. *Le magnésium. Effets de carence : vieillissement prématuré, tétanie. Il accroît la résistance aux infections et au cancer.*

Le magnésium (Mg) est un oligo-élément majeur. Chez les plantes, il fait partie de la chlorophylle ; son insuffisance entraîne une diminution de ce pigment, comme aussi du carotène (voir p. 88). Chez l'homme le magnésium est présent dans toutes les cellules à raison de 10 à 20 milligrammes pour cent grammes de substance fraîche. Le sérum en contient 2,5 milligrammes pour cent millilitres. Ce métal catalyse de nombreux ferments. Il contrôle la perméabilité cellulaire et l'excitabilité neuromusculaire ; son absence relative, comme celle du calcium, entraîne l'apparition de crampes musculaires. Lorsque le taux de magnésium tombe au-dessous de 1,75 milligrammes pour cent millilitres, de la tétanie peut apparaître, qui se manifeste par des spasmes musculaires, viscéraux et vasculaires, avec maux de tête, vertiges, fourmillements, angoisses, sensation de boule dans la gorge. Ces symptômes disparaissent par un apport de sels magnésiens (1,5 gramme de nitrate ou de chlorure de magnésium par jour, par exemple). Si une mère manque de magnésium pendant la grossesse, ce déficit se transmet au bébé, qui peut présenter des contractures musculaires et des convulsions.

La tétanie par carence magnésienne peut être mortelle. Plus de dix mille bovidés ont ainsi péri en Californie et au Nevada par manque de magnésium dans l'herbe. Un tel déficit peut résulter de l'emploi d'engrais incomplets. Comme c'est le cas pour le zinc (voir p. 143) une déficience de magnésium, même de courte durée, dans la nourriture d'une femelle portante peut provoquer l'apparition de malformations graves chez le fœtus.

Le magnésium accélère jusqu'à trois mille fois l'activité des phosphatases, ferments qui interviennent dans l'absorption intestinale et l'utilisation des sucres, dans l'excrétion rénale des phosphates, dans l'ossification, dans la recharge de l'ATP (adénosine trisphosphate) substance énergétique majeure.

Le magnésium est indispensable à l'activité normale de la vitamine B_1 (voir p. 106) et à celle de la properdine, corps de défense antivirale; il devrait donc être employé dans la lutte contre les maladies virales.

Delbet, en France, a constaté d'une part que le magnésium freine le développement du colibacille, d'autre part que la fréquence du cancer était beaucoup plus élevée dans les régions où le sol est pauvre en magnésium. Comme nous l'exposerons plus loin, nous pensons qu'il y a un rapport de cause à effet entre ces deux phénomènes (voir page 227). Delbet a proposé l'administration de sels magnésiens pour accroître la résistance au cancer. En confirmation des conclusions de cet auteur, des études faites en U.R.S.S. par K. L. Barikian ont montré que les cas de cancer gastrique étaient rares dans les régions où le sol était riche en magnésium et où l'eau de boisson contenait plus de trente milligrammes de sels magnésiens par litre. La plupart des porteurs de cette maladie provenaient de régions où le sol en était pauvre, et où l'eau de boisson n'en contenait que 5 à 8 milligrammes par litre. Les mêmes faits ressortent d'une étude statistique faite dans cent grandes villes d'Amérique (Herbet Sauer, *Missouri Medical Tribune*, n° 46, 13.11.1970). Dans celles où l'eau de boisson est dure, c'est-à-dire relativement riche en calcium et magnésium, le taux d'adultes morts prématurément de maladies tumorales et cardio-vasculaires est plus bas que dans celles où l'eau est pauvre en ces minéraux. Enfin, des souris recevant un supplément de magnésium avant l'application d'un cancérigène furent partiellement protégées de l'action de celui-ci : 33 % seulement développèrent un cancer au lieu de 85 % chez les témoins.

Chez les malades décédés d'infarctus, le muscle cardiaque est appauvri en magnésium. En cas de carence magnésienne, l'apport de ce métal fait disparaître les douleurs précordiales ; une telle carence est à suspecter lorsque de telles douleurs existent sans qu'une altération soit décelable sur l'électrocardiogramme.

On sait que la tension nerveuse d'une part, les excès alimentaires de l'autre, facilitent la survenue d'un infarctus du myocarde. Des études statistiques montrent cependant que ce ne sont ni les habitants âgés de Berlin-Est, ayant subi des stress majeurs, ni la population suralimentée des U.S.A. qui présentent les taux les plus élevés de maladies cardio-vasculaires mortelles, mais les Écossais, les Irlandais et les Australiens, qui vivent sur des sols pauvres en magnésium et de ce fait ont trop peu de cet élément dans leur sang. Certaines races humaines sont réfractaires à l'infarctus : on a constaté chez elles l'existence d'un taux de magnésium sanguin élevé (A. Hughes et R. S. Tonks, *Lancet*, 1965.1, p. 1044). Ce métal atténue la surexcitation neuro-musculaire, empêche la thrombo-embolie, prolonge le temps de coagulation du sang, abaisse le taux du cholestérol sanguin et protège les parois vasculaires de la sclérose.

Un manque de magnésium accélère les processus de vieillissement : chute de cheveux, desquamation de la peau, atrophie du tissu conjonctif, affaiblissement du squelette, etc. Ces altérations sont enrayées chez le vieillard par un apport de 0,4 à 0,6 grammes de magnésium par jour. On estime qu'aujourd'hui 13 % environ de la population souffre de carence magnésienne.

Il est intéressant de mentionner qu'au cours du sommeil hivernal chez le hérisson, le taux du magnésium augmente dans le plasma sanguin. Il a été possible de provoquer artificiellement chez cet animal, par injection de magnésium, un état d'hibernation avec abaissement de la température corporelle.

Chez les chats, le magnésium influe sur l'amour maternel. Une chatte qui en est carencée se désintéresse de sa progéniture ; son comportement redevient normal dès qu'on lui fait ingérer un sel de ce métal. Si l'on présente à une chatte déficiente en magnésium ses propres chatons carencés et ceux d'une autre mère non carencée, elle adopte les chatons normaux et délaisse les siens. L'auteur poussa ces expériences plus loin : il priva une chatte de magnésium et mélangea à ses chatons carencés des pigeonneaux chargés de magnésium. Contrairement à l'instinct normal, la chatte témoigna son affection aux pigeonneaux et voulut les adopter ! En les léchant, elle obtenait, apparemment, le magnésium qui lui faisait défaut.

8. *Le fluor. Effets de carence : ostéoporose.*

Il joue un rôle dans la minéralisation des tissus durs.

Le fluor (F) figure au dix-septième rang dans l'ordre d'abondance des constituants de l'écorce terrestre. Il se trouve dans toutes les roches volcaniques. L'eau de mer en renferme 1 milligramme par litre. C'est un élément à toxicité élevée, dont cependant des traces sont indispensables à la vie.

Le fluor est décelable dans tous les tissus et liquides des êtres vivants. Le plasma sanguin en contient 28 gammas dans 100 millilitres. Sa présence à l'état de traces est nécessaire à une minéralisation normale des tissus durs. Chez les animaux, sa concentration est particulièrement élevée dans les os et les dents, qui renferment 95 % de tout le fluor de l'organisme. Tout comme le plomb, cet élément a la propriété de se déposer plus ou moins définitivement dans ces organes qui, au fil des ans, s'en enrichissent de plus en plus. Si l'on supprime tout apport fluoré, les os en gardent très longtemps, malgré cela, une concentration élevée. Le fluor active la synthèse du collagène, autrement dit de la trame fibreuse, dont la formation précède la calcification, et qui constitue la première étape de la réparation des fractures.

L'ostéoporose sénile est une affection due à un appauvrissement progressif du squelette en trame fibreuse et en calcium; elle se traduit par une grande fragilité osseuse, occasionnant la classique fracture du col fémoral lors de traumatismes minimes et des tassements vertébraux avec diminution de la taille. Elle s'observe beaucoup plus fréquemment dans les régions pauvres en fluor que dans celles qui en sont riches. Aussi en est-on venu à traiter cette affection par un apport de fluorure de sodium (40 milligrammes par jour, dont 30 % environ sont retenus).

La calcification de l'aorte, plus fréquente chez l'homme que chez la femme, témoigne d'une athérosclérose (?) grave. Chez les habitants des régions riches en fluor, cette calcification est moins fréquente. Il semble donc que le fluor contribue à garder le calcium dans les tissus durs de l'organisme – dents et os – et en empêche la fixation dans les tissus mous. Il possède d'autre part la propriété de s'accumuler dans ces calcifications pathologiques, où son taux peut atteindre jusqu'à dix fois la teneur tissulaire normale.

Sous l'influence d'un apport fluoré, la perte de calcium par les urines diminue, le taux de phosphatase alcaline augmente, témoignant de la prédominance de l'apposition du calcium sur sa résorption. La néoformation osseuse, provoquée par un apport important de fluor, n'est cependant pas du type physiologique. De 20 à 30 milligrammes de fluor ingérés quotidiennement pendant dix à vingt ans altèrent le squelette dans lequel il se fixe : la densité osseuse augmente, les insertions tendineuses et les ligaments articulaires s'ossifient, les cartilages se calcifient. Il en résulte des raideurs, des compressions nerveuses, des déformations invalidantes et douloureuses au niveau des vertèbres. L'os contient alors plus de 0,6 % de fluor. De telles intoxications chroniques ont été observées chez des ouvriers travaillant dans des fabriques d'aluminium, d'engrais, dans des aciéries, des tuileries, mais également dans certaines régions de l'Inde et d'Amérique, sous l'action combinée d'un taux élevé de fluor dans l'eau de boisson, de la chaleur du climat, de la malnutrition générale, de la consommation de sel marin et de grandes quantités de thé, produit riche en fluor.

L'homme en absorbe essentiellement avec l'eau, les poissons et les fruits de mer, le thé, la bière, les abats, les épinards, le persil, la carotte. Il se concentre dans la pelure des pommes de terre, qui en contient jusqu'à cent fois plus que la viande.

Au début du siècle, du fluorure de sodium fut utilisé pour la conservation des denrées alimentaires, puis cette pratique fut abandonnée à cause de la toxicité de cette substance.

En Suisse, l'apport alimentaire moyen de fluor est estimé à 0,5 milligramme par jour.

L'ingestion de magnésium accroît l'excrétion fécale du fluor. Chez le rat, un apport de fluor augmente la biosynthèse de la vitamine C. Cet élément exerce en outre une action sur l'hypophyse et une carence fluorée entraîne une baisse de la reproduction.

De 5 à 10 grammes de fluorure de sodium pris en une fois provoquent une intoxication aiguë mortelle, avec gastro-entérite hémorragique et néphrite toxique, mais de tels empoisonnements ont également été observés après l'absorption de 0,2 à 0,7 grammes seulement. Des doses moins fortes, mais encore très élevées, perturbent le métabolisme des hydrates de carbone en bloquant l'activité d'enzymes et provoquent une dégénérescence au niveau du myocarde et du foie.

On sait que la carie dentaire est une maladie dégénérative qui prend des proportions catastrophiques chez les peuples dits civilisés. On a observé que l'absorption d'une eau contenant une part de fluor pour un million, soit un milligramme par litre, rend chez les jeunes enfants la carie dentaire moins fréquente. A cinq ans, cette protection peut atteindre de 50 à 60 %, mais malheureusement, ce taux diminue avec l'âge; il n'est plus que de 20 à 50 % chez les enfants de huit à dix ans et il diminue encore à l'adolescence. D'après Ch. Leimgruber, en Amérique, le fluor ne fait que retarder l'apparition de la carie. Dix à quinze ans plus tard, les enfants traités en ont autant que les autres : on discute encore de l'utilité de l'administration systématique de fluor aux enfants.

Il importe que le fluor ne soit pas surdosé. Le premier signe de surdosage est l'apparition sur les dents de taches blanches opaques, comme de la porcelaine, qui surviennent lorsque l'apport quotidien atteint 2 milligrammes. Par la suite, ces taches pâlissent et il se forme à leur place des excavations et des gouttières.

La meilleure protection contre la carie (60 %) semble avoir été obtenue avec 1 milligramme de fluor par jour. Dans l'émail, il forme la fluoroapatite, plus résistante à l'action dissolvante des acides que l'hydroapatite qu'il remplace. L'émail normal contient 0,01 %, la dentine 0,02 % de fluor. Chez les enfants traités optimalement, cette teneur double et l'émail devient plus dur, mais aussi plus cassant.

Pour lutter contre la carie dentaire, le canton de Zürich a introduit sur le marché, en 1955, du sel contenant par kilo 200 milligrammes de fluorure de sodium (soit 90 milligrammes de fluor), cela en plus des 10 milligrammes d'iodure de potassium destinés à la prévention du goitre. Le canton de Vaud ajoute, depuis 1968, sous forme de fluorure de potassium, du fluor à la totalité du sel de cuisine fourni à la population, et cela à raison de 100 milligrammes de fluor par kilo de sel.

On obtient ainsi un enrichissement du pain en fluor : un kilo de pain contient normalement 20 grammes de sel, donc 2 milligrammes de fluor. On espère ainsi assurer un supplément alimentaire d'un milligramme de fluor par tête d'habitant.

A Bâle, une fluoration de l'eau est pratiquée avec des silicofluorures. Il semble que cette pratique n'influe guère sur la teneur des légumes en fluor : en effet, même un arrosage intensif n'apporte pas plus de 200 litres d'eau par mètre carré et par an ; en outre, il se produit un lessivage par la pluie.

L'émail dentaire possède également la propriété de s'enrichir en fluor à partir de la salive, malgré la très faible teneur de cette dernière en fluor, d'où l'emploi de pâtes dentifrices fluorées.

En ce qui concerne la carie dentaire, nous renvoyons le lecteur aux travaux de Weston Price, que nous avons mentionnés (voir p. 27), et dans lesquels il nous dit que le retour à l'alimentation saine et équilibrée arrêta la formation de nouvell . caries chez ses malades. Ces travaux ont été repris de nos jours en Allemagne par le dentiste Johann Georg Schnitzer, avec le même résultat. Ceux de mes patients qui ont adopté la nourriture que je préconise ont également pu faire constater par leurs dentistes une stabilisation de leur denture.

Il est permis de penser que, sous l'influence de notre alimentation moderne carencée riche en sucre raffiné, la composition de la salive se modifie. Un précipité calcaire — le tartre — se forme autour des dents, qui abrite les microbes destructeurs du tissu dentaire. Une salive normale est riche en lysozyme, substance qui attaque et détruit les microbes. Qu'en est-il de la salive de ceux qui se nourrissent mal ?

D'autres oligo-éléments, qui aujourd'hui nous semblent moins importants, seront traités dans le deuxième tome de cet ouvrage. Ce sont le chrome, le molybdène, l'aluminium, le lithium, le brome, le nickel, l'étain, l'argent, l'arsenic, le silicium, le vanadium.

13

La cellule

Lorsque nous mangeons, la particule fondamentale qu'il s'agit de nourrir est la cellule, unité de matière vivante. Notre organisme est formé d'un ensemble de quelque mille milliards de cellules par kilo de poids, qui vivent en interdépendance les unes des autres. Ces cellules naissent, respirent, se nourrissent, travaillent, se reproduisent et meurent. Elles sont, dans les tissus auxquels elles appartiennent, très différentes les unes des autres par leurs structures et leurs besoins. Ce sont ces besoins divers qui doivent être couverts par l'alimentation.

Mais si l'ensemble de notre organisme nous apparaît déjà comme une société cellulaire fort complexe dans ses structures et ses fonctions, la cellule représente à son tour un monde moléculaire mouvant et compliqué, organisé avec une étonnante précision. Elle peut aussi être considérée comme une société, un État, avec un pouvoir législatif, le noyau ; un pouvoir exécutif, les microsomes ou ribosomes ; une frontière, la membrane cellulaire, pourvue de douaniers, les prostaglandines. Et toutes, qu'elles appartiennent au monde végétal ou animal, sont faites sur un même modèle de base.

Toute cellule vivante est donc formée d'un noyau entouré d'un protoplasme, lui-même limité par une membrane.

Le noyau et le protoplasme

Le noyau est l'élément noble de la cellule, qui a le protoplasme à son service. Ces deux éléments sont indissociables : le noyau ne peut existser sans protoplasme et la vie du protoplasme est très brève sans noyau. Le noyau renferme, outre des protéines fermentaires, les filaments de chromatine, dans lesquels sont codées toutes les informations héréditaires, permettant la reproduction indéfinie d'une unité vivante donnée, et cela d'une façon immuable à notre échelle du temps. La particule de ce filament, porteuse d'une information unique, s'appelle gène. Leur nombre par cellule a été évalué à quelques milliers chez un colibacille, à dix milliards au moins chez l'homme.

Chaque gène préside à une synthèse précise, celle d'un ferment par exemple. Au départ, lors de la division d'un ovule fécondé, chaque cellule reçoit en héritage le code complet des informations nécessaires à la formation de n'importe quelle cellule adulte et cela tant que toutes les cellules sont semblables et indifférenciées.

Lors du développement embryonnaire, les cellules se spécialisent peu à peu afin d'assumer des fonctions différentes. Une partie des informations reçues au départ est bloquée par des substances appelées histones, et c'est ainsi que peuvent se développer des cellules dites différenciées, à formes et à fonctions diverses. Les filaments chromosomiques continuent cependant à reproduire au cours de leurs divisions, tant les segments utiles et fonctionnels, que ceux qui sont bloqués. Lorsque ces segments se débloquent — ce qui arrive dans les cancers — la cellule perd ses capacités fonctionnelles spécialisées et reprend ses propriétés embryonnaires de croissance rapide : elle redevient indifférenciée.

Dans un espace minuscule, de l'ordre du dix-millionième de millimètre cube, se trouvent ainsi mémorisées et codées toutes les informations nécessaires à l'accomplissement de notre destin, et cette mémoire a été comparée à celle d'un ensemble d'au moins 50 calculatrices électroniques modernes.

Chez tous les êtres vivants, les informations complètes sont reçues par l'œuf ou la graine, grâce à un code chimique formé de six éléments seulement. Selon l'ordre dans lequel quatre de ces éléments sont disposés, les informations qu'ils donnent diffèrent, et l'œuf donnera naissance à une plante, un ver, une anémone de mer ou un être humain.

Ces éléments sont accolés en longues chaînes formant de très grosses molécules filamenteuses appelées acides désoxyribonucléiques (ADN). Dans un noyau au repos, ces filaments nagent à l'état monomoléculaire. Lors de la division cellulaire, ils se condensent, s'accolent les uns aux autres et forment ce que l'on appelle les chromosomes, dont le nombre est fixe et caractéristique pour chaque espèce. C'est ainsi que toutes les cellules humaines normales contiennent 46 chromosomes.

Selon les conceptions actuelles, la molécule d'ADN aurait la forme d'une échelle de corde, enroulée en hélice. Les montants en sont constitués par la succession régulière et alternée de deux éléments seulement, un sucre à cinq atomes de carbone et de l'acide phosphorique, liés entre eux. Les barreaux de l'échelle, fixés aux molécules de sucre, sont formés de quatre corps basiques, toujours associés deux à deux (adénine-thymine ou guanine-cytosine), les deux premières des deux groupes étant des purines, les deux dernières des pyrimidines. L'ordre de succession des barreaux des deux types, le sens dans lequel ils sont placés les uns par rapport aux autres semble constituer le code d'information pour la construction des molécules protéiques du protoplasme.

On appelle triplet l'ensemble de trois échelons successifs sur l'échelle de l'acide nucléique. Chaque triplet de bases correspond à un acide aminé précis. Il y a soixante-quatre triplets possibles et pour soixante et un, nous connaissons actuellement l'acide aminé correspondant.

Lors de la division cellulaire, les montants des échelles porteuses de demi-barreaux s'écartent. Chacun d'eux s'adjoint ensuite les matériaux nécessaires pour reconstituer une spirale complète identique à celle dont ils dérivent. C'est le phénomène de la duplication.

Pour qu'un pouvoir législatif soit efficace, il faut qu'il puisse transmettre ses ordres à un pouvoir exécutif. Ce dernier siège dans des corpuscules protoplasmiques appelés microcosmes. Le protoplasme cellulaire contient des acides nucléiques de structure analogue à celui du noyau et qu'on désigne par les lettres ARN (acide ribonucléique). Ces acides nucléiques sont pour une part libres dans le protoplasme cellulaire (ARN messager) pour une part fixés aux microsomes.

On peut imaginer de la façon suivante l'interrelation ADN du noyau – ARN messager – ARN des microsomes. Ces trois filaments sont très analogues et portent le même code de triplets. Quand une protéine manque dans le protoplasme et doit être synthétisée, la place correspondante de l'ARN messager est avertie. Au contact du noyau, cette place se charge d'énergie, cę qui permet à l'ARN messager de capter dans le protoplasme les acides aminés indispensables à la synthèse, de les placer dans l'ordre voulu et de les transporter dans le moule microsomique où s'effectue, grâce à l'action de ferments correspondants, la combinaison des acides aminés en chaîne protéique.

Pour qu'une synthèse protéique soit possible, il faut que les divers acides aminés nécessaires à sa construction soient présentés silmultanément au mécanisme synthétisant. Les protéines nouvellement formées quittent ensuite le microsome, pour migrer dans le protoplasme cellulaire, où elles sont soumises à un constant brassage.

Le terme de protéine vient de Protée, dieu marin qui avait reçu de

Neptune, son père, le don de prophétie. Assailli de questions, il refusait souvent de parler et, pour échapper aux importuns, changeait de forme à volonté. Les molécules de protéine faites de longues chaînes d'atomes, dont les groupes sont unis par des valences très résistantes, ne sont ni inertes ni rigides. Comme Protée, elles sont capables de transformations morphologiques étonnantes : la chaîne peut s'étendre ou se plier. Les différents maillons dont elle est faite peuvent tourner les uns par rapport aux autres. Ces chaînes moléculaires si longues sont néanmoins capables de glisser les unes sur les autres aussi librement que les molécules d'un liquide. Une très grande proportion de ces protéines cellulaires sont des ferments.

L'activité du protoplasme est plus ou moins intense selon les tissus : chaque jour, 60 à 90 grammes des protéines d'un homme adulte se détruisent et doivent être remplacés. Les synthèses protoplasmiques se font à des vitesses différentes suivant les tissus. La demi-vie moyenne des protéines humaines est de quatre-vingts jours, c'est-à-dire qu'au bout de quatre-vingts jours, la moitié des protéines cellulaires a été détruite et resynthétisée. Pour les protéines hépatiques et plasmatiques, elle n'est que de dix jours, pour les protéines musculaires et osseuses, de cent cinquante-huit jours.

Deux autres organites très importants se trouvent dans le protoplasme de toute cellule. Ce sont les mitochondries et les lysosomes. Les premiers sont porteurs d'enzymes, responsables des processus d'oxydation et de phosphorylation, autrement dit de la respiration cellulaire et de la production d'énergie, indispensable à toute synthèse. Les seconds sont de petites vésicules limitées par une membrane, qui contiennent un système digestif en miniature. Lorsqu'une cellule n'est plus viable et fonctionne mal, son milieu s'acidifie, la membrane du lysosome se rompt, des ferments digestifs sont déversés dans le protoplasme et la cellule se liquéfie sous l'action de ces ferments. On a appelé ce phénomène autolyse et les lysosomes « organites de suicide ».

Le protoplasme est en outre traversé par un réseau de fines membranes (reticulum endoplasmique), tubules ou sacs aplatis dont quelques-uns aboutissent à la surface cellulaire, d'autres s'ouvrent au voisinage du noyau. Ces formations laissent entre elles des espaces dans lesquels se meut le cytoplasme.

Les mailles de ce réseau peuvent accueillir des quantités variables d'eau, se gonfler, se distendre. Ces membranes conditionnent et dirigent les mouvements impressionnants que subit la partie fluide du cytoplasme à l'intérieur de la cellule et qui ont pu être visualisés en micro-cinématographie. C'est sur ce réseau que se fixent les grains de ribonucléine formant les microsomes.

La membrane cellulaire

La partie superficielle de la cellule, appelée membrane plasmatique, est fonctionnellement très importante. Elle est douée de perméabilité sélective, grâce entre autres, à l'activité des prostaglandines, qui font office de douaniers. Cette membrane est mouvante. Certaines cellules, dont les échanges sont très intenses (intestins, tubes urinaires), plissent leur surface, afin d'en augmenter l'étendue, ou émettent des fils extrêmement fins et serrés, mesurant de 0,1 à 5 microns, qui donnent à la surface l'aspect d'une brosse. Dans l'intestin humain, ces filaments augmentent quatorze fois la surface absorbante de la muqueuse et portent sa dimension de 43 à 600 mètres carrés ! D'autres cellules sont revêtues de cils vibratiles, d'autres encore émettent des prolongements en forme de doigts (pseudopodes) ou semblables à des voiles, membranes ondulantes à mouvements lents.

La cellule, par les mouvements constants de sa membrane, effectue des prises dans le milieu ambiant : elle boit et mange. La surface cellulaire se plisse, s'invagine, crée de petits sacs dans lesquels pénètre du liquide extracellulaire. L'entrée d'un tel sac se ferme, son contenu devient intracellulaire et forme ce que l'on appelle une vacuole. La goutte de liquide que boit ainsi la cellule a un diamètre de 1 à 2,5 microns.

En microcinématographie, il a été possible d'observer comment une seule cellule conjonctive très active avait bu en une heure quatre-vingts gouttes, dont le volume total était le tiers du sien ! D'autres cellules n'effectuèrent que huit prises de liquide par heure. Cette activité est donc très variable. Les vacuoles, formées par les prélèvements de liquide à l'extérieur, sont entraînées par le brassage protoplasmique : on les voit diminuer de volume, puis disparaître par assimilation.

La cellule est également capable de manger, autrement dit d'absorber des particules solides. Celles-ci s'accolent à sa surface ; à cet endroit, comme c'est le cas pour le liquide, la membrane s'enfonce, le plissement se pince, se coupe de l'extérieur et la particule devient intracellulaire. Des éléments insolubles peuvent également passer à travers des pores que présente la membrane. Des émissions lamellaires, parties des cellules endothéliales revêtant l'intérieur de vaisseaux sanguins, peuvent entourer des corpuscules à détruire, tels que globules rouges usés ou microbes ; ces lamelles se rétractent, les attirant au sein de la cellule qui les digère. Ce phénomène est appelé phagocytose.

Entre les cellules d'un tissu, le contact n'est jamais total. Il existe des espaces intercellulaires, dans lesquels les cellules puisent leurs nutriments et déversent leurs déchets. Le contenu de ces espaces est suffisamment fluide pour leur permettre de se déplacer tout en gardant leur contact avec les voisines, et cela même dans les parenchymes denses. Certaines cellules sont très plissées, celles des revêtements épithéliaux, par exemple. Elles sont engrenées les unes dans les autres, engrenages qui se défont sous la poussée d'un élément migrateur pour se reformer derrière lui. C'est cette mobilité relative des cellules les unes par rapport aux autres qui confère à notre corps sa remarquable plasticité.

Deuxième partie

14

Des maladies dégénératives de l'homme

Le savant, qui a pu découvrir une vérité... doit s'efforcer de l'exprimer, non point dans un langage ésotérique, intelligible aux seuls initiés, mais dans un langage pour tous.

Georges DUHAMEL

Dégénérer signifie perdre des qualités propres à sa race.

On appelle maladies chroniques dégénératives, des affections dans lesquelles surviennent, sans cause apparente, au niveau d'organes ou de tissus, des lésions qui en perturbent le fonctionnement. Non soignées, elles sont dans la règle progressives. Elles peuvent n'apparaître que tard dans la vie ; elles peuvent être congénitales. Parmi ces dernières quelques-unes sont dues au mauvais fonctionnement ou à l'absence d'un ferment bien défini et peuvent entraîner par exemple l'intolérance à certains sucres, pour l'utilisation desquels le ferment manquant est indispensable.

Nous sommes aujourd'hui tous porteurs de maladies dégénératives, dont les conséquences sont parfois bénignes, fonctionnelles, faciles à corriger et relativement peu gênantes (caries dentaires, varices, eczéma, urticaire, etc.) ; d'autres sont importantes, graves, invalidantes ou mortelles. Souvent, dans ces maladies, des mécanismes immunologiques sont faussés : maladies allergiques ou d'hypersensibilité, maladies auto-immunes, dans lesquelles l'organisme réagit à quelques-uns de ses propres tissus comme s'ils lui étaient étrangers, et cherche à les détruire.

Tout médecin est appelé à traiter ces affections. Graves, elles sont souvent difficiles à influencer et ne relèvent, nous apprend-on, que de mesures palliatives, puisqu'on n'en connaît pas la cause ou que leur origine est congénitale, parfois même héréditaire. Avec le temps, l'effet parfois bienfaisant de ces mesures s'épuise et la maladie s'aggrave. La méthode palliative, en effet, ne vise qu'à atténuer les symptômes, mais ne s'adresse nullement à la source des troubles.

L'insuccès des médecins vient de ce qu'ils vivent dans un monde imaginaire. Ils voient dans leurs malades les maladies décrites dans les traités de médecine...

Alexis CARREL

Lorsque, cependant, on demande au malade chronique comment il s'alimente, on constate régulièrement que sa nourriture est déséquilibrée, pauvre en vitamines et autres catalyseurs, souvent trop riche en corps gras, dont certains ne sont que des calories vides (graisses dites végétales, margarines, huiles pressées à chaud, etc.). Elle est en général fortement carencée en vitamines E et F, biologiquement active. Par l'usage excessif de farines blanches, elle est appauvrie en vitamines naturelles du groupe B. Dans nos pays, par contre, l'apport de vitamine C est assuré par une consommation suffisante de fruits et de légumes frais.

Depuis que j'ai compris combien l'homme s'est écarté de la nourriture normale et saine, qui a été celle de ses ancêtres d'avant l'ère industrielle, et que j'ai ramené systématiquement mes malades aux mœurs alimentaires d'antan, j'ai constaté que, par cette mesure, pratiquement toutes les maladies chroniques s'améliorent.

J'en ai conclu que la cause « inconnue » des maladies dégénératives doit précisément être recherchée dans l'altération profonde, générale et hautement nocive de notre façon de nous nourrir, altération dont l'action sournoise ne se manifeste qu'à longue échéance. Le résultat obtenu par un retour à l'alimentation correcte est parfois rapide et spectaculaire, comme sont rapides et spectaculaires les effets bien connus de la vitamine C dans le scorbut, ceux de la vitamine B_1 dans le béribéri, etc.

Exemples vécus de guérison ou d'amélioration par la suppression des carences alimentaires

Dans tous les exemples qui vont suivre, j'ai indiqué la consommation des corps gras d'après les indications fournies par les malades, indications forcément imprécises quant à la quantité employée, exacte quand à la nature. Pour déterminer la ration du beurre, j'ai également tenu compte de celui contenu dans le lait, la crème, le fromage. A ces rations, il convient d'ajouter les corps gras inapparents présents et plus ou moins abondants dans les aliments naturels, tels que viandes et poissons, œufs, noix, et dans les aliments confectionnés, tels que pâtisserie, biscuits, pâte à gâteau, glaces, etc. Les chiffres que j'indique sont donc au-dessous de la réalité. Lorsqu'il s'est agi d'enfants, j'ai indiqué la ration des corps gras ingérés par les adultes mangeant à la même table, l'enfant en recevant sa part, variable selon l'âge.

Pour chaque cas décrit, j'ai indiqué le sexe par les lettres. M (masculin) et F (féminin) et entre parenthèses, l'année de naissance.

Hernie diaphragmatique congénitale

CAS 1. M. (1966)

Enfant vomisseur dès sa naissance. Dès l'âge de huit mois, quand il a commencé à ramper, les vomissements sont devenus plus fréquents, se produisant jusqu'à vingt fois par jour. A dix mois, une radiographie mit en évidence une importante hernie diaphragmatique par laquelle l'estomac remontait dans la cage thoracique. L'enfant fut considéré par les plus hautes instances médicales comme un infirme congénital, condamné à vomir à chaque effort ou simplement en se baissant. Il fut mis au bénéfice de l'assurance-invalidité. Un antivomitif, jugé indispensable, lui fut administré quatre fois par jour ; une opération plastique fut prévue dès qu'il aurait atteint l'âge adulte. Son régime alimentaire comprenait du lait, des fruits, des légumes, un peu de céréales cuites (millet et riz poli) ; il recevait très peu de beurre et d'huiles bon marché, donc raffinées. Cette nourriture était spécialement pauvre en vitamines E et F.

A l'âge de onze mois (1967), la crème Budwig (voir p. 40) est introduite dans son alimentation. Dès lors, les vomissements s'espacent et cessent un mois plus tard. L'antivomitif est supprimé.

L'enfant reste malingre et anémique jusqu'à l'âge de cinq ans, où il est soumis avec succès à un traitement hormonal parce que ses testicules n'étaient pas descendus. Cette médication améliore son état général. A sept ans, il est encore fluet, trop long, trop léger, mais il n'a plus jamais vomi !

Toute la famille a normalisé son alimentation en 1967. Trois ans plus tard, la mère se porte mieux et met au monde une fillette normale, incomparablement plus facile à élever que l'aîné, tant sur le plan physique que psychique.

Comment expliquer la suppression des vomissements un mois après l'introduction de la crème Budwig dans l'alimentation du bébé ? Une hernie hiatale ou diaphragmatique résulte du fait que l'orifice par lequel l'œsophage gagne la cavité abdominale est trop grand, ce qui permet à l'estomac de remonter dans la cage thoracique. Le cardia, sphincter qui, normalement, ferme le bas de l'œsophage, reste béant et les aliments déglutis remontent aisément dans l'œsophage, d'où ils sont expulsés au-dehors.

Notre nourriture habituelle est très pauvre en vitamine E. Or, la vitamine E est indispensable à une bonne fonction musculaire et à un tonus musculaire normal. Quand il y a carence E, les fibres musculaires s'affaiblissent, mincissent et se dissocient. Peut-être est-ce là en général une des causes de l'apparition des hernies chez les bébés. La crème Budwig apporte de multiples vitamines sous leur forme naturelle et active, dont la vitamine E, contenue dans les céréales complètes, fraîchement moulues et consommées crues, ainsi que dans les graines oléagineuses. Bien nourries, les fibres musculaires du diaphragme de mon petit malade ont repris du tonus et du volume, le trou par lequel passe l'œsophage s'est retréci et tous les symptômes de la hernie diaphragmatique ont disparu. Comme je n'ai pas employé une vitamine E synthétique et pure, mais tout un complexe naturel, d'autres éléments sont peut-être également intervenus dans ce résultat spectaculaire.

Pourquoi ne voit-on pas plus souvent des cas de ce genre, alors que le régime des bébés est souvent très pauvre en vitamine E ? Il faut, pour l'expliquer, admettre – et cette notion est aujourd'hui défendue par nombre de chercheurs – que la quantité de vitamines indispensables à la santé est variable d'une personne à l'autre, peut-être même d'un organe ou d'un tissu à un autre, et que ce besoin élevé est parfois déterminé génétiquement.

Il a cependant été, dans ce cas, aisément couvert par l'introduction d'un repas composé essentiellement d'un mélange d'aliments naturels et crus.

Sclérodermie

(Rigidité de la peau par accolement aux plans profonds)

CAS 2. M. (1915)

Dès l'âge de quarante ans, cet agriculteur est anormalement fatigable. Ses mains deviennent de plus en plus raides et douloureuses. La peau se colle aux plans profonds. En six à sept mois, la maladie s'étend au visage et au tronc. Les articulations se prennent, les hanches et les coudes se bloquent. Un traitement au venin de crapaud améliore les jointures, mais la maladie cutanée continue à évoluer.

Il est vu la première fois en octobre 1966, soit dans la dixième année de sa maladie. Cet agriculteur de cinquante et un ans est un grand invalide aux mains inemployables : la peau qui les recouvre est devenue ligneuse, les doigts ne peuvent plus être fléchis et refusent de tenir un outil. Leurs extrémités s'ulcèrent constamment, de même que l'ourlet des pavillons auriculaires. Le froid lui occasionne des douleurs insupportables. A la nuque, les téguments sont si adhérents aux plans profonds, que le malade ne peut tourner la tête, celle-ci faisant corps avec le tronc. Autour de la bouche se sont formés des plis très marqués, caractéristiques de la maladie. Toute mimique est supprimée. Il a, dès sa jeunesse, eu de mauvaises dents qui sont aujourd'hui très déchaussées. Sa langue est chargée, brune, témoignant d'une mauvaise digestion.

Cet homme a une alimentation « moderne », pauvre en crudités et ne contenant aucune céréale complète. Il consomme environ 130 grammes de graisses par jour (100 grammes de beurre, 20 grammes d'huile de colza raffinée, 10 grammes de saindoux). Il a fumé vingt cigarettes par jour dès l'adolescence et jusqu'à l'âge de cinquante ans. Je n'avais pas encore eu l'occasion de traiter cette maladie et étais curieuse de voir l'effet sur elle de la normalisation de l'alimentation. Je me suis donc contentée d'abord de prendre ces mesures : suppression de toutes les graisses autres que les huiles crues, riches en vitamines F ; remplacement des céréales raffinées par des céréales complètes ; introduction de la crème Budwig au petit déjeuner.

Dix semaines plus tard, la peau s'assouplit : le malade peut tourner la tête, la peau des pommettes se décolle, les pavillons des oreilles ne sont plus ulcérés. Aux doigts, les plaies, qui existaient depuis dix ans, se sont fermées. La langue est devenue propre, les gencives sont moins enflammées. Dès ce moment, le malade reçoit un complément de vitamines A, E et C pharmaceutiques. Dès lors, et d'année en année, le mieux s'accentue. En 1973, soit sept ans après le changement de nourriture la fatigabilité anormale a disparu. Les doigts ne se sont plus ulcérés ; la peau qui les recouvre reste dure, mais le patient peut fermer le poing et manier normalement les outils de campagne. Il ne souffre plus du froid et travaille à cent pour cent. Il est très fier d'avoir pu tailler à lui seul sept poses de vigne — une pose représente 4 600 mètres carrés soit environ un demi-hectare — alors qu'en 1969, il était incapable de tenir un sécateur !

En novembre 1973, il part en croisière pour dix jours et abandonne pendant ce temps la nourriture saine : une raideur gênante réapparaît presque immédiatement aux lèvres, qui s'efface dès la reprise de l'alimentation normale. Après ce voyage, son taux de bilirubine était monté à 1,65 milligramme (normal = 0,6), son acide urique à 7,7 milligrammes par 100 millilitres (taux normal = 4).

En 1979, il a soixante-quatre ans. Il se porte bien et estime que son rendement est comparable à celui d'un jeune homme.

Ainsi, un homme atteint de sclérodermie voit sa maladie s'aggraver pendant dix ans et le rendre invalide. Après la normalisation de l'alimentation, les lésions régressent suffisamment pour lui restituer toute sa capacité de travail ! Cette stabilisation est durable. Temps d'observation : 13 ans.

J'ai eu l'occasion, au cours des années, de traiter trois autres cas de sclérodermie de la même façon et avec le même résultat. Ils seront décrits dans le 2e tome.

Cors

La formation de cors aux pieds, parfois si douloureux et si gênants, semble être également une conséquence de carences alimentaires et corrigible par leur suppression, comme dans le cas précédent.

CAS 3. F. (1934)

A trente-deux ans, cette femme est constipée, fatigable, ses seins sont douloureux avant les règles. Elle perd ses cheveux. Sa peau est très sèche aux membres et desquame de façon anormale. Sous la plante des deux pieds, au niveau de la tête des métatarsiens, existent de très volumineuses et douloureuses plaques cornées nécessitant depuis des années, pour que la marche soit possible, une séance mensuelle chez la pédicure.

Elle se nourrit de café complet deux fois par jour. A midi, un repas mixte. Corps gras : beurre 49 grammes, huile d'olive raffinée 16 grammes soit un total de 65 grammes par jour. Son régime est extrêmement pauvre en vitamines E, F et B.

L'alimentation est corrigée. Trois mois plus tard, les plaques cornées s'assouplissent. Après un an d'alimentation saine, elles disparaissent. La peau n'est plus anormalement sèche. La constipation et la fatigabilité n'existent plus. Elle a pu désormais économiser les mille francs suisses par an qu'elle dépensait chez sa pédicure, car elle n'a plus eu besoin de recourir à ses services. Par ailleurs, depuis la normalisation de l'alimentation familiale, les trois enfants n'ont plus d'infections grippales et ne manquent plus l'école.

CAS 4. F. (1936)

Chez une autre femme, une douzaine de cors très douloureux existaient sur les orteils dès l'âge de vingt ans et jusqu'à trente et un ans. Ils disparaissent à trente-deux ans, après un an d'alimentation correcte et ne se reforment plus en huit ans d'observation.

Chez moi, pendant une vingtaine d'années, des cors douloureux se formaient sur le cinquième orteil des deux pieds par frottement du soulier et devaient être coupés toutes les trois semaines. Quelque temps après la normalisation de l'alimentation, les souliers ont continué à frotter, mais les cors ne se reformèrent plus.

(Voir également cas 68, p. 263.)

Acné

Cette maladie commune de la peau, qui dépare si souvent le visage des jeunes, est due à un rétrécissement de la sortie des glandes sébacées par kératinisation anormale. La sécrétion de ces glandes s'épaissit et n'arrive pas à s'écouler. Il se forme ce qu'on appelle des comédons, qui fixent la poussière et s'infectent. De petits abcès apparaissent, qui guérissent en laissant une cicatrice. L'acné s'améliore et s'efface lentement par la normalisation de l'alimentation et son enrichissement en acides gras polyinsaturés.

En voici un cas particulièrement grave.

CAS 5. F. (1935)

Dès seize ans, un acné apparaît sur son visage, qui s'exaspère au moment des règles. En quatorze ans, le nombre des petits abcès a été tel, que les joues, le menton, le front sont entièrement couverts de petites cicatrices, enlevant à cette peau de jeune femme son aspect normal lisse et velouté. Les pores sont noirs ; une quinzaine de boutons sont en pleine évolution.

La malade souffre en outre, dès l'âge de dix-sept ans de troubles digestifs perpétuels, de ballonnements très gênants, de constipation ; elle est constamment fatiguée. Ses seins sont grossièrement granuleux, trop fermes. La peau des jambes est sèche et desquame. Les incisives supérieures se déchaussent.

Son régime alimentaire est lacto-végétarien, avec des céréales raffinées et vieilles. Les corps gras ? 45 grammes de beurre et 35 grammes d'huile de tournesol raffinée par jour. Une nourriture qui est donc très pauvre en vitamines E, F et B.

Seule la nourriture est corrigée. Un an plus tard, la sécheresse anormale de la peau a disparu, ainsi que la fatigabilité. Les seins sont devenus beaucoup plus souples. La peau du visage a perdu son aspect ravagé. Quelques boutons apparaissent encore de temps en temps. La malade, satisfaite, me dit avoir fait en un an plus de progrès qu'en quatorze ans auparavant.

Myasthénie grave
(Faiblesse musculaire)

CAS 6. M. (1899)

Cet homme robuste a été très actif jusqu'en 1968. Cette année-là – il a soixante-neuf ans – apparaît une faiblesse progressive, d'abord aux muscles de la face, de la bouche, de la déglutition, puis des membres. Les paupières tombent, il ne peut plus tirer la langue, ne peut plus pousser la voix. En 1970, il est hospitalisé. Diagnostic : myasthénie grave à pronostic sévère.

Cette maladie est due à la transmission défectueuse de la commande nerveuse aux muscles. Pour que cette transmission puisse avoir lieu, il est nécessaire qu'une substance – l'acétylcholine – se forme à l'extrémité du nerf. Normalement, elle est vite formée et rapidement dégradée, lorsqu'elle a rempli son rôle. Dans la myasthénie grave, il y a insuffisance d'acétylcholine. On peut y pallier en inhibant le ferment (cholinestérase) qui la détruit, par un corps appelé prostigmine, mais l'action de ce médicament est fugace. Après chaque prise, le courant nerveux passe et les muscles fonctionnent pendant quelques heures. Ainsi fut traité ce malade, entrepreneur de son métier. Il était obligé de prendre la drogue une demi-heure avant chaque repas pour pouvoir manger, en reprendre pour pouvoir soutenir une conversation, etc. Le médecin lui en avait prescrit 75 milligrammes par jour (en cinq fois), mais il dut augmenter cette dose à 120 milligrammes pour que sa vie soit supportable. Ce médicament étant toxique, une telle dose lui occasionnait des douleurs gastriques et des maux de tête.

Je le vois la première fois à la fin de janvier 1971. Il a soixante-douze ans. Il se sent très faible et a arrêté tout travail. Son pouls est trop rapide et il transpire à chaque effort. Atteint de bronchite, il n'a pas la force de tousser, ni d'expectorer, par faiblesse musculaire. Son élocution est indistincte. Il relève sa paupière gauche avec la main pour que l'œil ne se referme pas. Il ne peut marcher plus d'un quart d'heure. Apparemment, son organisme élabore de moins en moins d'acétylcholine et la prostigmine ne lui procure plus qu'une heure à une heure et demie de répit. Sa peau est très sèche, papyracée aux pieds. Il a perdu 5 kilos et n'en pèse plus que 60 pour une taille de 1,76 mètre.

Son alimentation est du type moderne, sans céréales complètes ; elle contient 52 grammes de graisses par jour (36 grammes de beurre et 16 grammes d'huile d'olive raffinée). Elle est très pauvre en vitamines B, E, F.

Le 7 février, soit neuf jours après la première consultation, il est hospitalisé d'urgence pour une broncho-pneumonie avec haute fièvre. Il est maintenu en vie grâce à des antibiotiques et des gouttes-à-gouttes nutritifs, additionnés de prostigmine de façon continue. Après onze jours, il rentre chez lui, très faible : il a encore perdu 7 kilos. Il s'alimente dès lors selon les principes qui lui ont été enseignés. Il reçoit en outre des vitamines A, B complexe, C, E, F et B_{12} (5 000 gammas par mois).

Très rapidement, les forces reviennent. Autrement dit, la production d'acétylcholine augmente : un mois après sa sortie de l'hôpital, il a récupéré 3 kilos et a trouvé l'énergie nécessaire pour planter dans son jardin une vingtaine d'arbres fruitiers ! Son fer sérique étant tombé, après l'infection, au quart de la normale, du saccharate de fer lui est injecté deux fois par semaine par voie intraveineuse.

Il poursuit son traitement palliatif, économisateur d'acétylcholine. L'effet de chaque dose s'allonge. Déjà, après un mois d'alimentation saine, il persiste cinq à six heures au lieu d'une à deux. Le malade peut donc en prendre beaucoup moins et ne souffre plus de l'action toxique du médicament. La peau des pieds n'est plus papyracée, mais presque normale. Les insomnies, la tachycardie, les troubles digestifs ont disparu. Plus royaliste que le roi, il fait avec plaisir trois repas de céréales crues (!) par jour. Après deux mois et demi, son poids a augmenté de 7 kilos. Un an plus tard, il atteint 67,5 kilos. Afin de redresser la situation économique de son entreprise, qui s'était dégradée pendant sa maladie, il travaille à plus de cent pour cent. En 1977, il a soixante-dix-huit ans et continue à bien se porter. Il a diminué la dose des palliatifs à une demi-dose le matin et une dose le soir (au lieu de huit par jour). En 1978, il supprime toute médication. Sa myasthénie est guérie. Chose très exceptionnelle, le médecin, qui l'avait soigné lors de son hospitalisation et le croyait perdu à brève échéance, me téléphone pour me remercier d'avoir été si éminemment utile à son malade.

Je n'ai eu l'occasion d'observer qu'un seul cas de myasthénie grave, mais Adelle Davis (voir bibliographie) en a soigné un certain nombre. Cette femme est Américaine. Elle n'est pas médecin, mais a fait des études universitaires de sciences, puis a obtenu un doctorat en biologie. Dans la suite, elle s'est intéressée aux problèmes de la nutrition. Elle est devenue ainsi une des rarissimes diététiciennes à excellente formation universitaire.

Elle a collaboré avec des médecins dans divers hôpitaux et a équilibré des régimes alimentaires, comme je le fais pour mes malades.

Dans son livre *Let 's get well*, elle nous fait part de ses expériences. Au sujet de la myasthénie, elle dit que la fréquence de cette maladie augmente rapidement dans son pays. La production d'acétylcholine par l'organisme nécessite la présence de toute une gamme de substances (manganèse, vitamine B_1, acide pantothénique, vitamine E, vitamine B_{12}, etc.) dont l'alimentation moderne est appauvrie, sans parler de la choline, dont l'apport quotidien en Amérique est inférieur au cinquième de la quantité requise pour le maintien de la santé. Chez les myasthéniques, dont elle a corrigé le régime, elle a observé, comme moi, un rapide et étonnant rétablissement, dû apparemment à une production accrue d'acétylcholine. (Elle cite à ce sujet également les observations faites par E. M. Josephson, *The Thymus, Manganese and Myasthenia Gravis*, Chedney Press, New York, 1961).

Stérilité

Une des propriétés essentielles des êtres vivants est de pouvoir se reproduire afin d'assurer la pérennité de leur espèce. Par l'acte de reproduction est transmis au descendant le code génétique, qui lui permet de se construire pareil à ses parents. Ce processus est complexe et suppose l'intégrité des voies et des organes génitaux, de l'ovule et du spermatozoïde.

J'ai eu affaire à une dizaine de couples, qui sont venus me consulter pour stérilité. Ils avaient auparavant été vus par des spécialistes qui, ne leur ayant rien trouvé d'anormal, ne les ont pas aidés. Ils étaient âgés de vingt-six à trente-six ans.

CAS 7. F. (1939)

Mariée à vingt-cinq ans, cette femme se présente après quatre ans de mariage stérile. Elle souffre de rhume des foins, de migraines. Ses ongles sont mous et cassants; ses seins bourrés de nodules douloureux au moment des règles.

Son alimentation : le matin, pain, beurre, confiture, ovomaltine. A dix heures, fruits. A midi, viande, légumes, salade, pâtes ou riz poli. Le soir, café au lait, œufs, salades et fruits. Corps gras par jour, 47 grammes de beurre et 14 grammes d'huile d'arachide raffinée. Donc carence en vitamines F et E, dites de fécondité, en complexe B et en oligo-éléments contenus dans les céréales naturelles.

La correction du régime commence le 28 novembre 1968 (céréales complètes, oléagineux, huiles de tournesol et de lin pressées à froid). Elle est réglée le 14 décembre 1968, puis survient la conception. Le 8 septembre 1969, a lieu la naissance d'un garçon, que la mère allaite complètement pendant trois mois.

CAS 7 bis. F. (1941)

Ce cas est calqué sur le précédent.

Mariée à vingt-deux ans, une femme n'a pas d'enfants à vingt-six ans. Elle souffre de maux de tête. Ses ongles sont mous, son teint terne, sa langue chargée. Elle doit se faire faire une prothèse dentaire dès l'âge de vingt-deux ans.

La correction de l'alimentation commence en juin 1967. Conception six semaines plus tard. Naissance d'un bébé normal le 24 avril 1968.

CAS 8. F. (1930)

Cette femme et son mari ont respectivement quatorze et sept frères et sœurs. Mariée à vingt-deux ans, elle met au monde à vingt-sept ans un fils « sur commande ». Elle aimerait un deuxième enfant, mais aucune conception ne survient en neuf ans. Elle consomme 80 grammes de beurre et 33 grammes d'huiles raffinées par jour. Son poids est de 86 kilos pour une taille de 1,78 mètre. Elle vient pour la première fois à trente-six ans, le 12 septembre 1966. Son alimentation est corrigée par la suppression du beurre et l'introduction d'huiles pressées à froid et riches en vitamine F. Vitamines A et E pharmaceutiques (respectivement 60 000 unités internationales et 140 milligrammes par jour). La conception a lieu dès la première ovulation qui suit la correction de l'alimentation. Le 27 juin 1967, a lieu la naissance d'une fille, après une grossesse et un accouchement beaucoup plus faciles que pour le premier enfant. Dix ans plus tard, cette enfant, nourrie correctement dès avant sa naissance, est resplendissante de santé. A l'école, elle est la meilleure de sa classe. Sa maîtresse a été frappée par le fait que son pouvoir de concentration ne faiblit pas à la fin des cinquante minutes que dure une leçon, alors que la plupart de ses autres élèves n'arrivent pas à se concentrer plus de quinze à vingt minutes.

Deux cousines ne pouvant avoir d'enfants suivent mon enseignement à l'Université populaire, au cours duquel j'explique les rapports existant entre la façon de se nourrir et la fécondité. Toutes deux normalisent leur régime alimentaire, deviennent enceintes, mettent au monde des bébés normaux et viennent m'en remercier lors du cours de l'année suivante. Une troisième auditrice fut moins heureuse. Voici son histoire.

Autres cas : CAS 9. F. (1942)

Elle se marie à vingt et un ans et met au monde un enfant « sur commande ». Elle en aimerait un deuxième et s'y applique pendant trois ans sans succès. Après avoir suivi le cours, elle introduit des céréales complètes et la crème Budwig dans son régime, mais continue à consommer 58 grammes de beurre par jour en plus des 20 grammes d'huiles crues riches en vitamine F. Sa langue est chargée. Le taux de bilirubine dans le sang est double de la normale. La peau des jambes est trop sèche.

Elle vient le 20 octobre 1971, à vingt-neuf ans. Le beurre est supprimé. Une conception survient dix mois plus tard.

Une ration de beurre surabondante avait dévié la vitamine F de ses fonctions réparatrices et n'avait pas permis la conception. (Voir p. 211.)

CAS 10. F. (1939)

Mariée à vingt-quatre ans, cette femme n'a, pendant trois ans et demi, pas voulu d'enfants. Depuis trois ans et demi, elle aimerait en avoir, mais n'y arrive pas. Les règles sont irrégulières. Elle détermine le moment de l'ovulation en mesurant sa température et a des rapports fréquents à ce moment-là, mais sans résultat.

Elle a souffert toute sa vie de constipation. Ses dents sont déchaussées, ses seins grossièrement grenus, ses ongles mous, la peau est parsemée d'innombrables éléments d'acné. Elle est trop sèche aux jambes. Son alimentation est de type moderne avec 38 grammes de beurre et 16 grammes d'huile de tournesol bon marché par jour. Les dernières règles ont eu lieu le 15 mai 1970, l'ovulation le 7 juin. Elle a des rapports sexuels les 5 et 7 juin. L'alimentation est normalisée le 10 juin, soit trois jours après l'ovulation et le rapport fécondant. Le 13 juillet, le test de grossesse est positif ! Un enfant naît le 28 février 1971.

Apparemment, la normalisation de l'alimentation a permis la nidation de l'œuf fécondé, alors qu'auparavant, cette nidation ne se faisait pas, par carence en vitamines de fécondité E et F. Après le changement de régime, elle se sent « merveilleusement bien ».

Dans ce dernier cas, des conditions quasiment expérimentales ont été réalisées et il est possible que ce soit en général au niveau de la muqueuse utérine, en continuel remaniement rythmé par les ovulations, que la suppression des carences alimentaires amène une réparation aussi rapide, rendant possible le développement de l'œuf fécondé.

Stérilité et rhumatisme polyarticulaire

CAS 11. F. (1933)

Cette femme a fait par deux fois une jaunisse, à treize et vingt-quatre ans. A vingt-deux ans, un rhumatisme polyarticulaire aigu grave, qui a débuté par une infection grippale banale, a évolué avec fièvre élevée. « Toutes les articulations étaient bloquées. » Soignée par de la pénicilline et de la cortisone, elle n'a pu recommencer à marcher qu'après six mois. Le rhumatisme est dès lors devenu chronique. Les articulations se bloquent périodiquement et sont constamment douloureuses. Elle a subi des cures de sels d'or et de cuivre et prend régulièrement de l'aspirine.

Mariée à vingt-quatre ans, elle fait une première fausse couche de six mois, à vingt-huit ans, une deuxième fausse couche de deux mois, à trente et un ans. A trente-deux ans, après huit ans de mariage, elle n'a pas d'enfant. Elle résiste mal aux infections banales. Ses doigts sont enflés et raides. Les muqueuses sont irritables, les gencives malades. Elle se nourrit selon les mœurs actuelles. Son alimentation est pauvre en vitamines B, E, F : elle consomme par jour 75 grammes de beurre et 65 grammes d'huiles pressées à chaud et raffinées (colza et tournesol).

Le 28 avril 1965, commence la normalisation de l'alimentation et une vitaminothérapie. En juillet, soit trois mois plus tard, c'est le début d'une grossesse. Une fille naît le 12 avril 1966, qu'elle nourrit entièrement au sein. En novembre 1966, elle se porte « admirablement bien » et ne souffre plus de rhumatismes. Le 4 décembre 1968, elle met au monde un deuxième enfant.

Il est bien entendu que tous les cas de stérilité fonctionnelle ne réagissent pas aussi favorablement à la normalisation du régime alimentaire. Plus l'âge de la femme approche de la quarantaine, moins bonnes sont les chances de succès. Les exemples décrits prouvent cependant, premièrement, que les facteurs alimentaires interviennent de façon déterminante dans certaines stérilités, deuxièmement, que cet état est parfois aisément réversible. Les succès si étonnamment rapides, que j'ai obtenus font toucher du doigt la réalité des carences que nous subissons.

Il me semble fort inquiétant de constater que l'inconduite alimentaire actuelle peut supprimer la faculté de reproduction. Quand des carences nutritionnelles sont suffisantes pour empêcher la formation d'un enfant, cela ne tire guère à conséquence, socialement parlant, tant que le phénomène reste rare. Mais si, lors d'une carence moins importante, il se forme un enfant déficient ou malformé, cela représente une lourde charge sur le plan social. Or, on nous dit que le pourcentage des déficients et malformés congénitaux ne cesse d'augmenter. Ne serait-ce pas la tâche des gouvernements d'instruire les procréateurs des risques qu'ils courent, et de préserver ainsi toute la population de l'écrasement progressif qu'elle subit par des charges sociales toujours croissantes ?

Je n'ai été que rarement consultée pour des problèmes gynécologiques. Il me semble cependant utile de rapporter ici un cas d'aménorrhée.

Aménorrhée
(absence de règles)

CAS 12. F. (1949)

Cette étudiante a une maladie dégénérative de la colonne vertébrale dès l'âge de treize ans (Scheuermann). Elle est très constipée dès l'adolescence (deux selles par semaine). A quinze et vingt-deux ans, ulcères gastriques. Les règles sont normales de treize à dix-neuf ans, puis disparaissent. Elle se marie à vingt-deux ans. L'examen gynécologique ne révèle rien de pathologique. Des pertes de sang vaginales sont artificiellement provoquées soit par des injections d'hormones, soit par des pilules contraceptives. Dès 1974, elle arrête les traitements hormonaux et n'a plus de règles.

Son alimentation : le matin, un fruit ou rien. A midi, elle mange au restaurant universitaire. A 16 heures, fruit ou thé. Le soir, viande, œuf ou fromage avec salade. Corps gras : 50 grammes d'huile raffinée, 25 grammes de margarine par jour auxquels il faut ajouter l'apport du restaurant.

Elle est vue la première fois le 18 avril 1975. Elle pèse 59 kilos pour une taille de 1,69 mètre. Son teint est gris jaunâtre, ses dents très carriées, ses seins grossièrement granuleux (mastopathie), sa matrice un peu trop petite. Elle se sent chroniquement fatiguée. Le taux du fer sérique est de 41 gammas par 100 millilitres (taux normal = 120 gammas avant les règles). L'alimentation est corrigée. Apport de fer. Deux mois plus tard, elle se sent beaucoup mieux. Le 12 mai 1976, le poids a augmenté de 3,5 kilos. Le teint s'est normalisé. L'hyposidérémie, quoique améliorée, persiste encore (71 gammas par 100 millilitres).

Dès fin 1976, un an et demi après la normalisation de l'alimentation, les règles reviennent spontanément, après un arrêt de huit ans.

Fin janvier 1978, je reçois une lettre de cette jeune femme. « Je tiens à vous remercier profondément », me dit-elle. « J'ai bien suivi vos conseils et exactement deux ans après mon passage à votre cabinet, j'étais enceinte. J'ai eu une grossesse formidable. Quant à l'accouchement il n'a duré que trois heures. Ma fille est née le 3 janvier et je puis l'allaiter sans difficulté. »

Il est habituel qu'un délai de deux ans soit nécessaire pour qu'un organisme, recevant enfin une nourriture équilibrée, récupère des fonctions normales. Cela s'est vérifié dans ce cas, comme dans beaucoup d'autres et j'ai pris l'habitude d'en informer mes malades à l'avance.

Dans les pays industrialisés, les traitements que subissent les denrées alimentaires les appauvrissent en fer et l'on signale qu'une déficience en fer, difficile à corriger, devient de plus en plus fréquente (voir p. 133).

Comme il est d'usage de considérer comme normal ce que l'on trouve chez la plupart des individus, en bonne santé apparente, nous allons incessamment assister à un abaissement des normes pour le fer, comme nous avons déjà assisté à une élévation des normes pour le cholestérol. Ainsi, il deviendra de plus en plus normal d'être déficient et malade !

... Nos valeurs « normales » habituelles ne correspondent en aucune façon aux limites optimales.

Professeur Werner ZABEL.

Mastopathie (maladie des seins)

Chacun sait que les glandes mammaires ont dégénéré chez les femmes des pays industrialisés. Rares en effet sont aujourd'hui les jeunes mères capables d'allaiter normalement leurs enfants, et cela ne va pas sans porter préjudice aux bébés. Le lait maternel est en effet capable de transmettre de la mère à l'enfant certains anticorps (globulines) que le nouveau-né peut résorber tels quels sans les digérer. Comme il est bu cru, il contient ces protéines favorables à l'enfant et qui perdent leur activité par la cuisson. On nous dit que les individus élevés d'emblée au lait de vache développent par la suite plus facilement et plus tôt de l'artériosclérose. Le lait de femme est, bien entendu, beaucoup mieux adapté aux besoins de l'enfant que le lait de vache. La composition du beurre de vache diffère de celle du beurre de femme. Contrairement à ce dernier, le beurre de vache est très pauvre en vitamine F, aux multiples et si importantes fonctions vitales (voir p. 99). Il perméabilise la muqueuse intestinale, ce qui peut faire apparaître chez le bébé de l'eczéma, appelé croûte de lait.

Si l'on examine systématiquement les seins, on constate à la palpation que, chez une grande proportion de jeunes femmes, ils sont grossièrement et irrégulièrement granuleux et qu'ils présentent des nodosités de la dimension d'un grain de riz, d'un pois, d'une lentille, d'une noisette, d'une noix. On parle alors de mastopathie fibrokystique ou de fibroadénomes du sein. Parfois, ces nodules s'engorgent et deviennent douloureux aux règles.

Si l'un ou l'autre grossit, il est conseillé aux femmes de se soumettre à un examen médical, afin de déterminer si cette grosseur est de nature bénigne ou maligne. Cet examen n'a de valeur qu'au moment où il est pratiqué et ne présume en rien de l'avenir.

Le tissu mammaire a des propriétés fort particulières et ce sont les vétérinaires qui nous l'enseignent. Il est spécialement apte à produire des anticorps. C'est ainsi que, lorsqu'on introduit dans la gueule d'un veau une espèce microbienne inconnue de sa mère et qu'on laisse ce veau têter à la mamelle, on constate peu de temps après, l'apparition dans le lait de cette vache, d'un anticorps produit par le tissu mammaire, dirigé contre le microbe introduit chez le veau. Il n'y a aucune raison de penser que la glande mammaire humaine n'ait pas des propriétés analogues. Mon expérience m'a montré que la formation des nodosités mammaires correspond à une réaction de défense. Nous savons (voir p. 78) que, même dans des conditions normales, tant chez les animaux domestiques que chez l'homme, des microbes peuvent migrer au cours de la digestion à travers la paroi intestinale. Quand l'alimentation est déséquilibrée, la muqueuse de l'intestin devient trop perméable, les microbes qui le peuplent, anormalement agressifs. Le foie et les ganglions lymphatiques, dont c'est la fonction, ne suffisent plus à arrêter l'afflux microbien et toxique. L'organisme mobilise d'autres moyens de défense, dont précisément la formation de nodules mammaires.

Il n'est pas très difficile de les faire disparaître. Il suffit pour cela de supprimer la raison de leur existence, de débrayer le mécanisme de leur formation. Je l'ai pratiqué bien souvent avec succès et, chez les malades disciplinés, sans récidive. Pour y réussir, il faut, comme pour toute maladie dégénérative, normaliser l'alimentation, ce qui, en deux mois, rend la muqueuse moins poreuse, la flore intestinale moins agressive. Si la croissance des nodules est rapide et que le temps presse (ce qui arrive lorsque le chirurgien brandit son bistouri), on peut commencer par un grand nettoyage intestinal, comprenant des lavements, la prise de désinfectants et de charbon et quelques jours de jeûne. La croissance des nodules s'arrête; mais, sans normalisation de l'alimentation, le succès est éphémère. L'ablation chirurgicale de l'une de ces nodosités ne supprime pas la raison de leur formation et elle est, de ce fait, fréquemment suivie de rechute, cette dernière pouvant être d'abord bénigne, puis maligne (voir cas 59).

Voici un cas de mastopathie particulièrement frappant.

CAS 13. F. (1928)

Une jeune femme de trente-sept ans porte dans les deux seins un conglomérat de nodules dont le volume est compris entre celui d'une noisette et celui d'une noix, l'ensemble mesurant 8 centimètres sur 7,5 à gauche et 6 centimètres sur 6,5 à droite. Les médecins qui l'ont vue ont conclu, après examens, qu'il ne s'agissait pas encore de cancer, mais que la situation était si alarmante qu'il valait mieux enlever les deux glandes mammaires ! La jeune femme, n'en ayant pas le courage, est venue me voir en juin 1965. Il s'agissait d'une personne, qui, à cause de la profession de son mari, devait tous les trois à cinq ans changer de pays et participer à de nombreuses réceptions et banquets. Au moment de notre histoire, elle vivait en Afrique équatoriale et se nourrissait essentiellement de conserves en provenance des U.S.A., où elle avait résidé précédemment. Je lui explique la relation qui existe entre la nourriture déséquilibrée, les troubles digestifs et les nodosités mammaires et pour quelles raisons il est malsain de ne manger pratiquement que des conserves. En congé en Suisse, elle corrige son régime alimentaire. Deux mois plus tard, nous constatons toutes deux que les nodules ont régressé en nombre et en volume. Convaincue, elle se fait dès lors envoyer sa nourriture en Afrique par un magasin de produits diététiques et constate que ses seins continuent à se normaliser. En outre, elle supporte beaucoup mieux la chaleur tropicale. Deux ans plus tard, ses seins sont normaux et ils le sont restés. Une mammographie pratiquée en 1976 le confirme. Temps d'observation : douze années.

La réaction mammaire à l'afflux toxi-infectieux d'origine intestinale peut prendre une forme différente. En voici un exemple :

CAS 14. F. (1945)

Une jeune fille exubérante de dix-sept ans, sortant beaucoup et dormant peu (bals, cocktails, etc.), voit soudain ses deux seins gonfler, devenir douloureux et durs comme pierre. Une cure de pénicilline reste sans effet. Afin de neutraliser l'afflux, supposé exagéré, d'hormones ovariennes (œstrogènes) on se propose de lui injecter des hormones mâles.

Cependant, un lavement quotidien et un jeûne partiel à base de pommes crues normalisent la situation en trois jours ! Pourquoi ? L'adolescente avait dépassé, par ses excès, la limite de sa tolérance. Son foie n'avait pu exercer suffisamment, ni son rôle de filtre microbien et toxinique, ni celui d'inactivateur des œstrogènes en excès. L'attaque microbienne et toxique ayant été écartée par les lavements répétés et le jeûne, le foie soulagé a pu reprendre ses fonctions et tout est rentré dans l'ordre. Dans la suite, l'alimentation fut normalisée, afin que de telles aventures ne se reproduisent plus.

L'allaitement

Je viens de dire que, de nos jours, bon nombre de jeunes mères n'arrivent pas à allaiter leurs enfants. Voici à ce sujet une observation très instructive.

CAS 15. F. (1937) : Lactation.

Une jeune femme de vingt-sept ans est vue par moi dans le cinquième mois de sa grossesse. Depuis plus d'un an, elle souffre de maux de tête. Très constipée, elle prend tous les jours de l'huile de paraffine. (Cette dernière, dont 60 % est absorbé et rééliminé par l'intestin, dissout les vitamines liposolubles dans le plasma et le tube digestif, et en les drainant, entraîne leur perte.) Quand je la vois, sa langue est chargée, son haleine fétide, son urine infectée, sa thyroïde augmentée de volume.

Sa nourriture est « celle de tout le monde » : viande deux fois par jour, 30 grammes de beurre, 8 grammes d'huile d'arachide, 16 grammes de graisses dites végétales, soit quotidiennement 54 grammes de corps gras. Elle est carencée en vitamines A, E, F, B.

La paraffine est supprimée. Trois jours après la normalisation de l'alimentation, les maux de tête s'effacent. Un mois plus tard, la constipation opiniâtre a disparu, ainsi que l'haleine fétide. La glande thyroïde a perdu du volume. Une dernière poussée de cystite survient, puis tout va bien. L'enfant naît à terme et la mère le nourrit entièrement pendant quatre mois, jusqu'au début d'une deuxième grossesse.

Pour les deux enfants, elle fait la même constatation : pendant les douze jours de ses séjours hospitaliers, au cours desquels elle a reçu la nourriture standard (déséquilibrée et préparée avec des graisses inadéquates) sa lactation ne dépassa pas un maximum de 50 grammes par jour. Dès que, chez elle, elle put se nourrir sainement, la quantité de lait qu'elle produisit augmenta rapidement et devint suffisante pour subvenir aux besoins des nourrissons pendant plusieurs mois.

Troubles fonctionnels banals

Innombrables sont les petits désordres de santé, souvent chroniques ou récidivants, toujours gênants et fastidieux, qui s'estompent par la normalisation du régime alimentaire. Souvent, les malades se plaignent de fatigabilité anormale, dont l'examen médical n'arrive pas à préciser la cause. L'alimentation actuelle entraînant diverses carences, dont les effets s'additionnent, les processus vitaux et les réactions fermentaires ne peuvent plus se dérouler à la cadence voulue, d'où une diminution de l'aptitude à l'effort. Dès le troisième mois qui suit le changement de nourriture, cette capacité se rétablit et la fatigue disparaît. Parfois, un apport temporaire de vitamines pharmaceutiques est nécessaire. Troubles digestifs perpétuels — constipation ou diarrhées, ou les deux en alternance, ballonnements avec, parfois, poussées de cystite et colibacillose ou maux de tête — sont un tribut que nous payons à notre alimentation déséquilibrée et ils cessent lors de sa normalisation.

Tel malade qui souffrait de constipation depuis trente ans nous dit son étonnement de l'avoir vue totalement disparaître dès la deuxième semaine d'alimentation saine. Pour qu'un intestin fonctionne normalement, il est indispensable, non seulement qu'il reçoive assez de fibres végétales et de cellulose, donc qu'il ait assez de déchets à expulser, mais encore que sa muqueuse et sa musculature soient bien nourries.

Voici quelques histoires de malades illustrant ces faits.

CAS 16. F. (1920) : Constipation opiniâtre. Psoriasis.

Depuis vingt ans, cette paysanne a des troubles digestifs : constipation, lourdeurs d'estomac, aigreurs, ballonnements. Ses règles sont douloureuses et trop abondantes. Elle souffre de migraines et éprouve une sensation de pieds gelés, même en été.

Dès l'adolescence, elle a mauvais sommeil et prend constamment des somnifères. Elle est « depuis toujours » sujette aux angines et souffre de douleurs rhumatismales migrantes. Dès l'âge de trente ans, psoriasis (voir p. 191). Ses dents se gâtent très tôt : prothèse supérieure à dix-neuf ans, inférieure à vingt-deux ans.

Je la vois la première fois en octobre 1965. Elle a quarante-cinq ans. C'est une femme très maigre : 42 kilos pour une taille de 1,63 mètre. Elle est pâle, exténuée. Ses seins sont indurés, et sa langue chargée. Le psoriasis se manifeste aux coudes, aux genoux et par quelques médaillons sur le corps. Son alimentation : le matin, café noir, pain, beurre, confiture. A midi, viande de porc, légumes, un peu de salade, cidre ou eau d'Henniez. A 16 heures : thé, pain. Le soir : pommes de terre rôties, pâtes ou riz poli, œufs, infusions. Corps gras par jour : 10 grammes de beurre, 14 grammes de graisse végétale, 30 grammes d'huile d'arachide raffinée et beaucoup de saindoux provenant de l'élevage de porcs familial. Je corrige son régime alimentaire. Elle commence par maigrir de 1,7 kilo mais, dès la troisième semaine, la constipation et les troubles digestifs, les douleurs rhumatismales et les migraines ont disparu. Après deux mois, elle reprend 3 kilos. Après quatre mois, elle n'est plus frileuse. Le teint devient normal, elle n'a plus besoin de somnifères. Après huit mois, son poids a augmenté de 6 kilos. Ses règles ne sont plus douloureuses. Le psoriasis s'est effacé ! Elle est enchantée du régime et trouve les galettes délicieuses. Deux ans plus tard, elle a très bonne mine et se porte bien.

La consommation trop abondante de graisses avait profondément altéré la santé de cette femme. Des corps gras surabondants ne sont que partiellement digérés ; une partie forme des savons calcaires dans l'intestin, qui favorisent la constipation. Trop de graisses surcharge le foie, d'où les migraines et les règles douloureuses : le foie surmené ne pouvant plus inactiver les œstrogènes en excès, comme il le fait normalement, il y a, au moment des règles, congestion anormale et douloureuse des organes génitaux. Un repas trop riche le soir perturbe le sommeil : un organisme fatigué par le travail de la journée ne parvient pas à sécréter assez rapidement les sucs nécessaires à la digestion, qui, ralentie, se poursuit tard la nuit et trouble le sommeil. Le manque de vitamines F avait rendu la malade sujette aux infections banales. Le psoriasis est une maladie cutanée due probablement à une métabolisation anormale des graisses. Une alimentation trop riche est mal assimilée ; c'est un gaspillage de forces et de calories. Une nourriture équilibrée contenant davantage de vitamines, d'oligo-éléments et beaucoup moins de calories est mieux utilisée et permet une reprise de poids.

J'ai appris de cette paysanne que, pendant la guerre, l'agriculteur devait avoir un stock de farine pour un an. Il fallait retourner les sacs tous les mois pour éviter une fermentation excessive. Jamais elle n'a eu de pain fait avec de la farine de moins de quatre mois. Des poussins nourris avec cette farine périssent tous, alors qu'ils prospèrent lorsqu'ils reçoivent de la farine fraîchement moulue. Des substances vitales importantes disparaissent donc lors du vieillissement des farines.

CAS 17. F. (1926) : Alternance de constipation et de diarrhées.

Cette femme a eu, dans son passé, des rhumes des foins, de l'urticaire, et a toujours offert une mauvaise résistance aux infections banales. Ayant le bassin trop étroit pour accoucher par les voies naturelles, elle met au monde deux enfants, à vingt-deux et vingt-huit ans, par opération césarienne. Neuf ans plus tard, à trente-sept ans, elle souffre de douleurs abdominales dues à des adhérences. Une opération la libère de ces troubles pour une durée de sept ans, puis tout recommence. Une nouvelle opération reste inutile. De quarante-quatre à quarante-six ans, les douleurs abdominales sont continuelles, avec alternance de constipation et de diarrhée.

Son régime alimentaire est très déséquilibré, pauvre en crudités, trop riche en graisses : par jour, 110 grammes de beurre et 10 grammes d'huile de tournesol raffinée. Café trois fois par jour.

Je la vois la première fois en mai 1972. Elle a quarante-six ans. Sa peau, anormalement sèche, surtout aux membres inférieurs, a sur le dessus des pieds, la consistance du cuir. Les ongles sont mous et présentent des taches blanches. Les petits vaisseaux des joues sont anormalement et disgracieusement dilatés.

Son alimentation est corrigée. Un mois plus tard, tous les troubles digestifs ont disparu. La langue, qui était chargée, est devenue propre. La peau est en voie de normalisation tant aux joues qu'aux membres inférieurs. La malade est enchantée.

CAS 18. F. (1950) : Diarrhées récidivantes.

Dès l'enfance, cette femme souffre d'infections urinaires et de diarrhées survenant par crises, généralement deux fois par mois : trois ou quatre selles au lever, puis à 10 heures, et encore une ou deux fois dans l'après-midi, avec émission de gaz abondants. L'accès, qui dure environ une semaine, est suivi d'une accalmie de huit à dix jours. Ces diarrhées se sont aggravées à la suite d'un gros choc nerveux. Lors d'un séjour hospitalier en 1969, on ne découvre rien de pathologique. Elle est traitée par des ferments digestifs, un constipant et un tranquillisant – sans grand résultat.

Son régime alimentaire : le matin, thé, biscottes, confiture ou fromage. A 10 heures, thé, petits pains blancs. A midi, viande, légumes cuits, bananes, verveine. A 16 heures, biscuits. Le soir, pâtes et thé. Corps gras : 27 grammes d'huile de tournesol, dont la moitié pressée à froid ; 6 grammes de graisse de coco et 7 grammes de beurre, soit un total de 40 grammes par jour.

Une telle nourriture est à la longue dévitalisante. Elle contient trop peu d'aliments crus. Elle est très pauvre en déchets et carencée en vitamines A, B, E, C.

La malade vient la première fois le 30 janvier 1970. Elle a vingt ans et ne pèse que 48 kilogrammes pour une taille de 1,64 mètre. Sa peau est râpeuse, beaucoup trop sèche et ses seins, anormalement granuleux.

Son régime est corrigé par l'introduction de céréales complètes (riz complet, sarrasin, millet), de fruits et de légumes crus, de la crème Budwig ; par la suppression des graisses autres que les huiles riches en vitamines F et consommées crues, dont la ration est augmentée.

Deux semaines plus tard, les troubles digestifs ont disparu ; elle ne prend plus aucun remède. Une rechute légère se produit après six semaines, vite corrigée par un lavement et un jour de bananes. Après trois mois d'alimentation normale, son poids a augmenté d'un kilo, sa peau est beaucoup moins râpeuse.

Ainsi, une diarrhée rebelle qui avait persisté pendant des années malgré (ou grâce à) une diète sévère, guérit rapidement avec l'alimentation équilibrée que je préconise.

Infections urinaires

Il existe des infections urinaires, dont il est aisé pour un urologue de déceler la cause et qui relèvent, soit d'un traitement spécifique (en cas de tuberculose, par exemple), soit d'une opération (en cas de malformation, d'anomalies des voies urinaires, de calcul rénal, etc.).

Il existe également des infections urinaires accidentelles, fébriles ou non, qui réagissent très rapidement à un désinfectant moderne. Nous n'en parlerons pas. Mais d'autres fois et « sans que l'on sache pourquoi », ces infections urinaires, tout en s'effaçant sous l'influence d'un antibiotique, réapparaissent indéfiniment dès l'arrêt de la médication. Dans la plupart de ces cas, l'élimination des déséquilibres et des carences alimentaires entraîne en quatre à huit semaines la guérison, parfois sans autre, parfois après une dernière désinfection de courte durée.

Souvent, ces infections sont liées à des troubles digestifs, qui disparaissent également dès que l'alimentation est normalisée.

CAS 19. F. (1904)

Très mauvaises dents : dentier supérieur à vingt-sept ans, inférieur à quarante-trois ans. Fibrome à la matrice (opérée à cinquante-six ans). La peau des jambes est anormalement sèche et squameuse. Elle est constipée.

Dès l'âge de cinquante-cinq ans, elle est constamment sujette à des infections urinaires, qui sont passagèrement supprimées par des antibiotiques, mais reviennent deux à quatre semaines après l'arrêt des médicaments. Elle se nourrit « comme tout le monde » : café au lait et café noir, l'un et l'autre deux fois par jour. Elle mange peu gras : 10 grammes de beurre et 30 grammes d'huile de tournesol raffinée par jour.

Je la vois la première fois le 3 septembre 1965. Elle a soixante et un ans. J'introduis dans son alimentation des céréales complètes, des huiles pressées à froid (en remplacement des huiles raffinées) et de la crème Budwig. Je pratique une vitaminothérapie (vitamines A, B, C, D, E et F) avec apport de calcium. Elle reçoit en outre, pendant dix jours, tous les soirs, un lavement, suivi d'une instillation d'huile de tournesol vierge (60 millilitres) qu'elle garde la nuit. Cinq mois plus tard, elle se sent beaucoup mieux. Elle n'est plus constipée. Une dernière poussée de cystite survient un mois après le changement d'alimentation, puis ces infections disparaissent.

Autre cas : CAS 20. F. (1910)

Ce cas est calqué sur le précédent. Cette femme a eu des cystites à répétition pendant dix ans (de cinquante-deux à soixante-deux ans), qui passent avec des désinfectants et reviennent le mois suivant. Dès soixante ans, elle a par quatre fois, des phlébites, et dès juin 1972, une diarrhée continuelle.

Elle vient la première fois le 4 septembre 1972. Elle a soixante-deux ans. Je corrige son alimentation. Trois mois plus tard, la diarrhée et les cystites ont disparu. L'infection urinaire ne revient dès lors qu'au cours de voyages ou de séjours dans des hôtels, autrement dit lors de retours à une alimentation moderne déséquilibrée. Elle n'a plus eu de phlébites.

Cystites et phlébites sont le plus souvent, la conséquence de la migration des colibacilles à travers la paroi intestinale trop poreuse, migration facilitée par les troubles digestifs. Lorsque l'alimentation est corrigée, la paroi et la flore intestinales se normalisent progressivement et tout rentre dans l'ordre. Les cystites banales à répétition et les bactériuries réagissent avec une grande régularité à la normalisation de l'alimentation.

Maux de tête

CAS 21. M. (1952)

Dès l'âge de douze ans, ce garçon souffre de maux de tête quotidiens si violents, que l'existence d'une tumeur cérébrale est soupçonnée, mais les examens (EEG) permettent de l'exclure. Il a de mauvais résultats scolaires. Il est soigné par moi dès janvier 1967. Il a quinze ans. C'est un jeune adolescent pâle et maigre : 43 kilos pour une taille de 1,60 mètre (déficit de poids : 5 kilos). La peau des jambes est très sèche et rêche ; les ongles sont mous et parsemés de taches blanches.

Son alimentation : le matin, cacao à la banane, pain, beurre, confiture, fromage. A midi, il mange au restaurant quatre fois par semaine (ce qui suppose une nourriture « normale moderne » avec viande, abondant usage de céréales raffinées, de graisses, dites végétales, et d'huile bon marché, donc une nourriture très pauvre en vitamines B, E et F.) A 16 heures un petit pain. Le soir, viande et restes de midi du repas familial. Corps gras employés par la famille : 75 grammes de beurre, huile de tournesol bon marché 25 grammes, soit un total de 100 grammes par jour et par personne.

Je corrige son régime alimentaire : remplacement du beurre et des huiles raffinées par 30 grammes d'huiles pressées à froid et consommées crues, céréales complètes quotidiennes, réduction de la ration de viande.

Six semaines plus tard, le garçon est méconnaissable : son poids a augmenté de 4 kilos, son teint est rose. Les maux de tête ont presque disparu. A l'école, il peut mieux se concentrer, les notes s'améliorent.

Avec une alimentation plus pauvre en calories, mais beaucoup plus riche en vitamines, la reprise d'un poids normal se produit en un temps record : le rendement de l'alimentation équilibrée est bien meilleur, que celui d'une nourriture surabondamment riche en calories, mais privée des vitamines et autres catalyseurs nécessaires à leur assimilation. Une ration quotidienne de 100 grammes de graisses additionnelles inadéquates surcharge constamment le foie, d'où les maux de tête. Une partie de cette graisse surabondante ressort avec les selles sous forme de savons calcaires, d'où anomalie des ongles, qui deviennent tendres comme du papier et se couvrent de taches blanches.

Et cet adolescent de me déclarer : « En tout cas, votre crème Budwig, je la retiens : elle est sensationnelle ! Il faudra que ma femme apprenne à la faire... » A quinze ans !

Déficit d'immunité

On observe aujourd'hui un défaut de résistance aux infections banales, dites grippales, surtout chez les enfants : ils sont trop fréquemment sujets à des trachéites, bronchites, angines, otites, etc., maladies qui leur font manquer l'école. Cette absence de résistance est en rapport de cause à effet avec l'alimentation actuelle.

Une de mes malades opérée en 1960 d'un cancer de l'ovaire, dut, peu après, être amputée d'une jambe pour récidive de la tumeur dans un genou. Elle survécut. Je lui ai expliqué l'importance de l'alimentation équilibrée et elle y soumit toute sa famille. Sa fille, âgée d'un an à l'époque, prospéra magnifiquement. A l'âge scolaire, elle fut la seule de sa classe à ne jamais manquer l'école pour des infections grippales et fut primée pour cette raison. La mère est aujourd'hui guérie de son cancer, à pronostic normalement sombre.

Une alimentation saine est indispensable au déroulement normal des fonctions immunitaires. Dès que l'alimentation est normalisée, les enfants deviennent résistants. Chez les adultes, on observe de même la guérison facile d'infections banales chroniques.

CAS 22. F. (1904) : Suppuration intarissable

Cette femme obèse, hypertendue, constipée et souffrant de rhumatisme, d'asthme et d'eczéma vient me voir à soixante et un ans parce que son sac lacrymal gauche suppure depuis deux ans, malgré tous les traitements désinfectants entrepris par un spécialiste.

Son alimentation habituelle : le matin, thé noir, biscottes, beurre, confiture. A midi, potage, viande, légumes et salade, fruits crus ou en compote. Le soir, café au lait complet. Corps gras : par jour, beurre 12 grammes, huile d'arachide raffinée 33 grammes. Donc un déficit en vitamines B, E et F par manque de céréales et d'huiles naturelles.

Six semaines après la correction de l'alimentation, cette infection banale rebelle est guérie.

Colite ulcéro-hémorragique

Parmi les affections du tube digestif, il en est une, très grave, localisée au côlon, et qui serait due à une perturbation des mécanismes immunitaires. On admet aujourd'hui qu'il s'agit d'une affection dite auto-immune : la muqueuse intestinale, altérée par des influences toxi-infectieuses, est soudain considérée par l'organisme du malade comme un tissu étranger, à éliminer. Il en résulte des plaies qui saignent. Ces hémorragies peuvent être importantes et entraîner une grave anémie. Cette maladie s'accompagne de diarrhées sévères, de dénutrition et peut amener le chirurgien à enlever tout le gros intestin.

L'alimentation saine normalise les phénomènes immunitaires également dans les affections auto-immunes.

CAS 23. M. (1916)

Dès l'âge de trente-cinq ans, cet homme a facilement de la diarrhée. A quarante-trois ans, celle-ci devient continue. Il maigrit de 13 kilos en deux ans. A quarante-cinq ans, il est opéré pour des polypes du gros intestin. Le chirurgien pose le diagnostic de colite ulcéro-hémorragique. Le malade continue à avoir tous les jours deux ou trois selles pâteuses, mêlées de sang. Il souffre de faux besoins, surtout la nuit. Il reçoit tous les jours quinze comprimés d'un bactériostatique intestinal (salazosulfapyridine), du bismuth et trois comprimés de tranquillisant.

Son alimentation : le matin, thé ou café au lait, pain blanc grillé, beurre, confiture, parfois riz naturel et myrtilles séchées. A 10 heures, pain blanc, chocolat, parfois bananes. A midi, potage au gruau, viande grillée, très peu ou pas de crudités, pommes de terre, légumes cuits à la vapeur avec beurre frais, un verre de vin rouge, café noir. Le soir, soupe, fromage, pain, beurre, confiture. Corps gras : par jour, 40 grammes de beurre, 22 grammes d'huile de tournesol extraite à chaud.

Je le vois la première fois le 21 octobre 1964. Il a quarante-huit ans. Il pèse 56 kilos pour une taille de 1,73 mètre. Je corrige son régime alimentaire : huiles de tournesol et de lin pressées à froid, suppression du beurre, riz complet et sarrasin (à l'exclusion des autres céréales), crème Budwig et crudités, ferments digestifs aux repas, lécithine. Pendant dix jours consécutifs, lavement évacuateur d'un litre et demi le soir, suivi d'une instillation d'huile de tournesol vierge (60 millilitres) pour la nuit. Après dix jours, le malade peut espacer les lavements.

Un mois après le début du traitement, les selles sont moins nombreuses et plus moulées. Après deux mois, il ne prend plus que 3 comprimés désinfectants par jour au lieu de 15. Les faux besoins nocturnes ont disparu. Après quatre mois et demi, il n'a plus de sang dans les selles. Après sept mois (juin 1965) il peut se passer de désinfectants intestinaux. Je pratique une vitaminothérapie (vitamines A, E, C et D) et un apport de calcium sous la forme de poudre d'os.

Trois ans plus tard (1967), son poids a augmenté de 11 kilos, passant de 56 à 67 kilos. La colite ulcéreuse est guérie. Tel est encore le cas en 1978, soit quatorze ans après la correction de l'alimentation. A l'âge de cinquante et un ans, il est opéré pour un hématome sous-dural d'origine inconnue. Il a préféré jeûner presque totalement à l'hôpital plutôt que de risquer une rechute de sa colite, tant s'est ancrée en lui la notion de l'importance de l'alimentation que je qualifie de normale !

Chez un autre malade, atteint de colite ulcéro-hémorragique, j'ai observé la même évolution :

Autre cas : CAS 24. F. (1939)

En août 1971, cette femme, qui a trente-deux ans, saigne par l'anus. Trois mois plus tard, elle est opérée pour des hémorroïdes, mais les pertes de sang continuent. Le 5 janvier

1972, elle subit l'ablation de tout le gros intestin pour recto-colite ulcéro-hémorragique. L'opération est bien supportée. Le poids augmente de 9 kilos en neuf mois, mais les pertes de sang provenant du rectum continuent. Elle reçoit neuf comprimés, soit 4,5 grammes de salazosulfapyridine et des petits lavements additionnés de cortisone, deux fois par semaine. En dix mois, aucune amélioration n'est notée. Le chirurgien parle d'exciser le rectum et d'établir chez cette femme de trente-trois ans un anus artificiel définitif!

Son alimentation : le matin, thé, un œuf, trois tartines de beurre et confiture. A midi, potage, viande, légumes, salade. Le soir, thé, yoghourt, fromage, pain, beurre. Corps gras : par jour, 4 grammes de graisse végétale, 17 grammes d'huile de tournesol pressée à froid, 30 grammes de beurre.

Elle est soignée par moi dès le 8 novembre 1972. Elle pèse 53,7 kilos pour une taille de 1,69 mètre. Je corrige son régime alimentaire par suppression de tout corps gras à l'exception des huiles de tournesol et de lin pressées à froid. Comme chez le malade précédent, pendant dix jours, lavements évacuateurs le soir et instillation subséquente d'huile de tournesol vierge pour la nuit. Une hyposidérémie à 78 gammas par 100 millilitres est corrigée par des injections intraveineuses de saccharate ferrique. Vitaminothérapie (vitamines A, B, C, E, F, B complexe) et apport de bromure de calcium et de méthionine par voie intraveineuse.

Trois semaines plus tard, les selles sont meilleures et contiennent moins de sang. Après deux mois de traitement, un gros progrès est constaté à la rectoscopie qui, pour la première fois, ne déclenche pas d'hémorragie. La malade fait encore une instillation d'huile par semaine et prend de petites doses de cortisone, prescrite par son chirurgien, (15-10-5 milligrammes de Prednisolone, trois jours consécutifs, puis repos de deux jours).

Après dix-huit mois, elle ne saigne plus que très peu et rarement. Les selles sont normales; le taux du fer sérique, également. Sept ans après la normalisation de l'alimentation, elle se porte bien. Poids 58,5 kilos. Elle n'aura pas besoin d'anus contre nature! Mais lorsqu'elle fut obligée de se nourrir au restaurant pendant deux semaines, elle y réagit immédiatement par une énorme diarrhée.

Ces deux exemples montrent que la maladie extrêmement grave qu'est la colite ulcéreuse est dépendante de l'alimentation et guérit lorsque celle-ci est équilibrée. Elle doit être considérée comme une maladie de civilisation, due à nos carences alimentaires. Un apport supplémentaire médicamenteux des vitamines dont notre alimentation moderne est appauvrie artificiellement accélère la guérison. Nous verrons qu'il en est de même pour d'autres maladies auto-immunes.

Eczéma rebelle et troubles digestifs

CAS 25. M. (1928)

Cet homme de trente-six ans souffre depuis six ans d'une part d'un eczéma des parties génitales, irréductible par les traitements dermatologiques, d'autre part de troubles digestifs : ballonnements, selles trop molles, malodorantes, langue très sale.

Son alimentation : le matin, cacao à la banane et biscuits. A midi, viande, pâtes ou pommes de terre, légumes et salade, fruits crus. Le soir, café au lait, pain blanc, beurre, confiture. Il consomme en abondance du beurre, des graisses dites végétales et des huiles raffinées.

Après correction habituelle du régime (introduction des céréales complètes, suppression du beurre et des corps gras inadéquats, remplacés par 30 millilitres d'huiles crues, riches en acides gras polyinsaturés) et sans aucun traitement médicamenteux, en un mois, la peau devient normale et les troubles digestifs disparaissent.

Eczéma atopique

CAS 26. F. (1966)

Apparu dès la première année de sa vie et réputé particulièrement tenace, l'eczéma de cet enfant est amélioré par une pommade à la cortisone, mais pas guéri. Cette fillette de cinq ans est soignée par moi dès le 6 juillet 1971. Elle est pâle et maigre. Trop nerveuse, elle suce constamment son pouce. Elle a des lésions prurigineuses, sèches dans le creux des genoux et des coudes.

Son alimentation : le matin, lait complet en poudre, jusqu'à quatre ans, remplacé par la suite par tisanes, pain, beurre, confiture ou Cénovis. A midi, viande, légumes, salade, fruits ou glaces. A 16 heures : eau minérale ou sirop, biscuits, fruits. Le soir, fromage ou viande, semoule ou pâtes, gâteau. Corps gras : 28 grammes de beurre, 4 grammes de graisse végétale, 20 grammes d'huile de tournesol raffinée, soit au total 52 grammes par jour et par ration d'adulte, nourriture dont l'enfant a la part qui correspond à son âge. Son alimentation est donc très pauvre en vitamines B, E et F.

Mon traitement : uniquement la correction du régime alimentaire avec apport d'huiles crues riches en vitamines F et suppression totale du beurre. L'eczéma disparaît. Il resurgit dès que l'enfant mange du beurre sous quelque forme que ce soit (yaourt, fromage, chocolat au lait). Sans beurre, il n'y en a plus trace. La guérison se maintient sept mois plus tard.

Le beurre augmente la porosité intestinale et, par là, la résorption de produits intestinaux irritants. Il augmente le besoin en vitamines F protectrices.

Urticaire

L'urticaire banale est une affection qui se traduit par l'apparition sur la peau de plaques proéminentes plus ou moins étendues, rouges et blanches, très prurigineuses, semblables à des brûlures d'orties. Elles s'effacent à une place, réapparaissent ailleurs. Il s'agit d'une affection allergique, d'habitude facile à maîtriser et réagissant bien à quelques jours de diète avec administration de calcium et d'antihistaminiques. Ces derniers médicaments, comme leur nom l'indique, neutralisent l'histamine, substance provoquant l'inflammation des tissus, et libérée par la réaction allergique.

Mais il existe des cas où l'allergie n'est pour rien dans les décharges d'histamine. Ils sont difficiles à soigner et ne répondent pas aux traitements habituels de l'urticaire. En voici un exemple.

CAS 27 M. (1920) Urticaire par pression

Dès l'âge de trente-trois ans, cet homme est fort importuné par une urticaire, qui se manifeste tous les deux ou trois jours aux endroits où s'exerce une pression tant soit peu durable ; ainsi dans la main, quand il débouche une bouteille, au siège, quand il est assis sur une chaise dure, dans le dos, quand il est couché. Marcher plus de deux heures lui devient insupportable, par l'enflure que cela provoque aux orteils. La place comprimée enfle et démange. Cela passe en deux à quatorze heures, lorsque la pression cesse.

A quarante-deux ans, cette infirmité est si prononcée qu'elle entraîne une dispense du service militaire *. En outre, le malade se courbature lors d'efforts musculaires minimes. Il est hypernerveux, inappétent, dort et digère mal, souffre d'aérophagie et de constipation. Il fume vingt cigarettes par jour.

Tous les traitements entrepris pendant dix ans ont échoué. Son alimentation moderne comprend vin rouge et apéritifs. Corps gras : beurre 40 grammes, huiles raffinées 15 grammes, graisses végétales 2 grammes ; soit un total de 57 grammes par jour.

Je vois ce malade pour la première fois le 22 avril 1963. Il a un teint jaune grisâtre. La fonction hépatique est insuffisante, le taux du fer sérique trop bas : 69 gammas par 100 millilitres (normal = 120), le pH urinaire est inférieur ou égal à 5.

Mon traitement : Suppression de l'alcool et du tabac ; correction de

* En Suisse, le service militaire est réparti sur plusieurs années.

l'alimentation. Deux semaines plus tard, le teint est meilleur, le sommeil rétabli, les courbatures anormales et l'aérophagie ont disparu. Vitaminothérapie B, C, D ; apport de calcium et de fer par voie intraveineuse. Après six semaines, gros progrès : les enflures ne reviennent qu'après des exercices violents. Le taux de fer sérique est normalisé. Après un an, l'urticaire a disparu.

L'état du patient reste stable pendant trois ans et demi puis, après une période de grande fatigue, le taux du fer sérique tombe, l'urticaire réapparaît. Cette valeur est dès lors surveillée et maintenue dans les limites normales par des prises de fer et de cuivre. Il reçoit des citrates pour normaliser le pH urinaire. Depuis ce moment, il se porte bien. Durée d'observation : treize ans.

Les différentes carences dont souffrait ce malade, et qui ont été éliminées par une nourriture équilibrée et un apport de vitamines et de fer, avaient occasionné une labilité pathologique de l'histamine, substance normalement présente à l'état préformé dans les tissus et dont la libération provoque des phénomènes inflammatoires locaux, destinés à limiter la diffusion de substances toxiques (lors d'une piqûre d'abeille, par exemple).

Dans d'autres cas analogues, une libération intempestive d'histamine peut être provoquée par l'action du froid.

Vitiligo (Dépigmentation de la peau)

C'est une maladie dégénérative dans laquelle les cellules chargées de l'élaboration du pigment cutané, appelé mélanine, ne le fabriquent plus. Des taches où la peau est totalement blanche apparaissent. Peu visibles en hiver, elles ressortent en été sur la peau bronzée par le soleil. Comme toutes les maladies dégénératives, le vitiligo peut être amélioré par la correction de l'alimentation.

CAS 28 M. (1968)

Dès l'âge de quatre à cinq mois, rhumes, laryngites, otites se suivent chez ce bébé. A trois ans et demi, il subit l'ablation des végétations adénoïdes.

A un an, des plaques granuleuses, parfois un peu rouges et prurigineuses apparaissent sur la peau. Après quelque temps, elles se décolorent totalement. D'abord localisée au siège, cette affection s'étend de plus en plus. L'enfant a été traité par des dermatologues sans résultat. Je le vois la première fois le 18 février 1972. Son état général semble bon. Les follicules pileux sont anormalement saillants et durs sur tout le corps, sauf sur l'abdomen. Il a de nombreux petits éléments de vitiligo, mesurant un à deux centimètres de diamètre, sur les deux bras et la figure et une zone blanche interfessière de 9 sur 10 centimètres.

Son alimentation : le matin, lait, pain, beurre, confiture. A 10 heures, pain d'épice, sirop ou jus de fruits. A midi, peu de légumes, pommes de terre, pâtes, parfois riz complet. A 16 heures, tartines ou biscuits, thé de thym. Le soir, flocons de maïs, fromage blanc double crème, gâteaux aux fruits. Corps gras par adulte et par jour : 32 grammes de beurre, 6 grammes de graisses végétales, 13 grammes d'huiles raffinées (nourriture, dont l'enfant a la part qui correspond à son âge).

Je corrige ainsi son régime alimentaire : suppression du beurre, huiles pressées à froid riches en vitamines F, à l'exclusion des autres; céréales complètes quotidiennes, fruits et légumes crus; vitamines A et E.

Après deux mois de bonne alimentation, la rugosité anormale de la peau (hyperkératose) disparaît. Après sept mois, toutes les taches de vitiligo, sauf l'interfessière, se sont effacées; cette dernière, la plus ancienne, régresse cependant lentement et, deux ans et demi plus tard, ne mesure plus que 3,5 sur 8 centimèress.

En été 1974, l'enfant part en croisière et abandonne l'alimentation saine pendant quelques semaines. Une tache de vitiligo réapparaît fugitivement sur l'abdomen.

Psoriasis

(Maladie chronique, squameuse de la peau)

Le psoriasis est une affection cutanée fréquente dans laquelle la peau rougit et s'épaissit par plaques, devient sèche et forme en surabondance des squames d'un blanc nacré. Au niveau de ces lésions, la prolifération des cellules épidermiques est jusqu'à dix fois plus rapide que là où la peau est normale. Cette affection se manifeste avec prédilection à la face d'extension des coudes et des genoux, mais peut s'étendre à toute la peau. Dans les cas graves, les articulations sont touchées : elles enflent et s'enraidissent et parfois se déforment comme dans la polyarthrite rhumatoïde. Il s'agit d'une maladie dégénérative, souvent familiale, dans laquelle un ferment indispensable à la métabolisation normale des graisses serait déficient. Divers traitements dermatologiques et médicamenteux peuvent blanchir le psoriasis mais, plus ou moins rapidement, des éléments réapparaissent et les malades finissent par se considérer comme incurables.

Comme d'autres maladies dégénératives, le psoriasis tire profit d'une normalisation du régime alimentaire.

CAS 29 F. (1908)

Deux ascendants et deux sœurs de cette femme sont décédés de tumeurs malignes. Sont atteints de psoriasis son père, elle-même et une de ses filles. Chez elle, la maladie a débuté à l'âge de cinq ans, d'abord aux genoux et aux coudes, au cuir chevelu, puis s'est généralisée à tout le corps. Entre vingt-cinq et trente-sept ans, elle a eu sept grossesses au cours desquelles l'éruption disparut, pour revenir, dès la montée du lait. Elle s'accentue dans les périodes de surmenage, de soucis ou de chagrins. Les poussées de psoriasis alternent avec des accès d'asthme. Se jugeant incurable, la malade vient pour la première fois non pour elle, car tous les efforts tentés au cours des années pour améliorer son état ont échoué, mais pour sa fille, dont le psoriasis est plus bénin. Elle corrige cependant son alimentation et constate un certain mieux. Elle vient se montrer un an plus tard, en mars 1967.

Le tronc, les membres, le cuir chevelu sont couverts d'éléments psoriasiques. Les ongles sont atteints, décollés, épaissis. Quand elle se déshabille le soir, le plancher se recouvre de squames, détachées de son corps; elle se gratte jusqu'au sang et doit se doucher pour calmer les démangeaisons. Je lui prescris d'abondantes vitamines pharmaceutiques A, B, C, D, E, F, du calcium et, localement, des bains de soleil et des applications de mousse contenant de la cortisone et du goudron.

Deux mois plus tard, les démangeaisons disparaissent. Après six mois, les ongles sont guéris et il ne reste plus que de rares éléments de psoriasis sur les coudes et aux cuisses. Elle n'a plus d'asthme.

Ainsi, chez cette femme gravement atteinte, une amélioration spectaculaire est obtenue par une correction de l'alimentation d'une part, par un apport abondant et prolongé de vitamines pharmaceutiques d'autre part, et cela dans la cinquante-quatrième année de sa maladie! Son psoriasis ne guérit pas, mais il devient intermittent et négligeable. Des poussées occasionnelles se produisent encore quatre ans plus tard, lors de surmenage et de soucis.

Dans d'autres cas, un psoriasis moins sévère, accompagné d'autres troubles de santé, pour lesquels les malades furent traités, disparut ou s'atténua sans qu'il ait été nécessaire de s'en occuper. (Voir cas 16.)

CAS 30 F. (1904)

J'ai moi-même été atteinte d'un psoriasis familial. La première poussée eut lieu à vingt et un ans, provoquée par le stress d'examens professionnels.

Malgré quelques traitements dermatologiques, toujours suivis d'une disparition des éléments pour une durée de quelques semaines, l'éruption persista jusque vers quarante ans. A partir de cet âge, j'ai de mieux en mieux compris ce qu'est une alimentation saine et agi en conséquence. Le psoriasis devint de plus en plus discret, puis disparut tout à fait, maintenant depuis environ vingt-cinq ans. Par périodes, j'ai pris un gramme de vitamine C par jour, de la vitamine D et du calcium en hiver, des bains de soleil en été.

Ainsi, si l'on prend garde à ne pas soumettre, par une alimentation inadéquate, un ferment déficient à un effort métabolique excessif, la maladie hérédo-dégénérative qu'est le psoriasis ne se manifeste que modestement ou plus du tout.

Autres maladies hérédo-dégénératives

La nourriture domine la vie. Nombre de choses mises sur le compte de l'hérédité doivent être attribuées à l'alimentation défectueuse...

KATASO, auteur japonais

Le psoriasis est une affection hérodo-dégénérative de la peau, liée au travail anormal d'un gène déficient, transmis dans cet état d'une génération à une autre. Jusqu'à présent toutes les maladies hérédo-dégénératives ont été considérées comme échappant à une thérapeutique efficace. Comme nous allons encore le montrer par les exemples ci-dessous, tel n'est cependant pas le cas.

Un gène, particule nucléaire chromosomique, a besoin, comme n'importe quelle parcelle vivante, d'être nourri pour fonctionner. On peut présumer qu'il le fera d'autant mieux qu'il sera mieux alimenté. La tâche de tout gène est d'induire la formation d'un ferment, pour la synthèse duquel il est porteur du code indispensable. Si un gène est faible, cela veut dire que le ferment produit le sera moins vite, ou en quantité insuffisante, ou encore que, par une erreur de sa structure, il sera moins actif qu'un ferment normal, d'où apparition des symptômes pathologiques.

D'après mon expérience, il semble actuellement possible d'intervenir dans le déroulement de ces processus, d'une part en sollicitant moins le système fermentaire défectueux (un stress violent, un surmenage, une surcharge en corps gras alimentaires, par exemple, déclenchent rapidement une poussée de psoriasis), d'autre part en facilitant et accélérant la fonction enzymatique déficiente par un apport abondant de catalyseurs divers.

Ichtyose

(Peau écailleuse, comme celle du poisson)

« Ichtyos » signifie poisson en grec. On désigne par ichtyose une maladie cutanée hérédo-dégénérative, qui se manifeste par la formation d'écailles semblables à celles du poisson, ou de croûtes analogues à celles de la carapace des sauriens.

CAS 31 et 32 M. (1955 et 1960)

Deux frères issus d'une famille saine, dans laquelle on ne trouve qu'un seul membre atteint d'une importante affection dégénérative (grand-père du côté paternel, diabétique à cinquante-neuf ans, décédé à soixante ans), présentent tous deux dès la naissance une anomalie de la peau. Cette dernière dès le dixième jour de vie chez l'un, dès le vingtième chez l'autre, devint épaisse, brunâtre, d'abord sur les membres, puis sur tout le corps. Une pommade à la vitamine A fut prescrite qui atténua les lésions. Au cours des années, celles-ci persistèrent, plus prononcées en hiver, prurigineuses, surtout au printemps.

L'aîné est, à dix-neuf ans, un beau et grand garçon élancé. Il pèse 77 kilogrammes, sa taille est de 1, 90 mètre. Il souffre de manifestations allergiques au niveau des muqueuses nasales, lentement améliorées par une cure de désensibilisation pratiquée depuis quatre ans. Sa peau est rêche et grossière sur tout le corps ; elle desquame de façon anormale sur la nuque, le sternum, l'abdomen. Selon son épaisseur, sa couleur passe du beige au brun sale, puis au noir, formant des plaques crevassées, épaisses de 1 à 2 millimètres. Seuls le visage, le milieu du dos, la plante des pieds, la paume des mains, les plis articulaires sont revêtus d'un tégument normal. Aux mains et aux jambes, la peau est en outre rouge, irritée, eczémateuse. La langue est chargée.

Chez le jeune frère, âgé de quatorze ans (52 kilo pour 1,79 mètre), le tableau est le même, à quelques détails près. Il existe dans le dos une zone où l'épiderme est presque normal, à peine un peu sec ; ailleurs, il est très altéré. Aux coudes, aux cuisses, aux pieds, on dirait que le garçon s'est roulé dans du sable collant très grossier, brun foncé. Les genoux sont noirs, comme enduits de goudron. En dehors de ces zones, la peau est craquelée, épaissie. Partout, les croûtes sont fortement adhérentes. Ce garçon, bon élève, est épuisé par l'école et se couche sitôt rentré à la maison. Il souffre d'une « soif terrible » (symptôme caractéristique d'une carence en vitamine F, voit p. 99).

Au cours des années, de nombreux dermatologues furent consultés. Partout, ce fut le même verdict : « Il s'agit d'une maladie congénitale, héréditaire ; on ne peut rien faire ! »

J'ai, chez ces deux garçons, recherché les déséquilibres métaboliques et nutritionnels. Le contrôle de la chimie sanguine a montré chez les deux frères un taux de bilirubine à 2,2 et 2,3 milligrammes par 100 millilitres, soit environ quatre fois la normale !, un taux de cholestérol bas, à 110 et 150 milligrammes par 100 millilitres (normal = 162 à 220), un taux d'acide urique élevé, 5,8 et 5,9 milligrammes par 100 millilitres (normal = 2 à 4).

Leur alimentation : le matin, une tasse de lait, tartines de beurre et confiture. A midi, soupe, beaucoup de légumes, riz blanc ou pâtes, viande. Le soir, comme à midi, avec en plus : pommes de terre et charcuterie. Corps gras : graisse végétale 8 grammes, beurre 42 grammes, huile d'arachide raffinée, achetée par gros bidons, soit au total plus de 50 grammes par personne et par jour. Leur régime est donc trop riche en viandes et en corps gras, de surcroît inadéquats, et pauvre en vitamines E, F et B.

L'alimentation est normalisée. Deux mois plus tard, le plus jeune des deux frères se trouve beaucoup mieux, moins fatigable. Sa soif anormale a disparu, le prurit s'est atténué. La langue est presque propre. Le taux de bilirubine est à 0,85 (au lieu de 2,2). Dès le troisième mois, il reçoit un complément de vitamines A et E par la bouche et F en injections intramusculaires une fois par semaine. En février 1975 (cinquième mois de traitement), l'ichtyose régresse. Les placards bruns ou noirs se fragmentent, deviennent grisâtres ; aux endroits précédemment beiges, de petites zones libres de croûtes apparaissent où la peau est cependant encore anormalement sèche. Par places, l'épiderme s'en va en lambeaux, comme la pelure d'une pomme de terre trop cuite. La zone cutanée normale dans le dos s'étend. Les démangeaisons ont disparu. En avril 1975 (septième mois de traitement), la vitalité du jeune garçon est tout autre : il ne se couche plus en rentrant de l'école, mais va spontanément aider ses parents au travail de la vigne. Il a passé pour la première fois un hiver sans infections banales, sans manquer l'école. En octobre 1975, il se sent très bien. La peau de tout le dos et des fesses est douce et normale. En un an de traitement, il a ainsi perdu environ 90 % de ses croûtes.

L'évolution chez le frère aîné a été tout aussi favorable. Le taux de bilirubine s'est amélioré, le prurit a disparu, puis ce fut le tour de l'eczéma des mains. Une hyposidérémie a été corrigée par des injections intraveineuses de fer. Après huit mois de traitement, très gros progrès : la peau du dos est normale ; ailleurs, les lésions sont devenues discrètes. Comme je lui déclare que, dorénavant, il peut aller aux bains publics sans attirer l'attention, il m'avoue que précédemment le gardien d'une piscine l'avait expulsé parce que trop sale !

Pour adoucir encore leur peau, les deux frères s'enduisent d'huile de ricin.

Comment expliquer cette évolution ? Apparemment, le régime carencé de la mère pendant les grossesses a provoqué chez les deux enfants un mauvais fonctionnement du gène responsable de la kératinisation normale de la peau. La poursuite de cette alimentation après la naissance a entretenu l'anomalie. La suppression des carences nutritionnelles a lentement et progressivement normalisé la peau, tout en améliorant la fonction du foie et l'état général des deux garçons. L'anomalie d'un gène n'entraîne donc pas nécessairement des conséquences cliniques inéluctables. Elle peut ne pas se manifester, lorsque ce gène est placé dans de bonnes conditions de travail.

Ces résultats favorables cadrent d'ailleurs avec le fait que, dans quelques zones privilégiés, la peau était normale avant mon intervention ; le gène malade y a donc trouvé les conditions nécessaires pour effectuer son travail correctement, peut-être grâce à une circulation locale meilleure. Si cela lui a été possible à une place, pourquoi pas ailleurs, si les conditions de travail s'y trouvent améliorées ?

Maladie hérédo-dégénérative du système nerveux
(Maladie de Friedreich)

CAS 33 F. (1953)

Anamnèse familiale : sont connus, dans l'ascendance et chez les collatéraux de la grand-mère maternelle, huit cas de maladie de Friedreich, répartis sur quatre générations. Un cousin germain a été apparemment bien portant jusqu'à dix-sept ans, puis s'est affaibli progressivement et a eu de plus en plus de peine à marcher. Dès vingt et un ans, il vécut dans un fauteuil roulant. Totalement paralysé dès vingt-six ans, il s'étranglait en mangeant et ne pouvait presque plus parler.

Chez ma malade : convulsions à huit mois. Primo-infection tuberculeuse à cinq ans. Pyuries à répétitions jusqu'à dix ans. Mauvaise résistance aux infections banales. Depuis toujours, fatigable et pâle. Dès l'âge de huit ans, elle est somnolente, maladroite et a de la peine à écrire. Dès neuf ans, la démarche est perturbée par des oscillations de tout le corps et un manque d'équilibre. L'état reste assez stable pendant trois ans, puis à douze ans, brusque péjoration. Amaigrissement. Un jour de rhume, elle tombe une quinzaine de fois. Les troubles moteurs augmentent : mouvements de torsion involontaires des membres supérieurs (athétose). Elle ne peut ni transporter un verre d'eau sans le renverser, ni porter une cuillère de soupe à sa bouche sans la vider. Elle n'a été soignée que par la physiothérapie.

Son alimentation? Moderne habituelle. Corps gras : par jour, 25 grammes de beurre, 25 grammes d'huile d'olive raffinée. Il y a donc carence en vitamines E, F et B.

Je la vois la première fois le 5 mars 1966 (elle a treize ans). Elle est très pâle, très maigre (29 kilogrammes pour une taille de 1,56 mètre), arachnéenne. Les membres sont très longs, décharnés, constamment agités de mouvement involontaires. A cause d'une énorme faiblesse musculaire, la tête tombe en avant lorsqu'elle marche, le dos est voûté et les pieds écartés de 15 à 25 centimèteres. A partir de la position couchée, elle ne peut s'asseoir qu'en s'appuyant péniblement sur les deux bras. Les dents se déchaussent et n'ont pas assez de place dans une mâchoire trop étroite.

Je normalise son alimentation par introduction des céréales complètes, des huiles riches en vitamine F, de la crème Budwig. Le beurre est supprimé.

Dix semaines plus tard, le poids s'est accru de 1,7 kilo et le teint est rose. La force musculaire a augmenté. Elle se tient mieux, peut s'asseoir facilement à partir de la position couchée et sauter sur un pied. Neuf mois après le changement d'alimentation, l'aggravation régulière a fait place à une amélioration progressive. Le poids a augmenté encore de 2,5 kilos. Les infections banales se sont espacées. La démarche est meilleure : elle ne fait plus de chutes. Elle reçoit, par périodes, un complément de lécithine, de phospholipides cérébraux, de vitamines A, B, C, D, E, F, de calcium, de citrates et un anabolisant.

A quinze ans (décembre 1967), son poids est de 34 kilos. Taille de 1,66 mètre. Le progrès réalisé en vingt et un mois est énorme. Elle a pu quitter l'école spéciale et entrer en classe d'orientation professionnelle avec des enfants normaux. Alors qu'à treize ans, elle écrivait comme un enfant de sept ou huit ans, elle peut, à quinze ans, suivre en classe une dictée à la vitesse normale. Elle participe à un camp de ski et peut marcher avec ses camarades. De toute une année, elle n'a pas manqué un jour d'école.

A dix-sept ans, le progrès continue. Les mouvements involontaires, athétosiques sont beaucoup moins marqués qu'à treize ans : elle aide au ménage, fait son lit, suit une école de secrétariat, à laquelle elle se rend seule.

En résumé, une fillette de huit ans, atteinte de déficiences neuromusculaires, voit ces dernières s'aggraver de façon catastrophique pendant cinq ans, comme c'est la règle dans cette affection. A treize ans, elle n'est plus capable de se suffire pour les actes élémentaires de la vie. La correction de l'alimentation et le traitement roborant pratiqué suspendent le cours de la maladie et lui permettent de réaliser des progrès spectaculaires.

Ce cas prouve, comme les précédents, qu'il est possible d'aider efficacement les malades atteints de maladies hérédo-dégénératives, et cela contrairement aux idées généralement admises. Ces affections sont aggravées par les carences inhérentes à notre alimentation moderne et s'améliorent par leur suppression.

Rétinite pigmentaire

(Maladie héréditaire de la rétine)

La rétinite pigmentaire est une maladie hérédo-dégénérative, menant plus ou moins rapidement à la cécité totale. Toute stabilisation de la maladie, même temporaire, est un bienfait pour le malade.

CAS 34 M. (1942)

Le père est décédé à cinquante-trois ans d'un sarcome. La mère est atteinte dès l'âge de cinquante-cinq ans d'un myélome (autre tumeur maligne). Il n'y a pas de maladie des yeux dans la famille.

A vingt-neuf ans, ce jeune homme se plaint de fatigue oculaire. Trois ans plus tard, il voit de plus en plus mal. A trente-deux ans, le diagnostic de rétinite pigmentaire centrale bilatérale est posé.

Il est traité pendant un an par des médicaments stimulant la circulation, des vitamines A et E, des extraits placentaires. La vue continue à baisser. Il est atteint de photophobie.

Je le vois la première fois le 7 mai 1975. Il a trente-trois ans. Son état général est apparemment excellent malgré un léger surpoids de 5 à 6 kilos. La langue est sale. Il se plaint de fatigue. Son taux de glycémie est de 113 milligrammes par 100 millilitres (normal = 100); celui de cholestérol de 250 (normal = 220); celui d'acide urique de 5,6 (normal = 4); celui de bilirubine de 1,7 (normal = 0,6).

Son acuité visuelle est à droite de 0,4 – 0,5; à gauche, de 0,1 – 0,2 (normale = 1); il distingue mal les couleurs.

Son alimentation est à la mode italienne. Le matin, lait, café d'orge ou thé et biscuits; parfois crème au chocolat. A midi et le soir, viande, pâtes, légumes cuits ou salade, fruits, fromage. Il boit du vin deux fois par jour. Corps gras par jour : 25 grammes de beurre et 20 grammes d'huiles raffinées d'olive et d'arachide mélangées. Sa nourriture est donc pauvre en vitamines E, F, B.

Mon traitement : Suppression du tabac et de l'alcool. Correction du régime alimentaire. Vitaminothérapie : vitamines A, B, C, E et F par la bouche et en injections : apport de citrates destinés à régler le pH urinaire sur 7 — 7,5.

Vingt-cinq mois plus tard, l'oculiste constate, pour la première fois depuis le début de la maladie, que l'acuité visuelle n'a pas diminué ; peut-être même y a-t-il une légère amélioration à droite.

D'autres cas de maladies hérédo-dégénératives, soignées avec succès, seront décrites dans le deuxième tome.

Varices

On appelle varices des dilatations permanentes, disgracieuses des veines des membres inférieurs, attribuables à une faiblesse de leur paroi musculaire. C'est une affection dégénérative, aujourd'hui extrêmement fréquente, surtout chez les femmes, les grossesses favorisant son développement. La distension veineuse a tendance à augmenter avec le temps.

Lorsque le régime alimentaire est corrigé chez un variqueux, l'évolution de la maladie s'arrête. L'état des veines peut même s'améliorer quelque peu. Cela n'est pas pour nous étonner, car nous savons combien un apport suffisant de vitamine E est important pour le maintien d'une tonicité musculaire normale.

Actuellement, on extirpe les grosses varices. Quelque temps plus tard, il s'en reforme d'autres. Il faudrait, pour bien faire, équilibrer le régime alimentaire dès avant l'intervention.

Thromboses

Lors d'alitement prolongé et d'opérations chirurgicales, le courant sanguin se ralentit, et cela tout spécialement dans les varices, où peuvent se former des caillots appelés thrombus. La migration de ces caillots cause parfois des accidents graves, voire mortels, en oblitérant des vaisseaux importants, en particulier dans les poumons (embolies pulmonaires).

Chez nos opérés, dont le régime alimentaire a été corrigé depuis un temps suffisant, au moins deux mois, nous n'avons pas eu à déplorer la survenue de ces complications. Mes malades reçoivent, en effet, un apport suffisant de vitamine F, à partir de laquelle l'organisme synthétise des prostaglandines à actions antithrombosantes. (Voir p. 101.)

Calculs biliaires

On trouve des calculs biliaires chez 10 % des Américains, nous dit Adelle Davis. On sait qu'en l'absence de vitamine E, la vitamine A est aisément détruite. Le déficit de cette vitamine peut avoir pour conséquence une inflammation et une desquamation anormale de la muqueuse de la vésicule biliaire. Le cholestérol, substance peu soluble, cristalliserait autour de ces déchets organiques, et cela d'autant plus facilement que la bile est pauvre en lécithine. Cette dernière, grâce à sa propriété émulsifiante, stabilise la bile et maintient le cholestérol en solution.

La lécithine, substance biologique très importante, est d'une part absorbée avec les aliments (les œufs, la cervelle, le foie, les noix, les huiles végétales, le soja en sont spécialement riches), d'autre part, elle est synthétisée par le foie. Pour que ce dernier puisse en produire en suffisance, il est nécessaire que la nourriture contienne assez de vitamine F, de vitamine B6 et de choline. Or, nous savons que l'alimentation moderne est artificiellement appauvrie en vitamines A, E, B et F. D'autre part, le cholestérol a la propriété de s'esthérifier, autrement dit de se combiner avec des acides gras. Si ces acides gras sont saturés, le sel formé est beaucoup moins soluble que s'ils sont polyinsaturés. Il ne faut donc pas s'étonner qu'actuellement des calculs bilaires se forment chez un nombre important d'individus (voir aussi sous Artériosclérose, p. 211).

Diabète sucré

Cette maladie est due à un trouble grave du métabolisme hydrocarboné. Elle est caractérisée par une élévation du taux du sucre sanguin et son excrétion par l'urine. Cliniquement, elle se manifeste par une faim, une soif et une diurèse excessives.

Nous ne mentionnons cette maladie dégénérative que pour mémoire, car nous n'en avons observé que trop peu de cas. Théoriquement, une alimentation riche en vitamines et bien équilibrée devrait pouvoir améliorer le sort des diabétiques. Tel a bien été le cas chez un malade de quatre-vingt-quatre ans, parvenu à la fin de son existence et qui présentait un début de gangrène aux pieds. Une correction de son régime, telle que nous la pratiquons, fit disparaître la menace de nécrose, baisser sa glycémie et diminuer la dose du médicament hypoglycémiant qui lui était nécessaire.

Diabète rénal

On appelle ainsi une maladie dans laquelle le rein permet le passage du glucose dans l'urine, alors que le taux du sucre dans le sang reste normal. Il s'agit donc, dans cette affection, totalement différente du diabète sucré, d'une dysfonction de l'épithélium rénal, qui laisse passer le sucre et ne le résorbe pas. L'organisme perd ainsi inutilement une substance nutritive précieuse. Cela ne tire pas à conséquence, car cette perte est facilement compensée par l'alimentation. C'est un état qui est considéré comme bénin, mais échappant à toute thérapeutique.

Chez une malade atteinte de sclérose en plaques, nous avons vu, à notre grande surprise, un diabète rénal disparaître huit mois après la correction du régime alimentaire et la suppression des carences inhérentes à notre alimentation moderne.

CAS 35 F. (1930). Sclérose en plaques et diabète rénal.

A vingt et un ans, cette jeune femme est atteinte de tuberculose pulmonaire, et porte une prothèse dentaire inférieure. A trente-six ans, elle est anormalement fatiguée et une sclérose en plaques débute. Une infection urinaire s'installe, qui devient chronique, malgré un traitement antibiotique.

A quarante ans, elle ne peut plus marcher sans canne. Elle reçoit de l'ACTH-retard en injections intra-musculaires une fois par mois. Deux ans plus tard, le diagnostic de diabète rénal est posé : sucre abondant dans l'urine avec glycémie normale.

Elle est vue la première fois le 21 février 1973, à quarante-trois ans : sa démarche est raide, maladroite. Elle traîne les pieds, surtout à gauche. La marche étroite, les yeux fermés, est impraticable par manque d'équilibre. Dans le saut sur les deux pieds, elle ne peut se détacher du sol de plus de 2 centimètres. Le saut sur un pied est impossible. Le réflexe de Babinski est positif des deux côtés. Un nystagmus est présent à gauche. La force musculaire est très diminuée. La malade ne peut monter que sur un tabouret de 25 centimètres de haut et seulement avec soutien.

La peau est trop sèche, surtout aux membres inférieurs, les seins granuleux. L'urine contient du sucre, la glycémie est de 95 milligrammes par 100 millilitres, donc normale. La cholestérolémie est de 291 (normale = 220), la bilirubine de 0,8 (normale = 0,6) et le pH urinaire 5,5. Des bactéries et des leucocytes sont présents dans le sédiment urinaire.

Son alimentation moderne est déséquilibrée.

Corps gras : beurre 34 grammes, margarine 5,5 grammes, huile de tournesol bon marché 7 grammes, soit un total de 46,5 grammes par jour. Il y a carence en vitamines B, E et F.

L'alimentation est corrigée : Survitaminisation A, B, C, E, F en injections et par voie orale. Lécithine. Citrates afin de régler le pH urinaire sur 7 à 7,5. Décholestérifiants (mucopolysaccharides extraits de la muqueuse duodénale et clofibrate). Suppression des cigarettes (elle en fumait cinq par jour).

Dix semaines plus tard, le taux de cholestérol dans le sang s'est normalisé (212 milligrammes par 100 millilitres). L'infection urinaire a disparu après une désinfection de dix jours par des sulfamidés. Du sucre est toujours présent dans l'urine.

Le 15 octobre 1973 (après huit mois de traitement), le sucre a disparu de l'urine ! La force musculaire est meilleure. Elle peut marcher une heure. En 1975, la sclérose en plaques est stabilisée, sans qu'il y ait eu de récupération fonctionnelle notable. L'urine ne contient pas de sucre. Le diabète rénal a disparu.

Dysfonctions cérébrales

Pour bien fonctionner, notre cerveau, comme tous les autres organes, a besoin d'être bien nourri. Un des éléments nutritionnels très importants pour lui est la vitamine F. Cette vitamine est une matière première, à partir de laquelle le système nerveux synthétise la myéline, substance formant la gaine isolante des fibres nerveuses, la lécithine, les prostaglandines et l'acide arachidonique, acide gras quatre fois insaturé, spécialement concentrés dans le cerveau. Les vitamines du groupe B sont également de la plus grande importance pour fournir au cerveau l'énergie nécessaire à son bon fonctionnement. Or, les procédés industriels modernes dénaturent et inactivent la vitamine F et diminuent la teneur des aliments en vitamines B. Le rôle de ces vitamines a été spécialement bien étudié et compris. Mais notre alimentation est encore appauvrie en bon nombre d'autres catalyseurs, dont le fer, ce qui ne peut être que préjudiciable à l'activité cérébrale. Aussi n'est-il pas étonnant que l'abandon de la nourriture moderne malsaine ait une influence favorable sur les fonctions du cerveau. En voici quelques exemples frappants.

CAS 36 M. (1965)

Né à terme, cet enfant à dû subir, trois jours après sa naissance, une exsanguino-transfusion pour incompatibilité Rhésus de ses parents. Dès la première année, il y a retard de développement. Il n'a marché qu'à dix-neuf mois (au lieu de douze). A trois ans, il pouvait rester assis pendant des heures à branler la tête de gauche à droite, rongeait les meubles et ne répondait à aucune question. A cinq ans et demi, il fut placé en classe spéciale pour retardés psychomoteurs.

Jusqu'à six ans, il fut nourri selon les normes courantes, avec un déficit important en vitamines F et B. Puis la mère ayant participé au cours de nutrition, que j'ai donné à l'université populaire, corrigea l'alimentation familiale. Quelques mois plus tard, il y eut un extraordinaire progrès dans le développement intellectuel de l'enfant, à tel point qu'à sept ans, il put entrer dans une classe primaire normale. Un phénomène analogue se produisit simultanément chez sa sœur, âgée de dix ans, qui suivait péniblement une école enfantine. Après le changement de nourriture, elle put entrer au collège secondaire et y obtenir une excellente moyenne de 8,2 sur 10. Auparavant, elle était fréquemment malade et toussait; ceci disparut dès que la nourriture fut normalisée.

Le père de ces enfants avait échoué par deux fois l'examen pour l'obtention de la maîtrise fédérale, par manque de mémoire et de concentration. Six mois après la normalisation de son régime alimentaire, il réussit sans peine ses examens.

Lors d'un de mes cours, une mère, qui les avait déjà suivis l'année précédente, prit la parole pour narrer son expérience : « Avec l'alimentation moderne, déséquilibrée, mon garçon ne faisait rien de bon à l'école, dit-elle, et passait tout juste au point de faveur d'une classe à l'autre. J'ai corrigé l'alimentation de la famille il y a un an, à son entrée au gymnase. Maintenant il apprend aisément et est devenu le meilleur élève de sa classe ! »

Quelle que soit la qualité innée d'un cerveau, il ne peut travailler normalement s'il est mal nourri. Voici un autre exemple.

CAS 37 F. (1939)

Dès l'âge de douze ans, cette jeune femme est anémique. Elle est traitée, avec des succès temporaires, avec du fer, des extraits de foie et des vitamines. Dès l'âge de quatorze ans, elle se voûte. Elle est atteinte d'une affection dégénérative douloureuse de la colonne vertébrale (maladie de Scheuermann). Elle a des rhumes très fréquents.

A vingt-huit ans (1967), c'est une femme maigre (42 kilogrammes pour une taille de 1,64 mètre), pâle, fatigable, nerveuse. Son haleine est fétide, ses gencives enflammées, sa langue sale. Sa peau est très sèche aux jambes et aux avant-bras.

Elle a un régime moderne habituel (avec 75 grammes de corps gras par jour, dont 30 grammes de beurre, 30 grammes d'huile de tournesol bon marché, 15 grammes d'huile d'olive raffinée) déficient en vitamines E, F et B. L'alimentation est corrigée par l'introduction des céréales complètes et une ration abondante d'huiles crues, pressées à froid, à l'exclusion d'autres corps gras.

En 1963, quatre ans avant la correction du régime, elle mit au monde, un mois avant terme, un enfant pesant 2,9 kilos, chez lequel une épilepsie se déclara à quatre ans. Un an plus tard (1964) naquit un deuxième enfant prématuré, pesant 1650 grammes qui, à trois ans, avait un gros retard de développement physique et mental.

Malingre, rachitique, anémique, il s'infectait facilement et ne prospérait pas. En 1967, après la normalisation de l'alimentation, il est en progrès, devient plus résistant et, à huit ans, suit l'école primaire avec un an de retard seulement. Des troubles de langage nécessitent cependant une éducation particulière. Deux ans après la correction du régime nutritionnel, en 1969, la mère va bien ; sa peau n'est plus sèche, l'anémie a disparu. Une nouvelle grossesse survient. Le troisième enfant naît à terme, pèse 3,240 kilos et ne pose aucun problème. Autrement dit, il y eut des déficiences nerveuses chez les deux premiers enfants nés prématurément, alors que la mère était jeune — vingt-quatre et vingt-cinq ans — mais était mal nourrie et avait une mauvaise santé. Il n'y eut aucune anomalie chez le troisième, né deux ans après l'introduction de l'alimentation saine, alors que la mère avait déjà trente ans.

Voici encore la très remarquable histoire d'une famille de cinq personnes : père, mère et trois enfants, dont mon malade.

CAS 38 M. (1959)

Le grand-père paternel a une coxarthrose invalidante à soixante ans ; le père, une tuberculose pulmonaire à treize ans, guérie ; un herpès génital récidivant ; une coxarthrose à trente-neuf ans. La mère, la sœur aînée, âgée de quatre ans et le frère cadet, âgé d'un mois, sont en bonne santé.

Le deuxième enfant est né trois semaines avant terme. Il fut nourri au lait de vache. Au cours des trois premiers mois, il a des troubles digestifs importants avec anémie. A un an, en juin 1960, quelques semaines après une infection grippale, il est opéré d'un volumineux cancer rénal droit, pesant 885 grammes, soit presque le dixième de son poids (tumeur de Wilms). L'opération est précédée et suivie d'irradiations à la bombe de cobalt. Dix mois plus tard, à la suite d'une angine, il y a récidive tumorale à croissance rapide à la base du poumon gauche, qui atteint le volume d'une mandarine. Le lobe pulmonaire, siège de la tumeur, est enlevé le 21 avril 1969. Puis l'enfant reçoit pendant cinq jours une cure unique d'un antimitotique découvert à cette époque (Adriamycine). Il est vu par moi la première fois quatre mois plus tard. Il a deux ans.

Son alimentation : le matin, biscottes avec beaucoup de beurre, lait, cacao. A midi, pâtes, pommes de terre, souvent frites, légumes. A 16 heures, yoghourt et fruits. Le soir, pain, fromage, pâtes ou pommes de terre rôties. Corps gras : par jour et par adulte,

45 grammes de beurre, 20 grammes de graisses dites végétales, 20 grammes d'huile d'arachide raffinée, soit 85 grammes au total.

L'alimentation est corrigée le 1er septembre 1961 pour toute la famille. Il en résulte pendant les quinze ans d'observation subséquents une stabilisation de la santé chez tous. Chez le père, les douleurs d'arthrose s'atténuent, puis passent et il peut reprendre le ski qu'il avait abandonné depuis quelques années. Les poussées d'herpès, dont il avait souffert pendant vingt-quatre ans, s'espacent, puis disparaissent. Les trois enfants se développent très bien. Fait rare, à l'école primaire, pendant plusieurs années et sans se donner trop de peine, ils sont tous trois premiers de leurs classes et reçoivent chacun des prix d'excellence.

La fillette saute même une année et, parmi les enfants d'un an plus âgés, elle est de nouveau la meilleure. Le pouvoir de concentration et la mémoire de ces trois enfants se révèlent supérieurs à ceux des autres élèves, sans doute moins bien nourris.

Auparavant, l'aînée avait constamment de nouvelles caries dentaires ; après le changement d'alimentation, ses dents deviennent plus solides. Chez les deux garçons, l'état dentaire ne pose aucun problème. La résistance aux infections banales augmente. A noter que les deux poussées tumorales se sont produites chez mon patient après des infections banales. En 1976, quinze ans après la deuxième opération, il peut être considéré comme guéri.

Aujourd'hui, on soigne toutes les tumeurs de Wilms à l'Adriamycine avec de remarquables résultats. On estime cependant indispensable, même dans des cas moins graves que celui de mon malade et n'ayant pas récidivé, de répéter pendant au moins deux ans les cures de cet antimitotique. Je pense que la cure unique d'Adriamycine a sans doute été bénéfique, en procurant un utile sursis. Mais aurait-elle suffi, contrairement à l'expérience accumulée depuis, si l'enfant n'était pas devenu plus robuste, grâce à l'alimentation équilibrée et à l'apport prolongé de vitamines complémentaires ? Que le lecteur, pour pouvoir en juger, se reporte à la description d'autres cas de tumeurs malignes (voir p. 231 et suivantes).

Abus de calmants

Notre époque est caractérisée par une surconsommation de calmants de toutes espèces, tout spécialement de ceux appelés tranquillisants, qui se vendent actuellement par tonnes. L'invention de ces médicaments, psycholeptiques, neuroleptiques etc., a été un grand bienfait pour les malades relevant de l'hôpital psychiatrique. Ils ont, en effet, permis de rendre de grands malades à leurs familles beaucoup plus facilement et plus tôt que cela n'eût été possible sans eux. Leur utilisation a malheureusement largement débordé le cadre de ces cliniques. Or, ce sont des substances toxiques et il en est fait de nos jours un très grand, un invraisemblable abus. Quelqu'un se sent-il déprimé ? Vite un tranquillisant ! Jadis, avait-on le « cafard », on se soumettait à un bon effort physique, une course de montagne, par exemple. On s'oxygénait, transpirait, activait ses surrénales, qui produisaient un supplément de cortisone, et la « dépression » avait passé. Aujourd'hui, on préfère avaler une pilule. Mais là encore, l'alimentation joue un rôle de premier plan.

Abus de médicaments du type ancien

CAS 39 M. (1926)

Cet homme souffre depuis une douzaine d'années de troubles digestifs. S'il mange après 19 heures, il se réveille le lendemain avec des maux de tête et vomit de la bile. Il réagit également à toute fatigue par des « migraines insupportables avec vomissements » et cela jusqu'à deux fois par semaine. Il est nerveux, angoissé, presque constamment enrhumé. Depuis un an et demi, il va un peu mieux, car « il ne boit plus de lait et évite les graisses ». Il se soigne en prenant à l'année des comprimés analgésiques à base de phénobarbital, d'alcaloïdes de l'ergot de seigle et de caféine, qui suppriment les maux de tête, mais n'empêchent pas leur retour.

Je le vois la première fois le 29 septembre 1967. Il a quarante et un ans. C'est un homme de constitution athlétique, mais portant dix ans de plus que son âge. Sa langue est très sale, son haleine fétide. Le taux de bilirubine est de 1,4 milligramme pour 100 millilitres (normal 0,6), signant une insuffisance hépatique ; celui de fer sérique à 67 gammas pour 100 millilitres (normal 120).

Son alimentation : le matin, café noir sans caféine, pain, beurre. A midi, potage, beaucoup de grillades, riz blanc ou pâtes, légumes, salades. Le soir : café complet ou restes de midi. Corps gras : 15 grammes de beurre, 8 grammes de margarine, 36 grammes d'huile de tournesol raffinée, soit 59 grammes au total par jour.

Je corrige son régime alimentaire par la suppression de toutes les graisses inadéquates et l'introduction des huiles de tournesol et de lin pressées à froid. Le soir, repas très léger (un yoghourt, un fruit, ou une assiette de soupe aux céréales). Après six semaines d'alimentation saine, il n'est plus angoissé, et n'a plus été enrhumé. La langue est presque propre, la mauvaise haleine a disparu. Quatre mois plus tard, il est très content, n'a plus eu de migraines et n'a plus besoin de calmants.

Abus de tranquillisants modernes

CAS 40 F. (1951)

Cette jeune fille, à dix-neuf ans, est atteinte d'insomnies intolérables. Elle passe quatre mois dans un hôpital psychiatrique, où elle subit pendant un mois une cure de sommeil, puis une cure d'insuline et de la psychothérapie. Elle sort de l'hôpital sous tranquillisants. A vingt ans, rechute, malgré les médicaments. Elle est hospitalisée six semaines. Le même traitement est poursuivi pendant trois ans jusqu'en avril 1973. Un arrêt de la cure entraîne une récidive après quatre mois, soit en août 1973. Elle entre comme aide médicale chez moi en octobre 1973. Elle reçoit 7 comprimés de tranquillisants de jour et des somnifères le soir. Incapable de travailler, somnolente, elle n'a aucune mémoire, aucun pouvoir de concentration, et une énorme lenteur. Voici le diagnostic du psychiatre : « Schizophrénie. La médication doit, à tout prix, être poursuivie indéfiniment ! » Je renonce à ses services, mais m'intéresse à sa santé.

Le 5 octobre 1973, voici ce que le constate : elle pèse 52 kilos pour une taille de 1,63 mètre, son pH urinaire est 5, son taux de bilirubine de 1,4 milligrammes par 100 millilitres (normal 0,6). Son alimentation : le matin, pain, beurre, confiture, cacao au lait. A midi, beaucoup de légumes, un peu de viande, salades, crudités, fruits. A 16 heures, fruits. Le soir, crudités. Corps gras : huile de colza raffinée, 18 grammes ; beurre, 16 grammes, soit un total de 34 grammes par jour. Son régime est donc déficient en vitamines B, E, et F.

Mon traitement : introduction des céréales complètes, des huiles riches en acides gras polyinsaturés, de la crème Budwig. Suppression de tous les tranquillisants et somnifères. Vitaminothérapie (vitamines A, B, C, D, E et F), apport de citrates pour équilibrer le pH urinaire à 7 – 7,5 et de la poudre d'os. Un mois plus tard, elle va beaucoup mieux ; les insomnies ont disparu. Elle reste encore fatigable et manque de concentration. Le traitement est complété par des phospholipides cérébraux. Elle prend une ou deux fois par semaine du bromure de calcium.

Trois mois après la suppression des tranquillisants et la correction du régime alimentaire, elle reprend une place d'assistante médicale et peut assurer le travail pendant deux ans, à la satisfaction de son employeur. Elle se marie en juillet 1974 et met au monde un enfant bien portant. Aucune rechute ne se produit au cours des six ans d'observation.

Au vu de tels cas, on est amené à se demander si l'on ne ferait pas mieux, dans les services psychiatriques – avant de prescrire des traitements par des doses massives, prolongées et toxiques de tranquillisants – de soumettre les malades à une alimentation équilibrée, riche en vitamines, telle que je la préconise. Chez la jeune personne dont j'ai relaté l'histoire, le cerveau bien nourri s'est remis à fonctionner normalement. Ne ferait-on pas mieux en général, dans les services hospitaliers quels qu'ils soient, de fournir aux malades une alimentation saine et non la nourriture moderne habituelle carencée et néfaste ?

Dans une publication récente (D. F. Horrobin, *The Lancet*, N° 8018, 1977, p. 936) je lis : « L'hypothèse que la schizophrénie est due à un déficit de prostaglandines repose sur de solides arguments... » Notre observation en est un de plus en faveur de cette hypothèse : la matière première à partir de laquelle prennent naissance les prostaglandines n'est autre que la vitamine F biologiquement active, dont notre alimentation habituelle est si pauvre. Un apport normal de cette vitamine a pu chez notre malade normaliser la fonction de son système nerveux.

Troubles du comportement et de la mémoire

Notre façon de nous nourrir influe grandement sur notre comportement et notre caractère, et cela est spécialement net lorsqu'il s'agit de très jeunes sujets.

Un jour, vint me trouver une mère avec un enfant de moins de deux ans. Pendant le quart d'heure que dura la consultation, toute l'attention de sa mère et la mienne suffirent à peine pour l'empêcher de se saisir des objets disposés sur mon bureau, les jeter par terre et les briser. Il ouvrit tous les tiroirs à sa portée pour les vider. Je n'eus pas besoin de questionner la mère pour connaître la raison de la consultation et je ne pus que la plaindre d'avoir à élever un agité pareil.

Le contrôle de son alimentation montra qu'il absorbait du beurre aux deux principaux repas en plus de celui contenu dans son lait, ce qui représentait une quantité quotidienne de 30 grammes au moins, soit une ration d'adulte. En outre, il recevait une cuillère à soupe bien pleine de viande tous les jours. Je me contentai de corriger son régime, de supprimer le beurre et la viande et ne donnai ni calmants ni tranquillisants.

Six semaines plus tard, l'enfant était méconnaissable. Pendant la consultation, il resta tranquillement assis sur un escabeau aux pieds de sa mère et s'amusa avec une petite automobile. La mère m'avoua que la vie de famille en était transformée. Le démon habitant son fils était exorcisé.

J'aimerais citer encore ici le cas d'une mère de famille âgée de quarante ans qui vint me trouver un jour d'automne, après avoir été opérée d'un cancer du sein. J'ai réglé son régime et elle corrigea l'alimentation de toute sa famille. Six mois plus tard, elle vint m'apprendre que, pour la première fois, ses trois enfants d'âge scolaire avaient passé l'hiver sans infections, alors qu'auparavant, il y en avait constamment un d'alité. « Mais vous ne savez pas, me dit-elle, j'ai découvert en outre que mon mari est un homme agréable ! Depuis que j'ai changé de régime, il est toujours gai et content. Avant, il était maussade, grognon, difficile, agressif. Maintenant, cette mauvaise humeur perpétuelle a totalement disparu. La vie en est toute changée. »

Il serait bien intéressant d'étudier l'influence de l'alimentation équilibrée sur les enfants dits caractériels, chose réalisable dans les homes qui les accueillent. Peut-être les éducateurs, qui en sont responsables, en verraient-ils leur tâche, difficile et ingrate, grandement facilitée.

Nous avons dit combien les enfants, soumis à une alimentation normale, devenaient plus aptes à apprendre, par amélioration de leur pouvoir de concentration et de leur mémoire. Il m'a été donné d'observer le même phénomène chez deux personnes âgées, dont voici l'histoire.

CAS 41 F. (1908)

A soixante ans (1968), cette femme est obèse (76 kilos pour une taille de 1,68 mètre). Sa peau est très sèche aux jambes et aux seins. Elle souffre de constipation et de maux de tête nocturnes. Le taux de son cholestérol est trop élevé (366 – 414 milligrammes par 100 millilitres au lieu de 220). Elle perd la mémoire.

Son alimentation : le matin, thé, pain grillé, confiture. A midi, légumes, viande, fruits. A 16 heures, zwiebacks et thé. Le soir, compote de fruits et crème. Corps gras : 35 grammes par jour, dont 10 grammes de beurre, 10 grammes de graisse de coco et 15 grammes d'huile d'olive raffinée. J'équilibre son régime et l'hypercholestérinémie est traitée dès le 2 février 1968. Sept mois plus tard, les maux de tête et la constipation ont disparu.

En octobre 1970, elle nous signale que, depuis la ménopause, son sein droit suinte par intermittence un peu de liquide aqueux, devenu sanguinolent depuis peu. Une mammographie ne révèle aucune lésion cancéreuse. Un apport de sels magnésiens fait tarir en un mois cet écoulement anormal. Trois ans plus tard, elle pèse 69 kilos. Son taux de cholestérol s'est normalisé ; elle se sent extrêmement bien mais surtout, sa mémoire est revenue. Elle a pu rejouer au piano des morceaux de musique par cœur, ce qui n'avait plus été possible pendant dix ans.

CAS 42 F. (1904)

Il s'agit d'une femme cruellement atteinte dans son squelette dès sa jeunesse. Elle présente une déformation très grave de la colonne vertébrale (cyphoscoliose). Ses vertèbres lombaires sont soudées. Elle souffre chroniquement de douleurs osseuses. De six à vingt-deux ans, elle a joué du piano, puis s'étant mariée, elle l'a abandonné. Elle a été de tout temps incapable de jouer par cœur et en était désolée.

L'alimentation est normalisée chez elle en 1964. Depuis lors, elle a de moins en moins mal à son squelette, ce qui lui permet de se remettre à son piano plusieurs heures par jour. En 1976, les douleurs osseuses ont totalement disparu. Peu à peu, à sa grande joie, sa mémoire et son pouvoir de concentration s'améliorent. Elle arrive à suivre un programme de virtuosité et peut, pour la première fois de sa vie, jouer six à huit pages de musique par cœur. A soixante-douze ans, elle assimile un texte musical inconnu en dix minutes par page, alors qu'elle l'apprenait avec peine en deux semaines à vingt ans ! « Je jouis intensément de la vie », me dit-elle.

L'observation suivante appartient encore à ce chapitre.

CAS 43 M. (1949)

Un jour vint me trouver un étudiant de vingt-deux ans. Barbu, chevelu, vêtu d'un pullover violet, d'un poncho brun à franges, chaussé de hautes bottes retournées : un authentique hippie !

Dès l'âge scolaire, il a souffert dix à quinze fois par an de troubles digestifs avec vomissements. Il a eu des grippes tous les hivers et de l'acné dès l'adolescence.

De janvier à juillet 1970, cherchant à se sortir de ses difficultés physiques et psychiques, il fit partie d'un groupe de jeunes gens qui se droguaient. Il expérimenta tour à tour le haschisch, l'opium, les amphétamines, la lysergine (LSD). Trouvant que cela ne résolvait rien, il chercha, dès juillet 1970, à modifier son alimentation et se nourrit essentiellement de céréales et de légumineuses (selon Oshawa) en supprimant la viande, le lait, le beurre, le fromage et les œufs. Après trois mois de ce régime, il se sentit très soulagé et put se passer de drogues. Libéré de cette emprise, il entraîna ses camarades à faire comme lui, en partie avec plein succès. Actuellement, il mange le matin du pain complet, du miel, du pâté végétal, et boit du thé. A midi et le soir, il se nourrit de riz complet, de sarrasin ou de millet, de légumineuses (pois chiches ou lentilles). Corps gras additionnels : par jour, beurre 30 grammes, margarine végétale 30 grammes.

Il vient le 12 novembre 1971. Il est très maigre : 64 kilos pour une taille de 1,82 mètre, fatigable, décalcifié. Son foie est insuffisant, l'urine hyperacide. Il aimerait savoir s'il n'est pas possible de se nourrir encore mieux. Je lui donne les indications désirées et quelques mois plus tard, il dit se bien porter.

Nombreux sont les jeunes inadaptés, devenus contestataires. Ils se droguent, ils ne trouvent pas leur équilibre psychique. Pourquoi ? Ne devrait-on pas penser que leurs corps et leurs cerveaux, déséquilibrés par l'alimentation moderne inadéquate, se révoltent ? Cet intéressant jeune homme semble être venu me l'enseigner.

Dans les cas décrits, les maladies ont été plus ou moins aisément réversibles par le retour à l'alimentation prévue pour nous par la Nature. Combien de temps en sera-t-il encore ainsi ? Il est à craindre que des mères mal nourries pendant leurs grossesses, mettent au monde des enfants débilités (voir cas 37) qui, devenus adultes, enfanteront à leur tour des sujets de plus en plus faibles, déficients, malformés. Un jour peut venir où cette évolution aura atteint le point de non-retour. Pour stopper cette décadence, **il importe que les enfants de nos écoles apprennent comment il faut se nourrir et quelles sont les erreurs à éviter.**

Déjà, une proportion alarmante de nos écoliers a le dos rond et porte lunettes, a les dents cariées et manque trop souvent l'école pour maladies diverses. Une proportion alarmante de jeunes hommes est inapte au service militaire pour des raisons physiques ou psychiques. La correction est encore aisée aujourd'hui. Il est nécessaire de l'entreprendre avant que la situation ne se dégrade encore et ne devienne irréversible.

Il nous reste encore à parler de quatre maladies dégénératives majeures qui dévastent notre société en faisant toujours plus de victimes et cela, pour les deux premières, toujours plus tôt dans l'existence. Il s'agit de l'artériosclérose (cause de mort numéro un), du cancer, de la polyarthrite chronique évolutive et de la sclérose en plaques.

L'Artériosclérose et le rôle de la lécithine

On appelle artériosclérose une altération des artères, qui leur fait perdre leur élasticité normale et diminue leur calibre. La maladie commence par la formation dans la paroi du vaisseau sanguin de dépôts de substances grasses et de cholestérol en provenance du sang. Du calcaire peut s'y fixer par la suite. Ces précipités rétrécissent la lumière des artères et diminuent ainsi l'apport sanguin aux tissus. Il en résulte, selon la région atteinte, quantité de désordres : ainsi, dans les yeux, la formation de cataracte ; aux extrémités, la sensation de froid, souvent accompagnée de crampes. L'oblitération des vaisseaux des membres inférieurs peut entraîner l'apparition d'abord de douleurs et de claudication à l'effort puis, si elle est sévère, de la gangrène nécessitant l'amputation. C'est à l'obstruction partielle de vaisseaux cardiaques que sont dus les accès d'angine de poitrine. L'occlusion totale d'une coronaire conduit à l'infarctus du myocarde. L'artériosclérose, lorsqu'elle est généralisée, entraîne une élévation de la pression sanguine. Localisée au cerveau, elle peut être cause d'une perte de mémoire, de confusion mentale, d'attaques d'apoplexie. Son développement est favorisé par le diabète, dont elle peut être une complication sévère, menant à l'insuffisance rénale, à la gangrène des membres inférieurs, à la cécité (par troubles circulatoires au niveau de la rétine).

L'artériosclérose a été longtemps considérée comme un mal irréversible, lié au vieillissement. Cependant, celle produite artificiellement chez les animaux d'expérience s'est révélée étroitement dépendante de l'alimentation et pouvant disparaître lorsque celle-ci est bien équilibrée. Pour que des substances grasses se déposent dans la paroi artérielle, il faut que leurs taux dans le sang, ainsi que celui du cholestérol, soient trop élevés et celui des phospholipides, dont la lécithine, trop bas.

Substance physiologiquement très importante et incorporée à toute cellule, la lécithine est une graisse dans laquelle un des trois acides gras est remplacé par de la phosphorylcholine, l'un ou même les deux autres sont des acides gras polyinsaturés (voir p. 57 à 59 et 200). Cette substance est douée d'un grand pouvoir émulsifiant. En présence de lécithine, le cholestérol et les graisses neutres se présentent sous forme de particules microscopiques qui traversent rapidement la paroi vasculaire pour être utilisées.

Tout comme le cholestérol, la lécithine est continuellement produite par le foie, déversée dans l'intestin avec la bile, et résorbée au niveau de celui-ci. Elle constitue 73 % des graisses hépatiques.

Un individu en bonne santé réagit à un apport alimentaire de corps gras, par une surproduction de lécithine et une augmentation de son taux dans la bile et le sang. Tel n'est pas le cas chez l'artérioscléreux : chez lui le taux de lécithine plasmatique reste bas ; les particules de graisses, trop grosses pour migrer aisément à travers la paroi artérielle, s'y déposent. Ces précipités de cholestérol et de graisses peuvent cependant, dans une certaine mesure, être remis en circulation par un apport alimentaire de lécithine.

Pour que l'organisme soit capable de former de la lécithine, il doit disposer d'une part de matières premières en suffisance (vitamine F, choline ou son précurseur, la méthionine) d'autre part des catalyseurs nécessaires à sa synthèse.

Actuellement, il est d'usage de lutter contre l'artériosclérose en diminuant la ration des corps gras alimentaires. Il est possible de faire mieux en augmentant simultanément l'apport d'acides gras polyinsaturés et de lécithine.

Tous les aliments non raffinés qui renferment de l'huile, contiennent de la lécithine et exercent une action antiartérioscléreuse. On a observé d'autre part qu'un supplément de lécithine végétale abaisse le cholestérol sanguin et fait disparaître les crises d'angine de poitrine.

L'artériosclérose est une maladie à évolution très lente et insidieuse. Seule la tension artérielle est aisément contrôlable et doit systématiquement être surveillée.

Depuis que j'attache de l'importance à la normalisation du régime alimentaire, les incidents catastrophiques qui sont l'aboutissement de l'artériosclérose grave sont apparemment devenus rares parmi mes malades.

Alors qu'entre 1930 et 1945, il m'était donné d'observer annuellement un ou deux cas d'apoplexie avec hémiplégie, actuellement je n'en vois plus, comme je n'ai plus eu à déplorer la survenue d'infarctus du myocarde. Sans doute, l'avènement d'hypotenseurs et d'hypocholestérifiants efficaces a-t-il également contribué à cette évolution.

L'amélioration surprenante de la mémoire dans les cas 41 et 42 pourrait s'expliquer par l'amélioration d'une artériosclérose cérébrale encore réversible.

Troisième partie

15

Le cancer, la polyarthrite chronique évolutive (P.C.E.) et la sclérose en plaques : Trois maladies sœurs

Je suis toujours resté ma propre autorité... Je lisais tout; cela m'a donné la possibilité d'avoir des idées originales...

SYDENHAM

Le cancer, la polyarthrite chronique évolutive (P.C.E.) et la sclérose en plaques sont trois maladies dégénératives très graves, qui deviennent de plus en plus fréquentes et pèsent lourdement sur le destin de notre société.

En 1945, deux collaborateurs et moi avons décidé de faire de la recherche dans le domaine du cancer. Nous y avons consacré près de vingt ans. Le but en était, non de trouver comment détruire le cancer, objectif poursuivi par les centres de recherches mondiaux, mais de comprendre pourquoi il se forme.

C'est au cours de ce travail que nous nous sommes aperçus que cancer, polyarthrite chronique évolutive et sclérose en plaques étaient des maladies sœurs, s'attaquant à des individus ayant un passé familial et personnel similaire. Ces trois affections apparaissent parfois chez divers membres d'une seule et même famille. Tout se passe comme si, soumis à une même action délétère, chaque malade choisissait son mode de réaction et lui restait fidèle, la combinaison de deux de ces affections chez un même sujet (du moins sous leur forme grave) étant exceptionnelle. Il se pourrait même que l'existence d'une polyarthrite chronique évolutive soit un facteur de protection contre le cancer (?). Ces trois maladies répondent de façon analogue et bénéfique à un même traitement de base, ce qui parle en faveur de la conception de l'unité de leur point de départ.

Lorsqu'un manque de catalyseur est seul en jeu, la correction de ce déficit peut amener un résultat très rapide, comme dans les cas de stérilité (voir p. 170) ou du vomisseur (voir cas 1, p. 163). Il n'en est pas ainsi chez ces trois catégcries de malades. L'observation nous a montré qu'il existe chez eux des désordres intestinaux chroniques. On sait que, dans ces conditions, la flore intestinale devient anormale et agressive, la paroi intestinale trop perméable. Elle est donc susceptible de laisser filtrer dans la lymphe et le sang des corps toxiques et des micro-organismes en quantité excessive. Le foie et les ganglions lymphatiques, chargés d'arrêter cet afflux nocif, peuvent alors se trouver débordés.

J'ai traité mes patients comme si tel était le cas et que c'était là que résidait la source morbide à tarir. Comme je vais le montrer par la suite, lorsque cela réussit, survient un mieux : la croissance du cancer se trouve ralentie ou arrêtée, la polyarthrite s'apaise, devient moins douloureuse et cesse d'évoluer ; la sclérose en plaques ne s'aggrave plus.

J'ai déjà expliqué (voir p. 78) combien notre structure intestinale est fragile. Une nourriture chroniquement carencée l'altère et favorise le développement d'une flore anormale. L'organisme en souffre et se défend comme il peut. Car le cancer et la polyarthrite ne sont, à mon sens, autre chose que deux mécanismes de défense. Cette conception expliquerait pourquoi il n'y a pratiquement jamais simultanément deux cancers d'espèces différentes chez le même individu, et pourquoi les tumeurs malignes sont si rares chez les polyarthritiques graves, et vice versa. Si un processus remplit son rôle de défense, pourquoi en mobiliser un deuxième ?

La nature aurait recours à ces modes défensifs si particuliers, parce que l'attaquant ne lui vient pas de l'extérieur, comme c'est le cas lors d'une fièvre typhoïde ou d'une rougeole par exemple. L'intestin est toujours peuplé de microbes avec lesquels l'organisme doit vivre en symbiose et en paix. Il est habitué et tolérant à leur présence tant à l'intérieur de l'intestin, que lorsqu'ils migrent en quantité modérée à travers le corps. Le cancer et la P.C.E. résulteraient de la rupture de cet équilibre et de cette entente, l'organisme étant placé en quelque sorte dans les conditions d'une guerre civile. Celle-ci ne peut que se poursuivre, tant que sa cause n'est pas éliminée, ce qui confère à ces maladies leur cours chronique et progressif.

Quant à la sclérose en plaques, il s'agit d'une souffrance du système nerveux chez un individu qui n'a pas su se défendre. On admet aujourd'hui que c'est une maladie auto-immune, autrement dit due à des mécanismes d'immunité faussés. On suppose que la polyarthrite n'est pas autre chose. Je pense que le cancer résulte également d'un processus immunitaire pathologique, tel qu'il existe probablement normalement dans les tissus embryonnaires, auxquels le cancer tend à ressembler.

Pour ces trois maladies progressives et graves, l'effet objectif, bienfaisant, de mon intervention n'est qu'exceptionnellement immédiat. Un certain soulagement peut être ressenti très vite. Dans la règle, il faut attendre deux mois pour qu'un mieux s'installe et environ deux ans pour que l'on puisse parler de stabilisation. Pendant ce délai, est nécessaire l'appui des traitements palliatifs classiques, qui, plus tard, s'avèrent superflus et sont gardés en réserve, pour le cas d'une rechute.

J'aimerais maintenant parcourir avec vous les étapes que j'ai franchies lors de mes recherches sur la nature et le sens du phénomène cancéreux et qui m'ont amenée aux notions que je viens d'exposer. Et d'abord, qu'est-ce que le cancer ?

LE CANCER
Notions classiques

On appelle cancer un tissu à croissance apparemment désordonnée, maligne, se faisant aux dépens des tissus sains en les repoussant ou en les détruisant. Pour une raison qui le plus souvent nous échappe, telle ou telle cellule de l'organisme se met tout à coup à proliférer : elle crée un grand nombre de ses semblables, dont l'ensemble forme une masse appelée tumeur. Les cellules cancéreuses ont la propriété de pénétrer dans les courants lymphatique et sanguin et d'être transportées par eux, comme le sont normalement les globules rouges et blancs détachés de la moelle. La très grande majorité des cellules cancéreuses migratrices périssent (et c'est probablement là leur destin normal), mais d'autres se fixent au hasard de leur course. Elles se greffent, par exemple dans les os ou les poumons, et se mettent à y proliférer en formant des tumeurs filles, appelées métastases.

Selon la localisation de la tumeur primitive et des tumeurs filles, des désordres fort divers peuvent apparaître. Si aucun incident aigu, telle une hémorragie massive, ne vient raccourcir brutalement le cours de la maladie, la croissance des tumeurs provoque un épuisement progressif, aboutissant à la mort du malade. Un parasite, le gui, par exemple, épuise ainsi l'arbre qui le porte.

Des recherches faites sur l'animal ont permis de découvrir des substances chimiques productrices de cancers, dites cancérigènes ou carcinogènes. Le goudron en est une. Si, systématiquement et jour après jour, on applique sur la peau rasée d'une souris blanche un peu de goudron, au bout de quelques semaines, celle-ci s'irrite, devient squameuse, puis une tumeur à croissance plus ou moins rapide se forme à l'endroit badigeonné et tue l'animal.

Si, pendant vingt ans, jour après jour, un fumeur de cigarettes dépose un peu de goudron dans ses bronches, la muqueuse de celles-ci s'irrite et s'enflamme. La bronche cherche à se débarrasser du goudron qui la souille en sécrétant du mucus, qui est expectoré grâce à la toux. Elle n'arrive cependant pas à expulser le tout : à partir de la muqueuse chroniquement irritée prend naissance une tumeur cancéreuse.

Il y a dans notre milieu des cancérigènes naturels, tels les rayons ultra-violets du spectre solaire, les émanations des roches radioactives et les rayons cosmiques, l'arsenic du sol entraîné dans les aliments ou les eaux de boisson, etc. Ils ont existé sur la terre avant même qu'apparaisse la vie et n'ont pas empêché le développement prodigieux de celle-ci. Ces cancérigènes naturels sont peu nombreux, peu abondants et peu nocifs.

Le travail humain, par contre, a produit de nos jours un nombre très grand et toujours croissant de cancérigènes. Certains d'entre eux sont des substances nouvelles synthétisées par des chimistes dans des buts précis. Elles n'existent pas dans la nature et il a été impossible de reconnaître à l'avance leur effet nocif sur l'homme. D'autres sont des substances de déchet émises par les usines, par les combustions diverses, etc.

L'influence néfaste des activités humaines, industrielles et autres, sur la fréquence des cancers a commencé à se manifester pendant le dernier quart du XIXe siècle. En 1900, une demi-douzaine de carcinogènes seulement avaient été dépistés. Aujourd'hui, ils sont innombrables. Ces produits chimiques, largement répandus dans le milieu où nous vivons, menacent de nos jours non seulement les ouvriers qui les produisent ou les emploient, mais tout le monde, même les enfants à naître. Il en résulte une inquiétante multiplication des tumeurs malignes. Le pourcentage des décès par cancer a passé de 4 % en 1900 à 20 % aujourd'hui. Autrement dit, un individu sur cinq meurt du cancer. Quelques malades en guérissent et l'on compte qu'un homme sur quatre, deux familles sur trois sont ou seront touchés par cette maladie.

La situation semble particulièrement périlleuse pour les jeunes. Au début du siècle, le cancer était exceptionnel chez eux. Aujourd'hui, en Amérique, il tue plus d'enfants en âge scolaire que n'importe quelle autre maladie : 12 % des décès entre un et quatorze ans sont dus aux tumeurs malignes. Les grandes villes ont dû créer des hôpitaux destinés exclusivement aux enfants cancéreux.

On sait qu'il se passe souvent des années entre l'empoisonnement par un cancérigène et le développement d'une tumeur. Des ouvriers exposés à un tel agent ne développent souvent leurs tumeurs que quinze à trente ans après le contact avec celui-ci. Ce temps de latence est plus court dans les cas de leucémies, que l'on considère comme étant un cancer du sang. Les survivants de Hiroshima, soumis aux radiations cancérigènes, émises par la bombe atomique, ont commencé à présenter des leucémies trois ans déjà après son explosion.

A toutes petites doses, aucun contact avec un carcinogène, aujourd'hui inévitable, n'est bien périlleux. Mais il suffira d'une seule de ces « doses anodines » pour faire un jour déborder la coupe, remplie précédemment par des milliers d'autres doses de cancérigènes dites « inoffensives ».

La morale à tirer de tous ces faits est que l'homme doit, d'une part à tout prix limiter le nombre et la variété des toxiques potentiels qu'il emploie (insecticides, herbicides, colorants alimentaires, etc.), d'autre part augmenter sa résistance, sinon il prépare la voie à un désastre sans précédent, qui s'annonce déjà et que la thérapeutique sera impuissante à juguler.

Critique des notions classiques

La médecine classique actuelle traite le problème du cancer comme si un homme bien portant avait eu l'inconcevable malchance de voir se produire une prolifération cancéreuse dans son corps sain !

Prof. Werner Zabel

Nous connaissons aujourd'hui des centaines de substances cancérigènes. Deux choses restent cependant troublantes. Premièrement, le contact avec une telle substance ne fait pas apparaître des tumeurs malignes régulièrement et dans n'importe quelles conditions.

Ainsi, il existe un colorant appelé « jaune du beurre », car il fut employé longtemps pour colorer le beurre d'hiver, afin d'en favoriser la vente. Si l'on en donne à des rats nourris avec des comprimés nutritifs ou avec du riz poli, on provoque l'apparition de tumeurs dans le foie. Si l'on nourrit ces animaux avec du riz complet, ou avec les mêmes comprimés nutritifs additionnés d'un supplément de vitamines, les tumeurs sont plus rares ou ne se forment pas.

Il existe un cancérigène puissant, nommé méthylcholanthrène. Son application à la souris produit un cancer avec une grande régularité. Je disposais d'unc souche de souris de race pure dont plus de 90 % développaient spontanément une tumeur mammaire cancéreuse dans un laboratoire spécialisé de Paris, où elles étaient nourries avec des comprimés nutritifs contenant prétendument « tout ce dont elles avaient besoin ». J'ai nourri ces mêmes souris avec du blé, du pain noir, des carottes et de la levure de bière. Le taux de leur cancer tomba à moins de 50 %. Il me fut d'autre part impossible d'obtenir chez elles un seul cancer par l'application de méthycholanthrène selon les méthodes usuelles.

Deuxième fait troublant : le progrès des techniques de production des tumeurs chez les animaux de laboratoire, la connaissance de nombreuses substances cancérigènes ne permettent pas, dans l'immense majorité des cas, de découvrir chez un malade donné le cancérigène en cause et de l'éliminer.

La prévention du cancer

La lutte contre une maladie donnée ne fait généralement de progrès réels qu'à partir du moment où des mesures de prévention peuvent être prises, et cette prévention, ou prophylaxie (quelques cancers professionnels mis à part), n'est pas encore réalisée pour le cancer. On cherche actuellement à grands frais, et cela avec un certain succès, à rendre le diagnostic de la tumeur maligne de plus en plus précoce. En effet, l'ablation d'une petite tumeur bien localisée est souvent suivie de guérison, mais il s'agit là de traitements entrepris le plus près possible du début de la maladie et non de sa prévention. Or, aucun trouble, aucun symptôme caractéristique ne révèle la présence des cancers débutants. Pour qu'un traitement précoce soit réalisable, il faut qu'inlassablement le médecin les recherche. C'est ce qu'il fait aujourd'hui en grand, pour les tumeurs du sein ou de l'utérus, les plus fréquents chez la femme, cela en pratiquant des contrôles annuels. Des milliers d'investigations de prudence sont ainsi effectuées, entraînant des frais considérables, pour de temps en temps déceler un commencement de formation tumorale et sauver une vie. Cependant, en recherchant un cancer de l'utérus, ou du sein, on n'exclut en aucune façon la présence d'une tumeur maligne dans n'importe quel autre organe, l'ovaire ou l'intestin, par exemple. Très perfectionnées et précises quant à l'organe examiné, ces méthodes sont donc non seulement dispendieuses, mais encore aléatoires.

Cependant les observations faites auprès des peuplades primitives, qui ont su se préserver du cancer et chez lesquelles les tumeurs malignes sont inconnues (celles de McCarrisson auprès des Hounzas, celles citées par Weston Price auprès des Indiens du Canada, etc.) les faits décrits ci-dessus et concernant des animaux d'expérience, nous font pressentir qu'une réelle prévention du cancer est possible et pourrait être pratiquée avec succès dans notre société.

Si le quart de la population aujourd'hui, et peut-être davantage à l'avenir, est destiné à développer un cancer, il serait précieux de pouvoir reconnaître à l'avance les individus spécialement menacés, afin de les préserver de cette maladie. Ou bien ferions-nous mieux – un risque de 25 % étant extrêmement élevé – de protéger carrément tout le monde ?

Par des vaccinations nous nous protégeons bien tous contre des maladies infectieuses, telles que la diphtérie et la poliomyélite, bien qu'elles menacent un pourcentage bien inférieur d'individus. Et s'il faut préserver tout le monde, comment le faire ? Ce problème est-il soluble ?

Mes recherches

1. *L'anamnèse du cancéreux*

Afin de pouvoir repérer dans la masse, les individus à haut risque, la meilleure façon m'a semblé être l'étude du passé sanitaire de mes malades et de celui de leurs familles. J'ai fait ce travail dans plus de 200 cas et il m'a appris qu'il existe sans doute des cancers qui se forment chez des individus apparemment en excellente santé, appartenant à des familles saines, mais qu'ils sont exceptionnels et ne représentent que 3 % de l'ensemble. Chez la grande majorité des cancéreux se produit, bien avant l'apparition de la tumeur, une détérioration progressive de la santé. Une série de désordres s'associent de façons diverses, conférant à leurs histoires et à celles de leurs familles un cours varié et cependant bien reconnaissable, dont rendent compte de façon particulièrement démonstrative les deux cas suivants.

CAS 44. F. (1907)

Il s'agit d'une femme de cinquante ans appartenant à un milieu aisé. Du côté maternel, la grand-mère est décédée à soixante-dix-neuf ans de faiblesse cardiaque. Le grand-père est mort jeune, de pneumonie. La mère a souffert toute sa vie de migraines et a succombé à soixante-neuf ans à un cancer du sein.

Du côté paternel, le grand-père est décédé à soixante-dix-huit ans d'un cancer du pancréas, une tante et le père sont morts d'embolies pulmonaires. Un frère de la malade a succombé à quarante-quatre ans à une angine de poitrine, une sœur, à soixante-cinq ans, à un infarctus du myocarde.

L'histoire personnelle de la malade m'apprend qu'elle a souffert dès l'enfance d'une constipation opiniâtre, de dents très cariées. Elle a eu de l'asthme, de l'urticaire, un rhume des foins, une furonculose récidivante, une colibacillose. A vingt-huit ans, après un accouchement difficile, survint une naissance, restée unique. A quarante et un ans, elle subit l'ablation de la vésicule biliaire pour calculs.

A cinquante ans, cette malade, légèrement obèse, est opérée d'un cancer du sein.

Voici l'arbre généalogique « médical » de la famille :

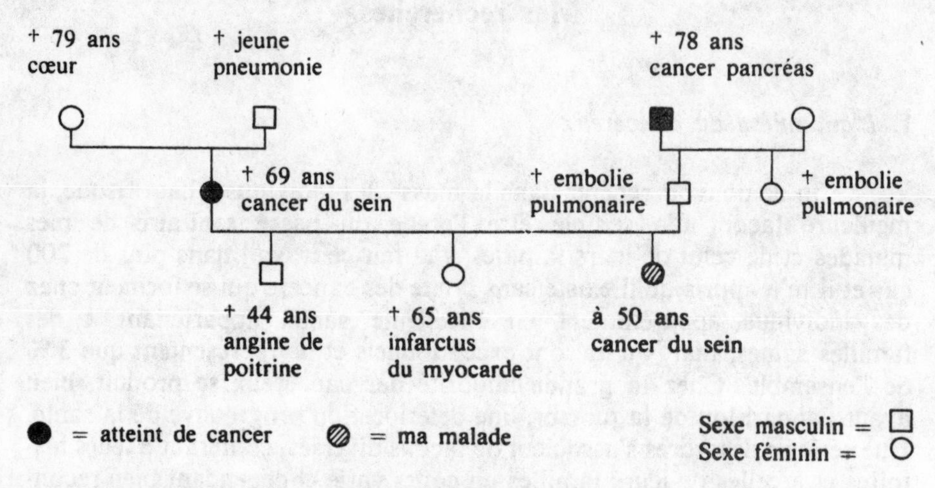

Qu'apprend cette histoire ? Premièrement, que d'autres membres de cette famille ont déjà souffert de cancer et notamment dans une première génération à soixante-dix-huit ans, dans une deuxième génération à soixante-neuf ans et dans la troisième génération, celle de notre malade, à cinquante ans. Celle-ci est ainsi devenue cancéreuse vingt-huit ans plus tôt que son grand-père et dix-neuf ans plus tôt que sa mère.

Au début du siècle, le cancer était considéré comme une maladie des vieillards. Tel n'est plus le cas aujourd'hui. De nos jours, non seulement le cancer devient de plus en plus fréquent, mais encore apparaît-il chez des individus de plus en plus jeunes. C'est ainsi que près de 20 % de mes malades étaient âgés de moins de quarante ans, contre 2 % seulement dans la génération précédente. Moins de 10 % d'entre eux avaient dépassé soixante-dix ans, contre près de 40 % dans les deux générations précédentes.

Curieusement, l'existence d'un cancer chez des ascendants, en l'absence d'autres troubles importants de la santé, ne rend pas, chez les descendants, le cancer plus fréquent que dans l'ensemble de la population, mais son apparition éventuelle est plus précoce.

Il n'est guère que deux façons d'expliquer ce phénomène inquiétant : ou bien nous vivons actuellement dans un monde où les agressions que nous subissons deviennent de plus en plus nombreuses et nocives, ou bien notre résistance à ces agressions a diminué. Tout porte à croire que c'est la combinaison de ces deux facteurs qui est en cause et que c'est sur les deux plans qu'il importe de lutter.

Nous savons que ce n'est pas seulement le cancer qui devient de plus en plus commun parmi nous, mais également d'autres maladies, spécialement les maladies dégénératives du système circulatoire. Dans le cas cité, nous voyons que, dans la génération qui a précédé celle de la malade, une tante et le père de celle-ci sont décédés d'embolies pulmonaires, consécutives à des thromboses; dans la génération de la malade, un frère et une sœur ont succombé à quarante-quatre et soixante-cinq ans, l'un à une angine de poitrine, l'autre à un infarctus du myocarde. Or, ces maladies sont des affections dégénératives du système circulatoire, attribuables à de l'artériosclérose, qui surviennent essentiellement chez des individus abusant de graisses animales, carencés en vitamines fournies par les huiles crues, les céréales complètes et les graines oléagineuses.

Les allergies, le manque de résistance vis-à-vis des infections banales dont a souffert ma malade sont d'autres conséquences des mêmes carences.

Si je considère l'ensemble de mes malades cancéreux, je constate que 57 % ont eu un ou plusieurs cas de cancer dans leur parenté, mais les maladies dégénératives du système circulatoire sont plus fréquentes et présentes chez 65 % des membres de ces mêmes familles. De ces 65 %, près de la moitié (28 %) ont également été atteints de cancer. 44 % des familles ont des membres souffrant de maladies allergiques importantes. 6 % seulement de mes patients sont issus de familles ne présentant ni maladies circulatoires ou allergiques, ni tumeurs. De ces 6 %, la moitié sont des ressortissants de familles plus ou moins lourdement frappées de tuberculose, dont certains sont morts jeunes. 3 % seulement des malades étudiés étaient issus de parents robustes, qui se sont éteints à un âge avancé.

Cela signifie que, si un individu provient d'une souche saine, le risque qu'il devienne cancéreux est faible, malgré la fréquence actuelle de cette maladie. Si, par contre, il appartient à une famille, où s'accumulent les différentes formes de maladies dégénératives graves, la probabilité pour lui d'être atteint de tumeur est grande.

Si, dans une famille, il ne se présente que des maladies cancéreuses, à l'exclusion d'autres affections dégénératives graves, la probabilité pour un membre donné d'être lui-même atteint de tumeur n'est pas particulièrement élevée. Si, par contre, outre le cancer, d'autres maladies dégénératives, circulatoires et allergiques, s'accumulent dans la même famille, le risque que court l'un de ses membres de devenir cancéreux est considérablement accru.

L'histoire d'une famille donne ainsi déjà une indication quant à la menace de cancer qui pèse sur un individu donné. Mais l'histoire du malade lui-même est tout aussi instructive. Dans le cas cité, il y eut des troubles allergiques, une mauvaise résistance aux infections banales (infections récidivantes des voies respiratoires supérieures, furonculose, colibacillose), des calculs biliaires.

Ceux-ci sont, dans la règle, formés de cholestérol, qui précipite dans une bile pauvre en lécithine, chez des individus dont l'alimentation est riche en graisses saturées (voir p. 200).

La constipation chronique dont souffrait notre malade se retrouve chez 35 % de nos cancéreux. Fréquemment, on assiste à une aggravation de celle-ci dans les années précédant l'apparition du cancer. 13 % de mes malades avaient des diarrhées récidivantes. 58 % souffraient ainsi de troubles digestifs chroniques manifestes.

Dans l'exemple cité, il n'y eut qu'une seule naissance et elle fut difficile. Parmi mes malades, 25 % des femmes mariées n'eurent pas d'enfants. 25 % eurent un enfant unique. Souvent, les naissances furent difficiles. Ainsi, la fécondité de mes cancéreuses était réduite. Si l'on prive les animaux d'expérience des vitamines F et E et de certains obligo-éléments, leur fécondité diminue. Nous avons vu qu'il en est de même pour certains couples humains (voir p. 170).

Ainsi, ma malade présenta des désordres, attribuables à des carences alimentaires, bien des années avant l'apparition de la tumeur, et il est raisonnable d'admettre que ces états maladifs ont préparé la voie au cancer. Une partie de ces troubles est parfaitement réversible par une alimentation rationnelle, aidée parfois par l'apport transitoire de vitamines pharmaceutiques.

Il va de soi que ni la famille du cancéreux, ni le malade lui-même ne vont présenter dans leur passé tous les troubles dus à ces carences alimentaires chroniques. Ce sont tantôt les uns, tantôt les autres qui dominent le tableau clinique, ce qui confère à l'anamnèse un aspect varié.

Voici un deuxième exemple, très différent du premier et qui, cependant, peut être considéré comme tout aussi caractéristique.

Cas 45. M. (1908)

Il s'agit d'un homme de cinquante-cinq ans, né dans une auberge tenue par ses parents et dont, par la suite, il assuma l'exploitation. Il pesait 108 kilos pour une taille de 1,79 mètre.

Sa mère décéda à cinquante-neuf ans d'un infarctus du myocarde, son oncle maternel à soixante-dix ans d'un cancer de l'estomac. Son père pesait 134 kilogrammes et mourut à trente-quatre ans, une sœur décéda à cinquante-cinq ans du diabète, un frère à trente-six ans, d'un cancer de l'estomac. Sa femme souffre cruellement d'une polyarthrite chronique évolutive (maladie sœur du cancer survenue chez une commensale).

Voici l'arbre généalogique « médical » de la famille :

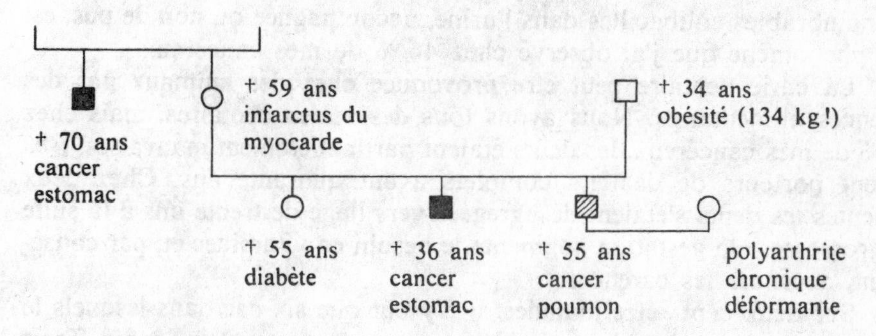

Lui-même, âgé de cinquante ans, en porte soixante-dix. Il est obèse dès l'enfance. Actuellement, son surpoids est de vingt-neuf kilos ; la graisse, surabondante au niveau de l'abdomen, y a fait apparaître des cicatrices de distension (vergetures) comme chez une femme enceinte. Il est atteint depuis longtemps de troubles circulatoires et de varices : aux deux jambes, la peau a pris une coloration brun foncé due à l'insuffisance veineuse et à la perméabilité exagérée des petits vaisseaux. Ailleurs, elle est sèche, squameuse et ridée. De temps à autre, il souffre d'urticaire. Il a de nombreux cors aux pieds. Depuis des années, il est goitreux. Son urine est une culture pure de colibacilles. Son cholestérol sanguin est trop élevé ; le taux de fer sérique est par contre tombé au quart de la normale. Depuis vingt-cinq ans, il fume trente cigarettes par jour.

Dès son enfance, il a vécu de façon sédentaire, dans l'opulence alimentaire et a consommé une nourriture de restaurant, trop riche en viandes, en produits laitiers, en graisses animales et autres, souvent récupérées et réchauffées.

A cinquante-cinq ans, il est porteur d'un cancer pulmonaire, auquel il succombe dans l'année.

L'obésité, à peine marquée dans le premier cas cité, est ici au premier plan. Beaucoup de cancéreux sont obèses. Tel fut le cas chez 34 % de mes malades. 10 % avaient un excès pondéral modéré de cinq à dix kilogrammes et 24 % un surpoids de plus de dix kilos. Une obésité prononcée péjore ici, comme ailleurs, le pronostic vital.

Le taux du cholestérol s'élève dans le sang lorsque l'alimentation est déséquilibrée. J'ai trouvé un excès de cholestérol dans le sang, donc un trouble de son métabolisme, chez 62 % de mes patients.

Enfin, mon malade était porteur depuis des années d'une tumeur bénigne, goitreuse au niveau du cou. Il est fréquent de retrouver dans l'histoire des cancéreux l'existence de tumeurs bénignes, opérées ou non. Ainsi, des kystes ou adénomes mammaires, un fibrome utérin précèdent souvent de quelques années un cancer du sein.

La colibacillose, c'est-à-dire la présence constante ou intermittente d'innombrables colibacilles dans l'urine, accompagnée ou non de pus, est une phénomène que j'ai observé chez 46 % de mes cancéreux.

La carie dentaire peut être provoquée chez des animaux par des carences alimentaires. Nous avons tous des caries dentaires, mais chez 26 % de mes cancéreux, les dents étaient particulièrement mauvaises. 6 % étaient porteurs de dentiers complets avant quarante ans. Chez deux patientes les dents s'étaient désagrégées vers l'âge de trente ans à la suite de grossesses : la gestation augmente le besoin en vitamines et, par conséquent, accentue les carences.

Sur deux cent seize malades, il n'y eut que six cas dans lesquels le cancer est apparu chez des individus apparemment en pleine santé. Trois fois, il s'est agi de très gros fumeurs, deux fois de personnes à alimentation extraordinairement déséquilibrée, consommant 150 grammes de graisses animales par jour. Dans un seul cas, celui d'une leucémie myéloïde chronique, je n'ai rien trouvé dans l'anamnèse qui aurait pu m'avertir de l'approche de la maladie cancéreuse. Il s'agissait d'un végétarien s'alimentant et vivant de façon raisonnable. Il tomba malade à l'âge de cinquante-cinq ans. Le cours de sa maladie fut étonnamment doux. La survie fut de seize ans au lieu de cinq, qui est la durée maximale habituelle. Dans la seizième année de sa leucémie, après un surmenage, il fit une poussée de tuberculose pulmonaire, suivie d'une insuffisance hépatique et décéda à soixante et onze ans (voir cas 65, p. 256).

Les maladies chroniques constatées tant chez les cancéreux eux-mêmes que dans leur famille, sont de nature dégénérative, en rapport avec nos carences alimentaires, la plupart étant corrigibles ou améliorables par la suppression de celles-ci. Ces observations nous suggèrent que le cancer devrait, lui aussi s'inscrire dans la liste des maladies de même origine, et cela en accord avec les observations rapportées par Price, McCarrison et d'autres, et qu'il est par conséquent évitable. Il s'est agi dès lors pour moi de voir, si et dans quelle mesure, le cancer est influençable par les mêmes mesures que celles que j'ai employées avec bénéfice dans les autres maladies dégénératives.

Chez les enfants, les maladies tumorales — et tout spécialement les leucémies aiguës — deviennent de plus en plus fréquentes. Vu la brièveté de leur vie, les enfants n'ont guère le temps de développer les multiples signes de carence, tels que les présentent les adultes. On retrouve cependant chez eux, comme signes prémonitoires, des troubles digestifs chroniques ou récidivants (constipation, diarrhées, vomissements acétonémiques, foie délicat), des affections allergiques (urticaire, eczéma, asthme) parfois une soif anormale, mais surtout une tendance désespérante aux infections banales des voies respiratoires supérieures et de l'appareil urinaire, qui les empêchent, surtout en hiver, de suivre régulièrement l'école. Ils ont de mauvaises dents, un teint pâle, cireux, sans nécessairement être anémiques.

Régulièrement, ils reçoivent une alimentation beaucoup trop riche en graisses animales, exempte de céréales complètes et d'huiles crues. La santé des enfants présentant ces divers symptômes, hormis la tumeur, est facile à redresser par un ajustement de l'alimentation.

2. *Mon hypothèse de travail*

Il est de règle qu'un travail de recherche commence par s'appuyer sur une hypothèse de travail. Le chercheur essaie de s'imaginer le processus, qui précède et conditionne le phénomène étudié. En agissant dans la logique de son hypothèse, il tente ensuite de la confirmer ou de l'infirmer. Si, en procédant ainsi, il arrive à influer sur les faits qu'il observe dans le sens qu'il a prévu, si rien ne parvient à ébranler son postulat, celui-ci se transforme peu à peu en certitude.

Pour comprendre le cheminement de pensée qui m'a guidée, il importe d'abord de prendre conscience du fait que notre vie est conditionnée par l'équilibre entre notre milieu intérieur et ce qui nous entoure. C'est dans notre environnement que nous puisons les substances indispensables à l'entretien de la vie, mais celui-ci comporte également des facteurs, qui nous sont néfastes et contre lesquels nous sommes appelés à nous défendre. Quelques-uns de ces éléments sont chimiques ou physiques, d'autres sont vivants (bactéries, virus, parasites) et susceptibles de nous attaquer. Ces agressions se produisent aux surfaces qui délimitent notre corps et dont l'une des plus importantes est la muqueuse digestive (voir p. 78). Il est essentiel de se rappeler que la couche cellulaire qui revêt la paroi intestinale est extraordinairement mince. A son niveau le monde ambiant n'est séparé de notre monde intérieur, c'est-à-dire de notre sang et de notre lymphe, que par une membrane ultra-fine, formée d'une couche unique de cellules épithéliales, ayant une épaisseur de 0,02 à 0,03 millimètres appartenant à la muqueuse, doublée du revêtement endothélial, encore plus fin, des capillaires. Dans cette vaste région de notre corps, mesurant une fois déplissée 43 mètres carrés, (voir p. 78) nous sommes donc mal protégés vis-à-vis du monde extérieur et très fragiles.

Il est extraordinairement important, pour notre santé et pour notre survie, que cette membrane soit correctement structurée et normalement perméable. Toute augmentation de la perméabilité ou de la porosité de ce revêtement, entraînera automatiquement un passage exagéré du contenu intestinal à l'intérieur de notre organisme, contenu qui renferme, outre la nourriture qui nous est indispensable, des substances toxiques, des bactéries, des virus. Pour parer à la fragilité de cette zone, l'organisme la reconstruit tous les deux jours, c'est-à-dire à un rythme qui est le plus rapide de tous nos tissus (cancer compris). Mais pour pouvoir construire une membrane normale, il faut que notre corps dispose de matériaux, donc d'aliments, normaux.

Avant de gagner la circulation générale, le sang qui provient de l'intestin traverse le foie, où il passe par un réseau capillaire (système porte). La lymphe, recueillie par les chylifères, traverse de même les ganglions lymphatiques. Dans des conditions normales, le sang et la lymphe sont filtrés et désintoxiqués lors de ce passage.

Que se passe-t-il lorsque la structure de la muqueuse intestinale est anormale, sa porosité trop grande, le passage des micro-organismes et des substances indésirables trop abondant, le pouvoir détoxiquant du foie et le pouvoir filtrant des ganglions, débordés ?

Mon hypothèse de travail est que, dans la vie actuelle, ces conditions ne sont que trop fréquemment réalisées et entraînent toutes sortes de désordres, dont le cancer. (Notons en passant que les divers cancérigènes, de structures chimiques fort diverses, ont précisément en commun la propriété d'augmenter la perméabilité de nos tissus.)

A une submersion anormale par des substances toxiques, virales ou bactériennes, l'organisme répond par des mécanismes de défense destinés à les neutraliser. J'ai émis l'hypothèse que les tumeurs, bénignes d'abord, malignes ensuite, ne sont autre chose qu'une forme particulière de ces mécanismes de défense.

Ainsi, la formation de tumeurs cancéreuses, qui survient chez le quart des populations des pays industrialisés, ne serait pas un phénomène aberrant, incompréhensible et gratuit, mais une réaction à un état d'alarme. Une fois cette hypothèse émise, je me suis appliquée à en démontrer l'exactitude.

Chez plusieurs malades, j'ai, lors d'opérations chirurgicales, fait des prélèvements aseptiques de tissu tumoral. Dans les cultures, parfois difficiles et ayant nécessité plusieurs repiquages, le laboratoire spécialisé qui s''en est chargé a trouvé régulièrement des bactéries, hôtes habituels de l'intestin : colibacilles, corynebactéries, etc. Une seule tumeur a été trouvée stérile : elle avait été irradiée avant d'être excisée. L'irradiation préalable avait-elle détruit la capacité du tissu tumoral de capter les germes en circulation, ou les avait-elle tués ?

Le pus provenant de tumeurs cancéreuses ouvertes contient ces mêmes bactéries. Chez un malade atteint de lymphosarcome généralisé, faisant de fréquentes poussées fébriles, j'ai pratiqué, par hasard, une hémoculture vingt-quatre heures avant une montée de fièvre à 39 degrés : le sang prélevé était envahi de colibacilles.

Si un tissu cancéreux est construit pour capter les micro-organismes et les toxines en circulation dans le sang, il devrait être possible de démontrer expérimentalement cette propriété.

Mes expériences sur les souris cancéreuses

J'ai pris comme animaux d'expérience des souris blanches de race pure (R III), dont 90 % présentent à partir de l'âge de quatre mois un cancer mammaire spontané.

J'ai choisi arbitrairement la toxine hémolytique produite par Welchia Perfringens, micro-organisme ubiquitaire, existant régulièrement à l'état de saprophyte dans l'intestin, ainsi que dans d'autres cavités naturelles de tous les mammifères. J'ai étudié le comportement de mes souris à l'égard de cette toxine et constaté les faits suivants.

1. Les animaux R III, encore bien portants, mais précancéreux, étaient beaucoup plus sensibles à l'injection intraveineuse de cette toxine, que ceux appartenant à une autre race quelconque. En effet, alors que chez ces derniers, il a suffi de réduire de 25 % la dose de toxine injectée pour faire passer le taux de survie de 0 à 100 %, il a fallu pour obtenir le même résultat chez les souris précancéreuses, réduire la dose de toxine de 66 %.

2. Les souris R III porteuses de tumeurs spontanées sont par contre plus résistantes à la toxine du Perfringens que les animaux encore bien portants de même race. En effet, 50 % des sujets, porteurs de grosses tumeurs spontanées, malades et arrivés près du terme de leur vie, ont résisté à la dose de toxine, entraînant la mort de tous les animaux sains. J'ai même constaté chez les souris cancéreuses des survies après l'injection de doses une fois et demie et deux fois supérieures à celle 100 % léthale pour la souris normale.

3. Enfin, j'ai trouvé que même les souris porteuses de tumeurs greffées résistent mieux à la toxine du Perfringens que les mêmes animaux non greffés, moins bien cependant que ceux devenus spontanément cancéreux (C. Kousmine et M. Strojewski-Guex, *Oncologia*, 1959, volume 12, p. 70-78.)

Ces essais m'ont montré que la présence d'une tumeur cancéreuse avait accru la résistance de mes animaux à la toxine employée.

J'ai ensuite incubé un gramme de tumeur avec la toxine et constaté que ce tissu cancéreux était capable d'en neutraliser environ quinze doses léthales. Une tumeur de souris atteignant facilement le poids de trois à six grammes, elle contient de quoi inactiver au moins quarante-cinq doses mortelles de poison. Ce pouvoir désintoxicant est presque doublé par une vaccination préalable.

De tous les organes examinés, seul le foie possède un pouvoir comparable, légèrement supérieur. Le pouvoir neutralisant des muscles et du myocarde est négligeable.

Il résulte de ces expériences que, dans le cas particulier de la souris, la tumeur cancéreuse a bel et bien protégé l'animal contre l'action nocive de la toxine hémolytique d'origine microbienne, injectée dans son courant sanguin, et cela conformément à notre hypothèse de travail.

Arrivée à ce point de mes recherches, je savais que le cancer se forme avec prédilection chez des sujets atteints d'autres maladies dégénératives dont la survenue est liée à des carences alimentaires. Je savais que ces carences entraînent une détérioration de la fonction et de la flore intestinales, susceptibles de jouer un rôle dans la genèse du cancer.

Dans une autre étude, j'ai soumis des souris cancéreuses à l'action de substances biologiques diverses, afin de voir lesquelles influaient sur la prolifération des cellules tumorales, et j'ai trouvé que les vitamines B_1 et B_{12} à hautes doses, l'acide folique, les extraits embryonnaires et placentaires accélèrent la croissance du cancer. Il est par conséquent sage de s'en méfier en médecine humaine, chez les cancéreux, tout comme on se défie de toute substance chimique, dont le pouvoir cancérigène est démontré chez l'animal.

J'ai encore constaté que les souris cancéreuses sont extrêmement friandes de graisses dites végétales, mais que la consommation de ces graisses accélère le développement de leurs tumeurs.

Il me fallait dès lors, dans la poursuite logique de ma recherche, équilibrer l'alimentation de mes cancéreux, leur fournir en abondance les oligo-éléments et les vitamines, dont leur nourriture habituelle était carencée, supprimer l'agression d'origine intestinale, supposée être le moteur de la proliférationn cancéreuse et observer ce qui se passe. Je vais maintenant relater les résultats obtenus et décrire d'abord le premier cas, auquel j'ai appliqué ce que m'avaient enseigné les souris.

CAS 46. M. 1898. Réticulosarcome généralisé. Rapports entre désordres intestinaux et poussées sarcomateuses. Survie de plus de trente ans.

Cet homme a subi l'ablation des amygdales à vingt-quatre ans pour angines répétées. A quarante-cinq ans, furonculose, qui dure un an, donc mauvaise résistance à des microbes banals. Dès quarante-neuf ans, il a des diarrhées très fréquentes et renonce aux fruits.

A la suite d'une scarlatine contractée à dix-huit ans, des croûtes sanguinolentes se reforment constamment dans le nez. Parti de ces lésions, un petit polype se développe dans la narine droite. Il est enlevé et la place est cautérisée en janvier 1947. L'analyse histologique montre qu'il s'agit d'une tumeur maligne (sarcome réthothélial ou réticulosarcome). Le malade a quarante-neuf ans.

La première rémission dure onze mois, puis la tumeur se reforme dans le nez. Une deuxième opération, plus large, est pratiquée. Le répit suivant est de dix mois. Un nouveau foyer tumoral apparaît dans la clavicule gauche. Il est excisé, puis irradié en novembre 1948.

Je vois ce malade pour la première fois le 12 février 1949. Il est porteur d'un sarcome déjà généralisé. La survie habituelle, dans ces cas, ne dépasse pas deux ans. Il s'agit d'un sujet sportif et maigre. La peau de son dos est constellée de pustules et de cicatrices d'acné; elle est trop sèche aux jambes, où existent d'importantes varices. Des croûtes sanguinolentes sont visibles dans les narines. Le foie est insuffisant.

Son régime alimentaire est corrigé. Il reçoit en outre les vitamines A, B-complexe, C, E, F, dont j'avais constaté chez mes souris l'action de freinage sur la croissance de leur cancer. Quatre mois plus tard mon malade se sent très bien. Les croûtes nasales ont disparu.

Commence alors une lutte épique contre la maladie, au cours de laquelle mon effort est périodiquement mis en échec par l'indiscipline du patient. Cette lutte ingrate se poursuit neuf ans. Le malade, en effet, ne suit que sporadiquement mes conseils. Il veut bien avaler les pilules de vitamines mais, très gourmand de boissons alcooliques et de plats bien gras (saucisses à rôtir, crème fouettée, frites, beurre, etc.) il abandonne périodiquement toute sagesse alimentaire, y réagit par de la diarrhée, un taux de bilirubine double de la normale et la formation de croûtes dans le nez. Ces incartades sont régulièrement suivies de proliférations tumorales, qui nécessitent le secours du chirurgien ou du radiothérapeute. D'emblée et par deux fois, j'obtiens cependant un allongement des rémissions à plus de deux ans, puis les poussées du sarcome se rapprochent. Les accalmies obtenues après les sixième, septième et huitième rechutes ne durent qu'un peu plus d'une année. La neuvième survient en novembre 1956, six mois seulement après la huitième. Elle est sévère : nombreux foyers osseux successifs ; fracture spontanée d'un coude. Radiothérapie prolongée. Et, après chaque poussée, le malade se discipline pour quelque temps, puis retourne à ses erreurs alimentaires, chaque fois avec le même résultat.

L'accès de sagessse est plus prolongé après cette neuvième rechute, les écarts de régime moins importants et plus espacés. En février 1958, le foie est encore insuffisant, les croûtes toujours présentes dans le nez, mais il n'y a pas encore eu de nouvelle manifestation tumorale. A cette date, quinze mois après la neuvième poussée, il se rend chez un confrère ORL, qui lui parle avec énergie et lui dit : « Maintenant il vous faut décidément choisir entre le beurre et la vie. » Le malade se soumet enfin. Il abandonne l'abus périodique des graisses animales et boissons alcooliques, prend régulièrement des huiles riches en vitamine F, fait germer du blé et en consomme tous les jours ; il augmente sa ration de crudités. Deux mois plus tard, les selles sont moulées et régulières, le nez ne saigne plus et devient propre. L'acné guérit.

Les croûtes nasales ne se reforment dès lors qu'au cours de voyages, pendant lesquels il ne peut obtenir une alimentation saine. Son sarcome ne s'est plus jamais manifesté.

En 1979, il a quatre-vingt-trois ans : il a survécu trente-deux ans à l'apparition du sarcome, dont vingt et un ans sans rechute.

Cependant, au cours de l'été 1975, il passe trois semaines en Roumanie où il mange une cuisine très riche en viande de mouton et en graisses animales. A son retour, un petit bouton sur une jambe a grandi et saigne. C'est un petit cancer cutané (épithélioma spinocellulaire) qui peut être excisé sans suites. La nature de cette tumeur est totalement différente de celle du sarcome, dont il avait souffert précédemment et qui, lui semble définitivement guéri.

Ce premier cas a été pour moi plein d'enseignements, car il montre, de façon quasi expérimentale, d'une part le rapport de cause à effet existant entre l'insuffisance hépatique, les troubles digestifs (donc la présence d'une flore anormale et agressive dans l'intestin) et les poussées tumorales, d'autre part l'utilité de la suppression des carences alimentaires, et par là, des désordres digestifs qu'elles entraînent.

Arrêt des récidives cancéreuses

CAS 47. F. (1936). Mélanosarcome récidivant.

Chez cette adolescente de dix-sept ans, un « grain de beauté » se met à grossir sur la lèvre supérieure. Il est excisé : c'est un mélanome. Trois ans plus tard, récidive locale et ganglionnaire. En l'espace de dix mois, six opérations chirurgicales sont pratiquées pour des proliférations tumorales dans les régions sous-maxillaires droite et gauche. A la cinquième intervention, tous les ganglions sous-maxillaires gauches sont extirpés. Cependant, trois mois et demi plus tard, une sixième poussée se produit dans la région opérée. Réintervention. Après un répit de trois mois et demi, rechute dans les ganglions cervicaux à droite. Il y a donc eu sept récidives en treize mois et demi. La malade refuse une nouvelle intervention, la jugeant inutile.

Je la vois la première fois le 2 décembre 1957. C'est une jeune fille de vingt et un ans, bouffie, au teint jaune pâle, et qui porte dix ans de plus que son âge. Deux tumeurs ganglionnaires mobiles mesurant respectivement 2,5 sur 1,5 centimètres et 0,5 sur 0,5 centimètres sont présentes sous le menton et le long du maxillaire à droite. Foie insuffisant. Taux de bilirubine : 2,2 milligrammes par 100 millilitres (normal = 0,6). Son alimentation : le matin, café au lait, pain blanc, beurre. A midi, soupe, beaucoup de viande de porc, légumes, peu de fruits. Le soir, viande, pommes de terre rôties avec salade. Nourriture très grasse préparée essentiellement avec des graisses dites végétales.

Mon traitement : correction du régime alimentaire par diminution de la ration de viande, suppression des graisses inadéquates, remplacées par des huiles riches en vitamine F, crème Budwig, céréales complètes. Vitaminothérapie : vitamines A, B, C, E par voie orale et parentérale.

Six semaines plus tard, la croissance des tumeurs s'arrête. Elle se sent mieux. La pâleur, la bouffissure ont disparu. Le taux de bilirubine s'est normalisé. Elle a rajeuni.

Après trois mois de mon traitement, les tumeurs et les chaînes cervicales ganglionnaires sont excisées des deux côtés. Radiothérapie sur les deux régions cervicales. (Le mélanome est une tumeur peu sensible aux rayons X.) Mon traitement de protection antitumorale est longuement poursuivi. Aucune récidive ne se produit. Temps d'observation : vingt-deux ans !

Autre cas : CAS 48. F. (1936). Chordome (tumeur embryonnaire, à mauvais pronostic).

A vingt-neuf ans (mai 1965), en pleine santé apparente, cette jeune femme est atteinte d'une sciatique tenace à droite. Une radiographie montre une lésion du sacrum. Il s'agit d'un chordome, soit d'une tumeur d'habitude rapidement mortelle, partant de restes embryonnaires.

La partie malade de l'os est enlevée en octobre 1965. Au cours des trois années suivantes, la tumeur récidive d'abord au sacrum qui est enlevé, puis aux intestins où elle peut encore être excisée. Cette dernière opération est suivie d'irradiations au Bétatron, qui ne stoppent la maladie que pendant quatre mois. Comme les douleurs reprennent, la malade subit de nouvelles cures de rayons en été 1968 et au printemps 1969. Ainsi en l'espace de trois ans et demi, il y eut trois opérations et trois séries d'irradiations, n'ayant procuré à la malade que de courts répits, dont le plus long n'a duré que treize mois.

Lorsque je la vois pour la première fois, le 5 mai 1969, deux mois après la cinquième reprise de la maladie, cette patiente est considérée comme perdue à brève échéance. C'est une femme épuisée, amaigrie (49 kilogrammes pour 1,57 mètre), qui se plaint de douleurs abdominales après chaque repas et de sciatique à droite. Elle est inappétente, sa langue est épaisse et beige, ses ongles friables, sa peau très sèche, ses seins remplis de nodules fermes de diverses dimensions. Ses yeux sont troubles et ternes. Une bosse à croissance lente, faisant corps avec le squelette, est présente dans la région précédemment opérée et irradiée ; elle mesure 2 sur 2,5 centimètres. Dans l'urine, il y a des globules de pus et d'innombrables bactéries. Son alimentation moderne est carencée surtout en vitamines E, F et B. Corps gras : beurre 30 grammes, huiles raffinées 52 grammes soit un total de 82 grammes par jour. Mon traitement : correction habituelle de l'alimentation ; suppression du beurre et des huiles raffinées. Revitaminisation intense (vitamines A, B, C, E et F) par injections deux fois par semaine et par voie orale. Apport de magnésium sous forme de chlorure. Ferments digestifs. Elle perd d'abord 2 kilos, mais, trois semaines plus tard, la capacité digestive et l'appétit reviennent. Les douleurs abdominales passent, la langue se nettoie ; la bactéruirie disparaît après un court traitement désinfectant.

Dès juin 1969, elle reçoit de petites doses d'antimitotique (100 milligrammes de cyclophosphamide deux fois par semaine, en injections intraveineuses).Un mois plus tard, la sciatique droite est guérie. En septembre 1969, comme la bosse douloureuse dans la région opérée persiste, elle reçoit en plus du cyclophosphamide, 10 milligrammes de Prednisilone par jour et un goutte-à-goutte de fluoro-5 uracile, 250 milligrammes une fois par semaine : la tuméfaction se résorbe en deux mois. En décembre 1969, hémoglobine 75 % et hyposidérémie à 40 gammas par 100 millilitres, corrigées par des injections de fer et une transfusion. La malade se sent de mieux en mieux.

Dès février 1970, le creux, dû à l'ablation du sacrum, se comble peu à peu. La musculature se remodèle. En juillet 1970, elle se sent bien : elle nage régulièrement et travaille. En octobre 1970, après une cure de seize mois, j'arrête les antimitotiques. Lysozyme 250 milligrammes en injections intramusculaires deux fois par semaine.

En novembre 1970, très affectée par la perte d'un parent, mort de cancer et auquel elle s'identifie, elle perd 4 kilos et fait une poussée de pyurie.

Dès mars 1971, contrôle du pH urinaire, qui est maintenu à 7 par des prises de citrates. Elle peut nager 400 mètres, fait du ski de fond, marche 2 kilomètres tous les jours. Elle est très disciplinée au point de vue alimentaire, mais malgré cela, refait plusieurs fois par an des poussées de bactériurie, dominées passagèrement par la prise de désinfectants. Il est probable que cet état soit attribuable à la lésion irréversible de la muqueuse intestinale par les multiples irradiations. Cependant, l'alimentation étant normale, le passage de microbes intestinaux normaux et non agressifs à travers l'organisme n'entraîne pas de récidive tumorale.

En 1979, soit dix ans après le début de mon traitement, elle se ménage, certes, mais mène une vie normale, s'occupant de sa famille. Ses enfants ont vingt et vingt-deux ans.

En résumé, une jeune femme atteinte d'une forme tumorale des plus malignes n'arrive pas à vaincre sa maladie en trois ans, malgré les opérations et les irradiations qu'elle subit. La plus longue rémission obtenue n'est que de treize mois. A trente-trois ans, elle est jugée perdue à brève échéance.

Mon traitement, étayé par de petites doses d'antimitotiques pendant seize mois, la fait entrer en rémission, qui persiste encore aujourd'hui, soit dix ans plus tard. Les doses d'antimitotiques que j'ai employées sont considérées comme beaucoup trop faibles et inopérantes par les spécialistes. La correction du terrain, telle que je la pratique, augmente la résistance du sujet et, de ce fait, l'efficacité de la chimiothérapie.

Rechutes cancéreuses par abandon des mesures de protection

J'ai pu observer à plusieurs reprises des malades qui ont temporairement suivi mes conseils, puis, se sentant très bien, sont retournés à leurs mœurs alimentaires antérieures, recréant par là les conditions mêmes de l'éclosion de leur cancer. En voici deux exemples.

CAS 49. M. (1903)

Une jaunisse dès l'enfance le rend délicat depuis lors. A quinze ans (1918), grippe espagnole épidémique grave. De 28 à 43 ans, il a des crises d'asthme trois ou quatre fois par an. Il ne mange que fort peu de crudités, par crainte de diarrhée. A cinquante-sept ans, il est anormalement fatigué, se fait faire des implants placentaires. A cinquante-neuf ans, il maigrit rapidement de 7 kilos, a une énorme soif et des hématuries. Le 26 février 1962, il subit l'ablation du rein droit pour une volumineuse tumeur maligne (de Grawitz). Ce cancer faisant régulièrement des métastases pulmonaires précoces et mortelles, la famille est prévenue que l'espérance de vie du malade ne dépasse guère deux ans.

Je le vois la première fois le 28 mai 1962, soit trois mois après l'opération. Il a cinquante-neuf ans. C'est un homme pâle, fatigué. Il pèse 69 kilos pour une taille de 1,78 mètre. Le cœur et les poumons sont apparemment normaux. Le foie est légèrement agrandi. Il y a des dépôts de cholestérol sous la muqueuse buccale et un cercle sénile sur la cornée. L'urine contient du pus, du sang et des colibacilles.

Son alimentation habituelle moderne comprend 66 grammes de beurre par jour et presque pas d'huiles.

Le régime alimentaire est corrigé avec un complément vitaminique habituel, en injections et par la voie buccale. Cinq mois plus tard, il se sent mieux. L'énorme soif, caractéristique d'un déficit en vitamine F, a disparu. Il travaille à 75 %.

Après un an de traitement, il se sent très bien. Le poids est à 72,5 kilos. Il n'a plus de désordres intestinaux et peut tolérer les crudités. Le sédiment urinaire s'est normalisé. « C'est ma première bonne année depuis dix ans », me dit-il.

En novembre 1964, soit deux ans et huit mois après l'opération, aucune métastase n'est décelable dans les poumons. Il mène dès lors une vie normale, travaille huit heures par jour comme directeur d'usine. Il fait une croisière tous les ans et participe à un safari au Kenya.

En 1968, il s'est surmené. Pour corriger son taux de fer sérique trop bas de 45 gammas par 100 millilitres (normal = 120), il reçoit du fer en injections intraveineuses et des oligo-éléments par la bouche. En août 1969, il a une crise d'asthme pour la première fois depuis vingt ans.

En octobre 1970, soit huit ans et huit mois après l'opération, il va très bien. Il reste fidèle au traitement jusqu'en mars 1971 : régime alimentaire correct, complément de vitamines et d'oligoéléments. Puis, de son propre chef, il l'abandonne brusquement et recrée ainsi les conditions dans lesquelles s'est développée la tumeur primitive. Les cellules malignes, essaimées dès avant l'opération dans les poumons et restées à l'état quiescent tant qu'à été maintenu son état de résistance, prolifèrent dès le retour à l'alimentation carencée, et après un arrêt de neuf ans, la maladie reprend son cours classique habituel, mortel en deux ans. En été 1971, la soif anormale réapparaît. En novembre, dyspnée : présence de deux métastases cutanées et de quatre métastases pulmonaires, dont la plus grande a le volume d'une mandarine. Il est traité intensément par des antimitotiques et des hormones. La tumeur envahit le squelette. Malgré les traitements énergiques et agressifs modernes, le malade décède en décembre 1973. Survie prévisible à l'opération : deux ans ; survie obtenue : neuf ans en excellent état, puis deux ans et demi après l'abandon de mon traitement, soit onze ans et demi au total.

CAS 50 M. (1909)

Le cas suivant me semble particulièrement instructif. Il s'agit d'un homme qui, entre vingt-huit et soixante ans, a eu une dizaine de crises de calculs rénaux (taux de l'acide urique dans le sang trop élevé). A cinquante-huit ans, on lui enlève dans le flanc gauche, une tumeur bénigme (fibro-lipome) pesant 4,5 kilos ! Quatre ans et cinq mois plus tard, deux tumeurs se sont reformées à peu près à la même place : elles ont le volume de mandarines. Elles sont excisées : cette fois il s'agit de liposarcomes, autrement dit de tumeurs de nature cancéreuse, dérivées du même tissu que le fibro-lipome. Après l'opération, le malade subit une irradiation pendant cinq semaines. Treize mois plus tard il y a récidive : deux tumeurs rétropéritonéales se sont à nouveau formées chacune du volume d'un pamplemousse, dont l'une est bénigme et l'autre maligne (décembre 1972).

Je vois ce malade pour la première fois le 2 février 1973. C'est un homme portant jeune, en très bon état général. Son alimentation habituelle, moderne est carencée. Elle est corrigée par élimination des graisses inadéquates ; introduction des huiles riches en vitamie F et des céréales complètes ; vitaminothérapie (vitamines A, B, C par la bouche et en injections) ; apport de chlorure de magnésium, de fer (afin de relever le taux du fer sérique, qui est à 45 gammas par 100 millilitres au lieu de 120) et d'antimitotique à faibles doses (Cyclophosphamide intraveineux à raison de 100 milligrammes deux fois par semaine pendant deux ans) ; ajustement du pH urinaire à 7-7,5. De décembre 1972 à octobre 1977, soit pendant quatre ans et dix mois, le malade se porte bien, mais une tumeur se reforme sournoisement toujours à la même place. Il est réopéré. Le chirurgien s'attend à une récidive du sarcome, mais à sa grande surprise il ne trouve, comme la première fois qu'un volumineux fibro-lipome, pesant 3 kilos, de consistance molle et d'histologie bénigme. Généralement, on voit des tumeurs malignes succéder à des tumeurs bénignes et les intervalles entre les rechutes se raccourcir. Non l'inverse. Pour moi, il s'agit néanmoins d'un demi-échec. Pour quelle raison le malade, mis dans de meilleures conditions de résistance et malgré une bonne discipline alimentaire, a-t-il néanmoins construit une volumineuse tumeur ? J'ai découvert en l'interrogeant qu'il avait toujours eu l'habitude de manger beaucoup plus vite que ses semblables. Trop pressé d'avaler, il mâchait et insalivait insuffisamment ses aliments. Dans ces conditions une partie de ceux-ci échappe à la digestion. Les microbes intestinaux, trop bien nourris, peuvent proliférer et ainsi se trouve partiellement maintenu, malgré un régime correct, l'état toxi-infectieux générateur de tumeurs. L'avenir montrera si, en éliminant sa tachyphagie, ce malade pourra vivre sans rechute tumorale.

Il n'a plus éliminé de calculs rénaux.

Autre cas : CAS 51. F. (1903)

A cinquante-quatre ans, cette femme présente trois tumeurs bénignes et un cancer du sein. Opérée de ce cancer, elle se soumet à mon traitement pendant quatre ans : régime alimentaire équilibré et vitamines, puis, se sentant « tellement, tellement bien », abandonne tout et vit comme avant. Deux ans plus tard, elle est opérée d'un nouveau cancer, au rectum. Elle reprend mon traitement protecteur et le suit pendant deux ans et trois mois, puis une seconde fois « se sentant si bien », elle y renonce et recrée les conditions dans lesquelles s'étaient déjà formés deux cancers. Un an plus tard, un troisième cancer, indépendant des deux premiers, se forme dans les voies biliaires, qu'il obstrue. Il est inextirpable. Une opération palliative rétablit l'écoulement de la bile et améliore la jaunisse. Elle succombe en vingt-deux mois à ce troisième cancer.

Mise sous protection, cette malade put guérir deux cancers différents et a survécu plus de onze ans à sa première tumeur maligne.

Survies anormalement longues et valables de porteurs de cancers gravissimes

Le traitement tel que je le pratique, en combinant la correction de l'alimentation et la vitaminothérapie à de faibles doses d'antimitotiques, permet parfois de suspendre ou de freiner la progression de tumeurs malignes étendues et d'obtenir ainsi des survies valables et inespérées. En voici un exemple.

CAS 52. F. (1929). Leiomyosarcome massif de l'estomac.

L'ablation à dix-huit ans d'une tumeur sarcomateuse de l'estomac est suivie d'une rémission de seize ans, puis une récidive massive se produit dans ce qui restait de cet organe. Les masses tumorales sont réséquées à trente-quatre ans, mais, trois ans plus tard, le foie est gros et présente des métastases. En même temps, un volumineux fibrome utérin provoque des hémorragies catastrophiques. La malade est jugée inopérable. Elle subit un curetage et une pose de radium dans les voies génitales, afin d'arrêter les pertes de sang.

Je la vois la première fois, le 14 janvier 1967. Elle a trente-huit ans. J'équilibre son alimentation, lui donne des vitamines et de petites doses d'antimitotique (cyclophosphamide, 100 milligrammes deux fois par semaine, puis 5-fluoro uracile 250 milligrammes une fois par semaine en injections intra-veineuses). Elle se sent mieux. Les métastases hépatiques se stabilisent, mais une tumeur bénigne (un phéochromocytome), localisée au niveau du rein gauche, se manifeste par des crises hypertensives. Je la perds quelque temps de vue.

Le 16 octobre 1970, à quarante et un ans, elle est réopérée : excision de volumineuses masses abdominales ; innombrables métastases péritonéales. Conclusion des cliniciens : tumeur digestive non curable ni par chirurgie, ni par chimiothérapie, qui nécessiterait des doses trop toxiques. Elle quitte l'hôpital sans aucun traitement, puis revient me voir. Elle se sent perdue, mais « aimerait tellement vivre encore un peu, pour finir d'élever son enfant adoptif aveugle », me dit-elle.

Je continue à la maintenir avec des vitamines, de petites doses d'antimitotiques, parfois des transfusions. Sa vie, il est vrai, ne tient qu'à un fil. Son foie, très volumineux, descend plus bas que le nombril ; une grosse métastase y est palpable qui, cependant, n'évolue pas. Son ventre est plat. Le système digestif fonctionne. Les crises hypertensives s'espacent. Elle ne souffre pas. Et cet état d'équilibre précaire persiste des années. Elle vit extravertie, heureuse, dévouée à sa famille. Tout le monde skie en hiver. Ce n'est qu'en décembre 1976, à quarante-sept ans, qu'elle perd brusquement connaissance et décède quatre heures plus tard. Elle a survécu treize ans à la rechute massive, six ans à la deuxième opération, où tout semblait perdu. Son fils adoptif a quinze ans.

CAS 53. F. (1913). Cancer du sein. Neuvième année de survie après l'apparition de grosses métastases hépatiques.

A trente-deux ans, cette femme a une tumeur bénigne au sein gauche. Après un délai de quatorze ans cette tumeur prend du volume : c'est un cancer avec métastases ganglionnaires. Elle subit l'ablation du sein, puis une radiothérapie.

Je la vois la première fois huit ans plus tard, soit en novembre 1967 pour des troubles digestifs récidivants et des migraines. Elle a cinquante-quatre ans ; sa peau est très sèche, râpeuse, squameuse ; ses ongles mous. Le sein droit est grossièrement granuleux, le cœur trop rapide, l'haleine fétide, les belles irrégulières avec des débâcles périodiques.

Son alimentation moderne est carencée, avec 20 grammes de beurre et 11 grammes d'huile de tournesol bon marché par jour.

Mon traitement : correction du régime alimentaire, vitaminothérapie selon le schéma habituel, avec en plus de la vitamine D et du calcium. Un mois plus tard, les selles deviennent normales. Les diarrhées, présentes depuis des années, et les migraines disparaissent.

En janvier 1969 à cinquante-six ans, la malade est brusquement affaiblie par la survenue d'une insuffisance cardiaque. En juillet, le foie est énorme, descend à 4 centimètres au-dessous du nombril. Il est rempli de métastases. Pendant six mois, je lui applique un traitement antimitotique (fluoro-5 uracile 250 milligrammes une fois par semaine) et hormonal associant un progestatif et un œstrogène *.

Ce traitement stabilise la malade. Des cardiotoniques et des diurétiques font disparaître une ascite et les gros œdèmes des jambes. Dès décembre 1969, je supprime les antimitotiques. Le foie reste volumineux avec deux métastases rondes de 5 centimètres de diamètre, nettement palpables au niveau du nombril, mais qui n'évoluent pas. En 1972, la malade vit en paix avec son cancer, fait son ménage, passe des vacances à l'étranger, va régulièrement visiter sa famille à Paris et a une mine resplendissante ! Elle est fidèle à mon traitement et à celui du cardiologue. En 1977 elle est en vie ; les volumineuses métastases hépatiques, constatées huit ans auparavant, et qui avaient persisté pendant des années, ne sont plus décelables à l'examen clinique. Elle vit en 1980.

Résultats obtenus par l'introduction préopératoire de mon traitement

Si le cancer, comme je le pense, est un processus de défense à une agression, il serait logique, si on veut le traiter, de supprimer d'abord l'agression et seulement ensuite la défense ! Il faudrait donc, avant de détruire la tumeur par la chirurgie, la radio- ou la chimiothérapie, normaliser l'alimentation, la flore intestinale, supprimer les carences vitaminiques et autres. Cela ne pourrait qu'améliorer les résultats lointains et augmenter la tolérance aux traitements agressifs.

Je n'ai pas eu l'occasion de pratiquer souvent cette technique, car je n'ai été que rarement le premier médecin consulté par un cancéreux. Voici cependant deux cas où j'ai pu le faire. (Voir également cas 47.)

CAS 54. F. (1886). Cancer du sein chez une femme âgée. Opération intentionnellement retardée de huit mois pour traitement préopératoire. Excellent résultat.

Une femme âgée de soixante-seize ans présente depuis six mois dans le sein droit une tumeur cancéreuse, mesurant, le 12 octobre 1962, 6 sur 4 centimètres. Un ganglion de 1 centimètre de diamètre est palpable dans l'aisselle. Elle est épuisée par un travail harassant auprès d'une infirme, atteinte d'artériosclérose cérébrale. Ses chevilles sont enflées par insuffi-

* (17 alpha-éthinyloestrénol 2,5 milligrammes, méthoxyéthinyloestradiol 0,075 milligrammes, par jour.)

sance cardiaque. Elle est constipée et a une infection urinaire. Je la juge inopérable et la mets au repos.

Mon traitement : correction de l'alimentation, vitaminothérapie, toniques cardiaques. Elle passe un hiver difficile, fait une congestion pulmonaire, mais s'équilibre en avril. Sa constipation disparaît, elle se sent beaucoup mieux. En juin, sa tumeur a régressé (et ne mesure plus que 3,5 sur 3,8 centimètres). Elle est opérée. Il s'agit d'un cancer très infiltrant, avec de nombreuses cellules en voie de multiplication. Les suites opératoires sont simples. Cette patiente continue à se nourrir correctement et à prendre quelques vitamines. Elle vit, quinze ans plus tard, sans récidive.

Autre cas : CAS 55. F. (1904). Cancer du sein. Traitement préopératoire de trois semaines. Régression du cancer. Décès douze ans plus tard d'un infarctus du myocarde.

Dès quarante-quatre ans, cette femme travaille et mange dans un restaurant. Elle est hypertendue et obèse (+ 8 kilos). A quarante-six ans, elle a des troubles de mémoire et des vertiges. A quarante-sept ans, dyspnée d'effort, arthrose des genoux. A quarante-neuf ans, infection urinaire. A cinquante-six ans, augmentation des troubles cardiaques. A cinquante-neuf ans, induration du sein gauche.

Je la vois pour la première fois le 6 septembre 1965. Elle a soixante et un ans. Elle pèse 82 kilos pour une taille de 1,56 mètre (soit un surpoids de 26 kilos). Son cancer du sein négligé, à caractère inflammatoire est donc de mauvais pronostic. Il mesure 4,5 sur 4 centimètres, est dur et violacé. Le mamelon est rétracté. La malade, pâle, bouffie, exténuée, fait mauvaise impression. Elle est mise au repos, au régime de fruits pendant quelques jours, puis à l'alimentation correcte et aux vitamines.

Le 13 septembre, elle a perdu 4 kilos et se sent mieux. Fin septembre, le sein n'est plus violacé ; il est moins dur et l'érection du mamelon est rétablie.

Le 1er octobre, elle pèse 77 kilos. Le sein est enlevé. Le quatrième jour après l'opération, elle est victime d'une embolie pulmonaire et de faiblesse cardiaque. Elle s'en remet lentement.

Le 9 mars 1966, elle pèse 65 kilos. Elle a perdu 17 kilos en six mois et se sent très bien. Aucune rechute du cancer n'a eu lieu onze ans plus tard. Il est permis de penser que, sans le traitement préopératoire de trois semaines et demie, la malade aurait succombé au choc opératoire et il aurait probablement été plus sage de différer l'intervention chirurgicale de six semaines au moins et non de trois.

Cette patiente abandonne cependant dans la suite la sagesse alimentaire, pèse de nouveau 85 kilos et décède à soixante-treize ans (en 1977) d'un infarctus du myocarde.

Traitement de malades perdus à brève échéance

Lorsqu'il s'agit de sujets ayant atteint la phase terminale de leur maladie, le « débrayage du moteur tumoral » peut encore rendre service au patient. Il ralentit ou supprime l'élan de croissance du cancer et, de ce fait, diminue considérablement ou même supprime les douleurs, rendant les gros calmants superflus. Il est utile de combattre l'acidose de ces malades et de leur donner suffisamment d'alcalins (citrates) pour que leur pH urinaire se maintienne à 7-7,5. On voit alors les douleurs s'atténuer bien mieux que sous l'effet de fortes doses de calmants qui, eux, ont l'inconvénient d'augmenter l'acidose, et, par là, de rendre les nerfs plus irritables. En voici trois exemples.

CAS 56. M. (1916). Cancer primaire du foie, connu comme étant un des plus douloureux.

Cet homme vient me voir à cinquante-sept ans, le 25 janvier 1973. Il a le teint livide, l'abdomen tendu avec présence d'ascite et vomit tous les jours. Il est porteur d'un cancer primaire du foie. Ce dernier, énorme, descend à 13 centimètres au-dessous des côtes et présente une tumeur bien palpable, arrondie, de 10 centimètres de diamètre. La croissance de celle-ci occasionne des douleurs violentes, mal apaisées par une prise de calmants quatre fois par jour.

Le malade, de toute évidence, n'a plus que quelques jours à vivre. Mon traitement : correction de l'alimentation, revitaminisation intense et Lysozyme 250 milligrammes trois fois par semaine en injections intramusculaires. Une semaine plus tard, il se sent mieux et n'a plus vomi. Le tour du ventre a diminué de 7 centimètres. Il ne souffre plus et se contente d'un suppositoire calmant pour la nuit.

Après deux semaines, le foie est moins volumineux et ne dépasse les côtes que de 9 centimètres. Le ventre est moins tendu. Puis le décès se produit brusquement par hémorragie gastrique. L'épouse du malade a trouvé extraordinaire la cessation rapide des douleurs dès l'instauration du traitement.

Le cas suivant est similaire.

CAS 57. F. (1895). Cancer du pancréas au stade terminal. Suppression des douleurs.

Dès cinquante-huit ans, cette femme a des troubles digestifs qui augmentent à soixante et un ans : douleurs en ceinture irradiant dans l'épaule droite ; perte de 10 kilos en un an ; jaunisse.

Le 23 décembre 1956, une intervention chirurgicale révèle une tumeur maligne de la tête du pancréas de la dimension d'une orange, infiltrant l'estomac, le foie et comprimant les voies biliaires. L'extirpation en est impossible. La bile est dérivée dans le duodénum ; l'estomac est abouché à l'intestin pour permettre le transit des aliments. La malade va mal. Trois semaines après l'opération s'installent d'énormes douleurs en ceinture, qui lui arrachent des gémissements continus, malgré la morphine qu'elle reçoit toutes les deux à trois heures.

Je la vois le 19 janvier 1957, elle est stuporeuse ; son teint est noir, par cyanose et ictère. Elle n'urine presque pas, ne boit, ni ne mange. Elle reçoit dès ce jour des lavements, et des injections intraveineuses quotidiennes de vitamines C et B-complexe de méthionine, du calcium et d'extraits de foie dans du lévulose hypertonique. Deux jours plus tard, les douleurs s'atténuent ; les injections calmantes sont devenues inutiles. La malade accepte un peu de nourriture et de boissons. Le 25 janvier, elle n'a plus de douleurs du tout, évacue ses selles spontanément et urine abondamment. Elle se sent beaucoup mieux et demande de la lecture. Elle s'assied dans son lit, se montre très gaie, fait un effort brusque et décède d'hémorragie interne.

Ainsi, un nettoyage de l'intestin, une revitaminisation intense par voie intraveineuse ont soulagé cette malade bien mieux que les fortes doses de morphine administrées auparavant.

Autre cas : CAS 58. F. (1910). Tumeur intra-utérine envahissante.

Une femme souffrant chroniquement de conspitation et de mauvaise digestion (haleine fétide, langue brune) est opérée le 6 mars 1966, à cinquante-six ans, d'une volumineuse tumeur maligne mixte intra-utérine (épithéliome et sarcome). Puis elle reçoit une application de radium et une irradiation au cobalt. Elle reprend 6 kilos et se sent bien pendant plusieurs mois, mais une récidive apparaît à l'entrée du vagin en novembre 1967. Une reprise de l'irradiation est inopérante. En une année, la tumeur envahit la vessie, le rectum et mure tout le petit bassin. Habituellement, de telles lésions provoquent des douleurs intolérables à chaque évacuation de selles ou d'urine. Cette malade, soumise dans cet état à mon traitement habituel, n'a pas mal et n'absorbe aucun calmant.

Dès août 1968, elle ne se nourrit plus que d'aliments crus. Le 13 décembre, neuf jours avant sa mort, elle a encore la force et le courage de venir me trouver.

Le 16 décembre, elle est hospitalisée agonisante. Elle reçoit sa première injection de morphine le 22 décembre et décède quelques heures plus tard.

Effet du jeûne sur la croissance tumorale

Dans certaines poussées suraiguës de cancer, il peut être bénéfique de soumettre le malade à quelques jours de jeûne avec lavements évacuateurs, suivis d'instillations d'huile riche en vitamine F. En voici un exemple particulièrement frappant.

CAS 59. F. (1921). Cancer aigu du sein.

La santé de cette femme est altérée dès l'âge de vingt-neuf ans ; spondylarthrose, eczéma, puyries à répétition. A 38 ans, une tumeur au sein gauche est reconnue par biopsie comme étant bénigne. Rassurée par ce diagnostic, la patiente ne prend pas garde lorsque, deux ans plus tard, dans le même sein, un nodule prend du volume. Une biopsie faite le 5 novembre 1961, à quarante ans, révèle un cancer. Après cette intervention, habituellement anodine, une thrombose à la jambe droite et une embolie pulmonaire, complications sérieuses, font surseoir à l'ablation du sein. Une radiothérapie préopératoire est pratiquée dès le 20 novembre, puis une hormonothérapie mâle en injections jusqu'à mi-janvier 1962. Une opération selon Halsted, le 22 février 1962, révèle la présence de métastases ganglionnaires avec envahissement du tissu gras axillaire. Le cas est jugé très grave.

Je la vois la première fois le 3 avril 1962. Elle a quarante et un ans. Dans le creux sus-claviculaire gauche, qui avait été pris dans le champ d'irradiation préopératoire et où un petit ganglion était palpable dès janvier 1962, se trouve une tumeur qui, depuis quatre jours, augmente rapidement de volume. Ce ganglion dur, dont le pôle inférieur est masqué par la clavicule, mesure 6,5 sur 4,5 centimètres au-dessus de celle-ci. Il s'agit d'une poussée cancéreuse aiguë, chez une malade ayant épuisé les possibilités d'aide classiques. Elle est ballonnée, sa langue est très chargée. Je prescris un jeûne partiel d'une semaine avec, comme seuls aliments, des jus de fruits additionnés de quatre cuillères à café d'huile de lin par jour, ainsi qu'une vitaminothérapie intense (vitamines A, B, C, D, E et F). Des lavements sont pratiqués le soir, suivis d'une instillation d'huile de tournesol (60 millilitres) pour la nuit. Le volume du ganglion sus-claviculaire régresse dès le troisième jour de traitement. Il ne mesure plus que 3 sur 2,9 centimètres après une semaine de jeûne. La sensation d'immense lassitude disparaît. De sa propre initiative, la malade prolonge le jeûne jusqu'au dixième jour, puis, se sentant bien, suspend tout traitement le 15 avril ! De nouveau, troubles digestifs, langue chargée. Le 25 avril, le ganglion cervical reprend rapidement du volume et mesure 4,5 sur 3,5 centimètres. Le jeûne est répété avec reprise de la médication. Le premier juin, le ganglion ne mesure plus que 1,6 sur 0,9 centimètres, puis disparaît ! En janvier 1963, après neuf mois de traitement, le malade ne présente cliniquement plus trace de cancer. Cette rémission n'est pas durable. En été 1963, elle se surmène et se néglige. Fin août, se produit une récidive massive, à laquelle elle succombe en quatre mois.

Les cas 46 et 51 nous montrent avec quelle opiniâtreté se reproduit le phénomène cancéreux dès que l'alimentation saine et les mesures de revitaminisation sont abandonnées : un organisme qui se défend par le procédé tumoral reste fidèle à ce mode de défense.

Les cas 49, 52 et 53 nous enseignent qu'il est possible de réaliser un équilibre entre la tumeur et son hôte, et de maintenir cet équilibre pendant des années. Mais dans le cas 49, la suppression des mesures de sagesse, le retour aux carences, qui avaient permis l'éclosion de la tumeur primitive, ont été suivis de la reprise pratiquement immédiate du cours normal, mortel en deux à trois ans, de la maladie, cours suspendu pendant une durée de neuf ans.

Dans le cas 59, la malade, faussement rassurée par la nature bénigne de la première tumeur mammaire excisée, ne s'est méfiée que tardivement de la nature maligne de la récidive. Elle est venue me trouver en pleine rechute foudroyante de sa tumeur, alors que les moyens thérapeutiques connus à l'époque (chirurgie et irradiation) étaient épuisés. La suppression de l'intoxication intestinale par des lavements et un jeûne avec revitaminisation intense ont fait fondre une grosse métastase locale à croissance ultra-rapide.

Dans certaines laparotomies, le chirurgien, trouvant des lésions inopérables et ne pouvant rien entreprendre d'utile, se contente d'ouvrir et de refermer la cavité abdominale. Et cependant une telle opération peut être suivie d'un arrêt temporaire de l'évolution de la maladie cancéreuse ! Cela s'explique parfaitement à la lumière de nos observations, car toute laparatomie est précédée d'un nettoyage minutieux de l'intestin et suivie d'un jeûne plus ou moins prolongé, ce qui, d'après moi, débraye, du moins momentanément, le moteur du cancer.

Les cas 54 et 55 montrent qu'il est possible de faire régresser une tumeur par des mesures de sagesse alimentaire doublées d'une vitaminothérapie et d'améliorer ainsi les conditions opératoires.

Les faits que je viens de relater nous indiquent que la tumeur maligne se comporte comme les autres maladies dégénératives et réagit de façon favorable au rééquilibrage du régime alimentaire, à une vitaminothérapie bien conduite et surtout à l'élimination de l'agression intestinale.

Prophylaxie de la rechute cancéreuse

Mes observations m'amènent à penser que ce n'est que pur hasard, si l'ablation ou la destruction d'une tumeur rétablit l'équilibre dans l'organisme du malade et mène à elle seule à la guérison, puisqu'elle ne modifie pas les conditions de vie dans lesquelles le cancer a pris naissance. Il pourra donc réapparaître ; cela est bien connu et justifie les contrôles périodiques auxquels sont soumis les malades, au cours desquels sont recherchés les signes de récidive. Cependant, pour favoriser la guérison, il faut que soient supprimées le plus tôt possible les intoxications et les carences existantes, ce que nous sommes aujourd'hui en mesure de faire. Il serait bien entendu préférable, pour nous tous, de vivre et de nous nourrir de façon à ce que ces déficiences, si néfastes, ne se produisent pas. Il importe de se souvenir que c'est dans la règle la somme d'innombrables erreurs indéfiniment répétées, qui devient insupportable à notre corps et finit par provoquer l'apparition d'une tumeur, et que beaucoup de ces erreurs peuvent être évitées.

Pour rendre les organes greffés acceptables et empêcher leur rejet, on a recours à des médicaments immuno-dépresseurs. On a constaté que l'usage de ces substances augmente la fréquence du cancer de 80 à 100 % (Lucien Israël). Cela ne saurait me surprendre et s'inscrit logiquement dans ma façon de penser : lorsque, artificiellement, on supprime un mécanisme de défense normal, l'organisme, dans son besoin, en crée un autre — pathologique.

Si l'on considère le tissu tumoral comme une réaction de défense, cela permet de comprendre pourquoi il est si rare de rencontrer chez un même individu la coexistence de deux cancers, de natures différentes : lorsqu'une tumeur assure le travail de défense, l'organisme n'a pas besoin d'en former une autre. Il ne le fait, comme dans le cas 46 et 51, que lorsque la première tumeur est guérie et que les conditions de carence, d'intoxication ou d'infection sont de nouveau réalisées.

Il est bien entendu que le traitement que je propose n'est qu'un complément bénéfique des mesures classiques. Quand le diagnostic de cancer est posé, c'est que la tumeur est cliniquement décelable. Lorsqu'elle est encore petite et ne mesure par exemple que 1 centimètre cube, elle contient déjà un nombre considérable de cellules malignes (de l'ordre d'un milliard) et ces cellules se multiplient parfois à un rythme rapide, probablement déterminé par l'intensité de l'agression. Pour équilibrer le malade, pour augmenter sa résistance, non pas contre le cancer, mais contre ce qui le produit et provoque son expansion, il faut du temps. Au moment où la présence d'un cancer est reconnue, s'établit une course de vitesse entre la rapidité du développement tumoral et l'entrée en action de l'aide apportée. Les mesures que je préconise ne commencent habituellement à être efficientes qu'après deux mois environ, et ne développent leur plein effet qu'après deux ans. Lorsqu'un cancéreux opéré et irradié est abandonné à lui-même, il n'est classiquement considéré comme relativement stabilisé qu'après un délai de cinq ans. D'après mes observations, ce même résultat est atteint en deux ans par mes malades, temps après lequel les rechutes deviennent exceptionnelles.

Si le cancer diagnostiqué relève de la chirurgie, et que l'état du malade est suffisamment bon, il faut l'opérer et le cas échéant l'irradier pour obtenir le délai nécessaire à la correction de ce qu'il est convenu d'appeler son état général ou son terrain, mesures aptes à prévenir une rechute. Si le malade est en mauvais état, il est préférable de le préparer à l'opération pendant quelques semaines ou quelques mois en appliquant les mesures décrites, en « débrayant le moteur du cancer ». On constate alors que la tumeur s'arrête de croître, parfois même diminue de volume, l'état général s'améliore et le résultat de l'opération ou de la radiothérapie retardées peut être excellent (cas 47, 54, 55 et 63).

Si le malade qui vient me voir n'a que deux mois d'espérance de vie, il est trop tard. Certes, il est possible d'adoucir ses souffrances, et cela parfois de façon spectaculaire (cas 56, 57, 58) mais non de changer le cours fatal de la maladie.

Si une méthode de traitement aussi simple et logique que la mienne se montre aussi bénéfique dans des cas très graves et qui échappent aux traitements courants (tels les cas 52 et 53), c'est que sa conception est basée sur une réalité.

Si elle réussit à influer favorablement sur le cours de la maladie dans des cas sévères, elle devrait réussir encore mieux chez les malades qui, traités et libérés de leur tumeur maligne, sont en danger de récidive et devraient en être protégés. L'alimentation de tous les cancéreux devrait donc être normalisée au plus tard dès après l'opération et leurs carences vitaminiques, leurs déséquilibres minéraux (fer, calcium, magnésium, alcalins, etc.) corrigés.

Il en est de même de tous les individus à hauts risques. Quant à l'ensemble de la population, le simple retour à l'alimentation naturelle, la seule normale, devrait suffire pour abaisser considérablement la fréquence des tumeurs. J'ai, au cours des années, pratiqué la prophylaxie de la rechute chez de nombreux cancéreux avec des résultats fort encourageants.

Une catégorie de malades est spécialement difficile à traiter. Il s'agit des hypernerveux, des hypersensibles. Chez ces malades, une surtension de leur système nerveux central produit, par voisinage des voies conductrices dans le cerveau, des troubles neuro-végétatifs au niveau des intestins et une perturbation de leur fonction. Il en résulte de la constipation ou de la diarrhée nerveuses, accompagnées de vasodilatation, qui augmente la perméabilité de la paroi intestinale et le passage des germes. Pour peu que la flore intestinale soit pathogène et les désordres fréquents, les conditions de l'éclosion ou de la rechute cancéreuse se trouvent remplies.

Le cas suivant est plein d'enseignement à ce sujet.

Rapports entre stress émotifs, bactériurie et cancer

CAS 60. F. (1904).

Très fragile, cette malade a été atteinte de « toutes les maladies infantiles », souvent avec des complications ou avec des convalescences anormalement longues. Elle a été opérée à trente et un ans, pour un kyste ovarien éclaté ; à trente-six ans, pour une grossesse extra-utérine ; à quarante-cinq ans, pour des calculs biliaires. A quarante ans, bronchopneumonies à répétition.

Au cours d'une époque de grands tourments affectifs et financiers, liés à un divorce, apparaît, à cinquante-deux ans, une grosseur dans le sein gauche. En juin 1958, à cinquante-quatre ans, elle subit l'ablation de ce sein pour cancer. Les ganglions axillaires sont indemnes.

Je la vois la première fois deux mois après cette opération. C'est une grande nerveuse, souffrant d'angoisses, de prostration, de troubles neurovégétatifs, d'insomnies. Elle fume vingt cigarettes par jour.

Son alimentation est fantaisiste, très unilatérale par époques, par exemple uniquement constituée de céréales et de 90 grammes de beurre par jour. Elle vit seule et se néglige. Mon traitement habituel : correction de l'alimentation (très mal suivie) et vitaminothérapie. Un an et demi plus tard, en 1959, après une bronchite, le sein droit est passagèrement induré. A cinquante-sept ans (1961), elle tousse tout l'hiver en continuant à fumer vingt cigarettes par jour. A cette époque et pendant trois ans, elle se trouve impliquée comme témoin dans un procès. Chaque comparution devant le juge d'instruction la rend malade d'angoisse. A ces moments, elle bégaie et tremble. Une intense bactériurie apparaît et l'induration du sein droit se reforme. Le 8 novembre 1963 (à cinquante-neuf ans) le deuxième sein est enlevé pour cancer. Une radiothérapie a lieu pendant deux mois et demi. Au cours de cette période de constante tension nerveuse, la bactériurie persiste, les antibiotiques sont inopérants, l'urine est souvent nauséabonde. Pendant le procès, la malade est très agitée, souffre de cauchemars et de douleurs migrantes. En mai et juin 1964, à cause de poussées fébriles à

39 degrés, elle reçoit de la pénicilline. Elle ne suit toujours pas le régime prescrit. En septembre, elle a des douleurs intenses dans les bras et les jambes et se bourre de calmants.

En octobre, je constate la présence, au-dessus de la clavicule gauche, d'une tumeur ligneuse du volume d'un pruneau, dont la nature cancéreuse ne fait cliniquement aucun doute (confirmée par un spécialiste cancérologue). L'infection urinaire persiste, elle reçoit de la pénicilline, de la streptomycine, de la cortisone. Je pratique une vitaminothérapie : vitamine A, B, C, E et F. Hospitalisée, elle ne fume plus. La température se normalise. Dès fin octobre, elle reçoit de faibles doses d'antimitotique (cyclophosphamide 100 milligrammes, deux fois par semaine). Le taux de fer sérique est à 43 gammas pour 100 millilitres en octobre, à 36 en novembre, à 23 en décembre, malgré les injections intraveineuses de fer. Il remonte à 144, c'est-à-dire à la normale lorsqu'on remplace les injections de fer par des injections de cuivre ! En janvier 1965, quatre mois après son apparition, le ganglion cancéreux est toujours là, mais ne s'accroît plus.

La malade est nerveusement instable, névrosée, hystérique. A bout de patience, je la gronde avec énergie et la menace, puisqu'elle est si peu collaborante, de ne plus m'occuper d'elle. Je la quitte ayant mauvaise conscience : peut-on être aussi agressif et désagréable avec une si grande malade ? Je pense qu'elle fait la même réflexion que moi et s'en trouve rassurée. Car depuis lors, elle va beaucoup mieux, se tranquillise, n'a plus de bactériurie ; le ganglion cancéreux diminue de volume et en mars 1965, il a définitivement disparu !

Pour une taille de 1,69 mètre, elle pèse 55 kilos en octobre 1964, 67 en mars 1965. A cette époque sa nièce a un accident d'automobile bénin. A l'idée de ce qui aurait pu arriver, la malade est toute tremblante et subfébrile. La bactériurie réapparaît pendant trois jours !

Dans la suite, la patiente se nourrit correctement, ne fume plus ; sa santé se stabilise. Lorsque, pour des raisons sociales, elle retourne à l'alimentation carencée, la bactériurie reprend. Elle peut chaque fois être maîtrisée par une courte désinfection. L'urine redevient propre dès que l'alimentation est normale.

En 1978, soit vingt ans après le premier cancer du sein, quinze ans après le deuxième et quatorze ans après la poussée cancéreuse ganglionnaire, la malade se porte bien.

Ce cas nous montre à l'évidence l'impact que peut avoir l'émotion sur le passage des colibacilles intestinaux dans le sang et l'urine. Deux poussées cancéreuses se sont produites au moment où ce phénomène était particulièrement intense et la flore intestinale agressive, du fait de l'alimentation inadéquate. Dans un climat émotionnel meilleur, la dernière poussée cancéreuse a pu se résorber, sans qu'il ait fallu avoir recours à des moyens majeurs. Le passage des bactéries de l'intestin dans l'urine a continué à se produire périodiquement, mais la population microbienne s'étant normalisée, cela n'a plus tiré à conséquence (voir cas 48).

On sait qu'une flore intestinale de putréfaction, telle qu'elle s'installe lorsque le régime alimentaire contient de la viande en excès, est plus agressive et produit plus de substances toxiques qu'une flore de fermentation, qui s'établit lorsque le régime est végétarien. C'est pour cette raison que je recommande aux cancéreux de ne pas abuser de viande, de ne pas en manger plus d'une fois par jour et seulement cinq ou six fois par semaine. Souvent, mes malades me disent être dégoûtés de la viande et adoptent une alimentation lacto-végétarienne, avec laquelle je suis pleinement d'accord.

L'émotivité du porc est analogue à celle du genre humain. On a fait chez cet animal l'observation suivante, semblable à celle que j'ai faite chez ma malade. Les cris de détresse de porcs menés à l'abattage furent enregistrés sur bandes, que l'on fit ensuite entendre à un sujet sain qui n'avait pas quitté son étable et cela à raison de quinze minutes par heure pendant six heures par jour. Dès le deuxième jour, l'animal soumis à ce stress réagit par une forte diarrhée qui dura trois jours. Les germes en cause étaient des colibacilles banaux. Lors de l'abattage, on trouva chez l'animal stressé une congestion importante de l'intestin grêle et un amincissement de ses parois qui étaient recouvertes d'un abondant mucus. Dans la moelle osseuse et le muscle (qui sont normalement stériles), il y avait un envahissement massif par les mêmes colibacilles que ceux isolés de l'intestin. Il y avait en outre une congestion pulmonaire due également à la diffusion du même germe intestinal. Tout se passe comme si, par l'intermédiaire d'une action sur le sympathique, des lésions anatomiques et vasculaires produites par l'agression sonore, émotionnelle avaient favorisé la dissémination dans tout l'organisme d'un micro-organisme intestinal.

(P. Bugard, M. Henry, C. Bernard et C. Labie, *Revue de pathologie générale et de physiologie clinique*, n° 723, XII, 1960, p. 1683.)

Phénomènes immunitaires et Cancer

Des travaux récents sont venus montrer l'existence de perturbations immunitaires dans le sang des cancéreux. Voici quels sont les faits rapportés par feu le Professeur J. Ch. Crétallaz dans une communication faite à Paris, en juin 1976, à la société d'écologie et de cancérologie :

1. Il est possible d'isoler du sang des cancéreux un antigène qui leur est particulier et que l'auteur désigne sous le nom de C 21.

2. Dans le sang du bien-portant, il existe un anticorps dirigé contre cet antigène.

3. Si l'on met en contact une solution contenant le C 21 et du sérum de bien-portant, il se produit un précipité par réaction antigène-anticorps, aisément visible.

4. Si l'on procède de même avec du sérum de cancéreux, le précipité est nul ou faible, ce sérum ne contenant plus d'anticorps ou qu'une quantité plus ou moins réduite.

5. Si le cancéreux subit un traitement efficace, l'anticorps réapparaît et l'on peut, par une méthode semi-quantitative, mesurer dans le sérum le progrès que fait le malade. Inversement, en cas d'aggravation, ou de rechute l'anticorps disparaît à nouveau.

6. L'antigène C 21 présent dans le sang du cancéreux est probablement une forme modifiée, atténuée, du colibacille (forme L).

7. Si l'anticorps dirigé contre cet antigène est présent chez tous les bien-portants, c'est que la présence de cet antigène est habituelle et simplement exagérée chez le cancéreux, et cela cadre admirablement avec ma conception.

Chez quelques-uns de mes malades, j'ai effectué le dosage de cet anticorps avant, et deux mois après, l'introduction de mon traitement. Ces dosages indiquent une rapide normalisation de la teneur du sérum en anticorps et j'obtiens en deux mois un résultat qui ne survient, par les méthodes usuelles, qu'en six à huit mois. Cela correspond aux faits observés par moi, dans d'autres maladies, dues à des perturbations de l'immunité (maladies allergiques ou auto-immunes, par exemple), où je vois se produire, sous l'influence de mon traitement, une normalisation des phénomènes immunitaires.

Les colibacilles étant des commensaux intestinaux normaux, le mode de défense habituel contre les maladies infectieuses (avec fièvre, mobilisation de leucocytes, etc.) ne joue apparemment pas, ou pas toujours, lorsqu'ils pénètrent dans le courant sanguin. La nature a alors recours à d'autres modes de défense, et tel est vraisemblablement aussi le cas vis-à-vis d'autres habitants normaux de l'intestin.

La science médicale moderne fonde ses allégations sur des données statistiques, obtenues par l'observation d'un nombre élevé de cas d'une espèce donnée, se trouvant au départ d'une expérience au même stade d'évolution, à un même âge, etc. Elle divise un tel groupe en deux, de façon aveugle, et soumet seulement une moitié des sujets au traitement étudié. Elle compare ensuite les résultats obtenus dans les deux groupes pour en tirer des conclusions. De telles statistiques ne sont réalisables que dans les grands centres. Elles ont leurs faiblesses, car elles sont souvent fondées sur l'étude des seuls dossiers, par des chercheurs qui ne connaissent pas les malades. Le travail est ainsi simplifié et automatisé. Il ne tient aucun compte de facteurs personnels ou nutritionnels, pourtant si importants.

Aucun chercheur isolé ne peut être confronté à un nombre suffisant de cas d'une seule et même catégorie. Il ne peut par conséquent fournir une statistique jugée valable et c'est pourquoi j'y ai en principe renoncé. J'ai cependant cherché à évaluer mes résultats en faisant abstraction des malades venus beaucoup trop tard, en pleine rechute de leur maladie, malgré les traitements classiques suivis, et de ceux qui n'ont pas accepté d'être traités. Le taux de mortalité dans les cinq années après le diagnostic du cancer chez mes malades, soignés systématiquement pendant au moins deux ans et ayant corrigé définitivement leur façon de se nourrir, est de l'ordre de 8 à 10 % c'est-à-dire bien plus favorable que le taux habituel de survie, qui se situe entre 20 et 80 % (moyenne environ 50 %) selon le stade auquel le malade est traité et la nature de son cancer.

Le chercheur isolé a, par contre, l'avantage sur celui d'un grand centre d'avoir un contact personnel avec ses malades et de pouvoir les suivre pendant de nombreuses années. Les renseignements qu'il récolte sont de ce fait d'une nature très différente et ne sauraient être écartés, a priori, par les grandes écoles, sous peine d'erreur.

Maladie de Hodgkin, ou lymphogranulome malin

La maladie de Hodgkin est une forme particulière de maladie tumorale qui envahit les ganglions et les tissus lymphatiques et s'y propage. De grands progrès ont été accomplis ces dernières années dans les traitements agressifs de cette affection, dont le pronostic, actuellement, est favorable dans 80 % des cas traités à temps.

Je rapporte ici l'histoire de trois anciens cas de cette maladie, dont j'ai eu à m'occuper, alors que la polychimiothérapie moderne n'était pas encore pratiquée, et que les résultats obtenus par la radiothérapie seule étaient médiocres. Je n'ai eu à traiter à cette époque que ces trois cas et tous les trois ont évolué favorablement par l'adjonction à la radiothérapie de mesures visant la réparation du terrain. Dans un quatrième cas, plus récent, ces mêmes mesures ont permis d'alléger le traitement agressif toxique, et d'en réduire la durée de moitié.

CAS 61. F. (1944).

Dans l'enfance, cette fille est peu résistante aux infections banales ; elle est anémique. Dans l'adolescence, elle a de l'acné et des règles douloureuses accompagnées de vomissements.

Dès l'âge de dix-huit ans (mars 1962), les ganglions cervicaux enflent de façon progressive et insidieuse. En avril 1963, une biopsie révèle une maladie de Hodgkin. A la suite d'une radiothérapie sur les foyers du cou et du médiastin, les ganglions disparaissent.

Je la vois la première fois le 20 août 1963, un mois après la fin de l'irradiation. Elle est pâle, fatigable. Sa langue est chargée. Le taux de fer sérique est à 33 gammas par 100 millilitres (normal = 90/120). Elle a des mâchoires trop étroites, comme comprimées latéralement, avec, en avant, des dents mal implantées, qui se chevauchent (phénomène qui témoigne de l'alimentation déséquilibrée chez sa mère avant sa naissance).

Son alimentation moderne classique est très pauvre en vitamines E, F et B. Corps gras : 36 grammes par jour, dont 10 grammes de beurre et 26 grammes d'huile raffinée.

Mon traitement : correction de l'alimentation. Vitaminothérapie habituelle. Oligo-éléments (cuivre, or). Fer intraveineux et par la bouche. Dans la première année, à plusieurs reprises, bactériurie et anémie. L'hyposidérémie ne disparaît qu'en octobre 1965 (après vingt-six mois de traitement).

Depuis lors, elle va bien. Elle remarque que si elle ne se nourrit que de fruits le jour précédant les règles, celles-ci sont indolores : le foie, ainsi allégé de son travail digestif, inactive, comme c'est normal, l'excès d'hormones ovariennes, source des douleurs.

A vingt-quatre ans (1968), elle se marie et met au monde un premier enfant en 1970, un deuxième en 1973.

En 1980, elle se porte bien. Elle n'a jamais abandonné l'alimentation saine et est devenue beaucoup plus résistante qu'avant l'éclosion de la maladie de Hodgkin.

Dix-huit ans se sont écoulés depuis le début de sa maladie.

CAS 62. M. (1951)

Dès l'âge de trois ans, ce garçon oppose une mauvaise résistance aux infections banales. Il a des bronchites asthmatiques récidivantes et, à sept ans, une parathyphoïde qui dure trois mois. Dès lors, ses selles sont pâteuses, souvent diarrhéiques. A onze ans (1962), des ganglions enflent à la base du cou. Il est hospitalisé en octobre pour un lymphogranulome malin de Hodgkin, à foyers cerviaux et médiastinal (ce dernier a la dimension d'un œuf de poule). Il reçoit de la cortisone (Prednisone, 60 milligrammes par jour pendant huit jours) et de la pénicilline (un million d'unités par jour, pendant trois semaines). Du 7 novembre au 24 décembre, vingt-six séances de radiothérapie, puis cure d'antimitotique (Cyclophosphamide, 200 milligrammes par jour pendant six jours). Les ganglions disparaissent. Il quitte l'hôpital. Une semaine plus tard, le 2 janvier 1963, une bronchopneumonie bilatérale se déclare, qui est traitée par un antibiotique à large spectre (Chloromycétine, 750 milligrammes par jour). Il y a régression rapide des foyers.

Mais, quand je le vois pour la première fois, le 22 janvier, son état est inquiétant : il est livide, exténué. Il pèse 33,6 kilos pour une taille de 1,48 mètre. Aussi bien sa mère que moi avons l'impression qu'il n'a plus que quelques jours à vivre. A l'examen radiologique on constate que les foyers de bronchopneumonie ont disparu, mais qu'au hile pulmonaire droit, où était situé le ganglion malade en octobre, se trouve une tumeur de la dimension d'une orange, à contours polycycliques. Il s'agit d'une récidive brutale de la maladie de Hodgkin. La rémission obtenue par le traitement, classique à l'époque, avait duré moins d'un mois !

Son alimentation est « très riche », comprenant du café au lait, de la viande et des œufs deux fois par jour, de nombreuses tartines bien beurrées, des cornets à la crème.

Mon traitement : normalisation de l'alimentation, antibiotiques (Tétracycline, 750 milligrammes par jour), Prednisolone (20 milligrammes par jour), oligo-éléments (fer, or, magnésium, cuivre). Polyvitaminothérapie, dont la vitamine F, qui est injectée par voie intramusculaire trois fois par semaine. Dès le troisième jour de ce traitement, l'enfant se sent mieux. En un mois, l'ombre ganglionnaire a disparu, le poids a augmenté de 5 kilos. Il ne s'est pas senti si bien depuis dix-huit mois. Cette amélioration est aussi rapide et spectaculaire que l'avait été l'aggravation de la maladie le mois précédent. La dose de Prednisolone est réduite à 5 milligrammes par jour.

Après six semaines (5 mars 1963), l'antibiotique et la cortisone sont supprimés. Trop tôt, car le 21 mars déjà, soit deux semaines plus tard, c'est une deuxième rechute : une ombre médiastinale importante a réapparu. La médication est reprise jusqu'en novembre, soit pendant huit mois. L'enfant, dès lors, entre en rémission et celle-ci dure encore en 1979, soit seize ans après le début de sa maladie. Il a continué à s'alimenter sainement et a pris pendant des années des vitamines complémentaires. En 1976, il se marie. Une fille lui naît.

Sa mère, restée fidèle à l'alimentation déséquilibrée, moderne, développe un cancer de l'utérus à quarante et un ans. Le fils a donc été atteint d'une maladie tumorale trente ans plus tôt que sa mère.

Autre cas : CAS 63.F. (1906).

Dès l'âge de vingt-huit ans et pendant trente-cinq ans, cette femme est chroniquement traumatisée et surmenée tant sur le plan physique que psycho-affectif par la présence au foyer familial d'un infirme moteur cérébral. Elle souffre de constipation opiniâtre, avec aérophagie et coliques. Elle a une néphrite à trente-trois ans, guérie en deux ans, puis de trente-sept à quarante-trois ans, des poussées d'urticaire et d'eczéma. A quarante-cinq ans, première apparition passagère de polyarthrite avec récidive plus grave à cinquante et un ans. Toutes les articulations des bras, ainsi que les genoux et les chevilles sont prises. La phase aiguë dure deux mois avec incapacité de travail partielle pendant un an. De petites poussées se reproduisent pendant sept ans.

Le régime alimentaire n'est corrigé qu'en été 1963 et n'est suivi régulièrement que six mois plus tard (!). Dès lors, il y a stabilisation définitive de la polyarthrite. A cinquante-sept ans (octobre 1963), deux ganglions de la dimension d'une noix apparaissent dans l'aisselle gauche. Ils sont excisés. C'est une maladie de Hodgkin. Elle est traitée par vitaminothérapie en injections intraveineuses et par la bouche. Deux petits ganglions sont encore présents dans l'aisselle, qui prennent du volume après une forte indigestion, un an plus tard. Une première radiothérapie a lieu d'août à octobre 1964.

Elle se porte bien pendant quatre ans, puis, en 1968, se fatigue, maigrit. Des ganglions réapparaissent sous la clavicule gauche en bordure du champ précédemment irradié.

Un traitement par antimitotique (Cyclophosphamide, 200 milligrammes deux fois par semaine) et cortisone (20 milligrammes par jour pendant six semaines) stabilise les lésions. Une deuxième radiothérapie a lieu du 8 juillet au 8 août 1968 : les ganglions disparaissent.

Depuis 1968, la malade règle son pH urinaire sur 7-7,5, par prises de citrates.

En 1969, à soixante-trois ans, sa vie devient socialement plus facile. Elle réduit son travail, puis prend sa retraite. En 1977, à soixante et onze ans, elle n'a plus eu aucune manifestation de polyarthrite depuis treize ans, de lymphogranulome depuis neuf ans, mais la constipation persiste toujours.

Le pronostic de la maladie de Hodgkin dépend de l'âge du malade et serait particulièrement sombre après soixante ans. Chez ma malade, après une deuxième petite poussée à soixante-deux ans, une stabilisation durable s'est produite.

Leucémies

Les leucémies constituent aujourd'hui « une chasse gardée » et je n'ai pas eu l'occasion d'en soigner souvent. Je suis cependant persuadée que, là comme ailleurs, l'adjonction de ma méthode au traitement classique ne saurait être que bénéfique. En voici un exemple.

CAS 64. F. (1958). Leucémie aiguë lymphoblastique.

Dès l'âge de deux ans, cette fille a de fréquentes poussées fébriles par affections grippales avec 40 degrés de fièvre. A trois ans (1961), en quatre mois, elle a été vaccinée successivement contre la diphtérie, le tétanos, la coqueluche et la poliomyélite. Trois jours après le dernier vaccin, violente diarrhée avec vomissements. Elle reste pâle et amaigrie. Un examen sanguin révèle la présence d'une leucémie aiguë lymphoblastique : 42 000 globules blancs (norme = 6 à 8000) et 2,6 millions de globules rouges par millimètre cube (norme = 4).

Elle est hospitalisée en août 1961. Elle est traitée par transfusions, cortisone, ADN et antimitotique (6-Mercaptopurine) et entre en rémission. Mais, d'octobre à décembre 1961, elle fait plusieurs infections banales avec 40 degrés de fièvre, traitées par des antibiotiques. Ses selles sont malodorantes. Le 11 décembre 1961, une rechute de leucémie a lieu alors qu'elle était encore sous traitement. L'hémoglobine tombe à 53 %, les globules blancs à 1 900 par millimètre cube, avec 12 % de cellules anormales. L'enfant est considérée comme perdue.

Dès le 20 décembre 1961, elle reçoit un médicament à base de sels métalliques (chlorures d'or, de magnésium, de fer et de cuivre) destiné à augmenter la résistance générale. Les selles se normalisent.

Je vois l'enfant la première fois le 31 janvier 1962. L'alimentation est corrigée : suppression de l'excès de corps gras inadéquats ; introduction des huiles riches en vitamine F ; vitaminothérapie : vitamines A, B, C, E et F.

Dès lors, le comportement de l'enfant change du tout au tout : elle devient rose et gaie. L'appétit s'améliore, les infections perpétuelles ne réapparaissent plus. La photophobie, fréquente dans les carences vitaminiques — et dont elle souffrait depuis la toute petite enfance — disparaît en deux mois.

Le traitement antimitotique est poursuivi pendant des années, la cortisone pendant trois ans à doses décroissantes. Depuis décembre 1961, elle n'a plus fait de rechutes de sa leucémie. En 1976, elle a dix-huit ans et se porte bien. Le temps écoulé depuis le début de la leucémie est de quinze années.

Les parents, qui avaient constamment des troubles digestifs avec nausées et pesanteurs, n'en ont plus souffert dès la correction de l'alimentation.

CAS 65. M. (1906). Leucémie myéloïde chronique

Cet homme a fumé vingt cigarettes par jour de l'adolescence à trente-six ans. De quatorze à cinquante-cinq ans, son régime est végétarien. Dès cinquante-cinq ans, il mange de la viande deux fois par semaine. Corps gras : beurre 25 grammes, huiles 23 grammes dont, dès l'âge de quarante ans, 15 grammes d'huile de tournesol de bonne qualité.

A cinquante-cinq ans (1961), il perd l'appétit, maigrit de sept à huit kilos en trois mois. Le 27 mai 1961, sa rate est grosse ; son taux d'hémoglobine de 62 %, le nombre de globules blancs de 75 000 par millimètre cube. Diagnostic : leucémie myéloïde.

1. Il est d'abord traité par un antimitotique (Bisulfan : 210 milligrammes en 108 jours). Le nombre des globules blancs se normalise, la rate diminue de volume. Le poids du malade augmente de sept kilos en quatre mois. Dès cette époque, il reçoit deux injections par semaine d'un stimulant immunitaire (Syndrolysine) et des oligo-éléments (cuivre, or, argent, manganèse, cobalt). La rémission obtenue par le Bisulfan n'est que partielle et ne dure que quatre mois. Dès janvier 1962, le nombre des globules blancs augmente de nouveau pour atteindre 21 000, en décembre 1962.

2. Une deuxième cure de Bisulfan débute le 17 novembre 1962. Au cours de 195 jours, le malade en reçoit 438 milligrammes. Une stabilisation passagère est obtenue comme la première fois, mais avec une dose double d'antimitotique. Le nombre des globules blancs ne reste normal que pendant cinq mois.

Je le vois la première fois au cours de cette deuxième cure, le 18 mars 1963. Il a cinquante-sept ans. Son régime alimentaire est corrigé par l'introduction de la crème Budwig et des céréales complètes, la suppression des graisses et huiles, autres que celles riches en vitamines F. Il continue les injections de syndrolysine, la prise d'oligo-éléments et reçoit un complément de vitamines C, A et E.

3. Une troisième cure de Bisulfan devient nécessaire de mars à juillet 1964. (Dose administrée : 276 milligrammes en 108 jours.) La stabilisation est obtenue avec moins de médicaments qu'à la deuxième poussée ; elle est de meilleure qualité que les deux premières. Le nombre des globules blancs reste normal pendant vingt et un mois, au lieu de quatre et cinq mois.

De 1965 à 1976, la maladie prend un cours bénin. Deux ans après la normalisation de l'alimentation, les périodes de rémission s'allongent et comprennent jusqu'en mars 1976 de neuf à trente mois. Elles sont obtenues avec des doses modestes de Bisulfan comprises entre 32 et 100 milligrammes. Contrairement à ce qui se passe d'habitude, ce médicament reste actif. L'état général du malade demeure excellent jusqu'en été 1976, été pendant lequel, à l'occasion d'un déménagement, il se fatigue beaucoup et longuement. Une treizième cure de Bisulfan devient nécessaire en septembre 1976, six mois seulement après la précédente. Elle reste efficace. Mais, en novembre, de rares bacilles de Koch sont décelés dans les crachats. Une cure antituberculeuse intense est instituée que le malade supporte mal. Le 8 décembre, le nombre de leucocytes est de 17 200 par millimètre cube. Du 9 au 15 décembre, il prend par erreur 56 milligrammes de Bisulfan en six jours seulement. (Quatrorzième cure, trois mois après la treizième.) Les leucocytes tombent à 2 000, les thrombocytes à 7 000 (!) par millimètre cube (norme = 100 000 à 250 000). Dès le 14 novembre ictère, avec grosse insuffisance hépatique (taux très élevé de bilirubine et des transaminases). Le traitement antituberculeux est stoppé. Dans les mois suivants, il se remet lentement de son hépatite toxique. Le 21 avril 1977, le nombre de leucocytes est de 100 000 par millimètre cube. Sa rate est grosse. 62 milligrammes de Bisulfan en dix-sept jours normalisent le taux des globules blancs (quinzième cure), mais le malade est épuisé et décède le 24 mai 1977, à soixante et onze ans.

Selon l'expérience du fabricant du Bisulfan, la première cure demande l'emploi de ce médicament pendant six à sept mois pour atteindre son effet maximum. La première rechute survient de six à dix-huit mois après l'arrêt de la cure, la deuxième se produit plus rapidement – et tel a bien été le cas chez mon malade, avant mon intervention. Une dose d'entretien de 0,5 à 3 milligrammes par jour devient nécessaire, qui peut rester efficace jusqu'à deux ans (seulement !).

Le temps de survie, obtenu habituellement dans les leucémies myéloïdes de l'adulte, atteint au maximum cinq ans. Mon malade est décédé seize ans après le début de sa maladie. Le complément que j'ai apporté à cette thérapeutique a donc été extraordinairement bénéfique.

LA POLYARTHRITE CHRONIQUE ÉVOLUTIVE (PCE) ou RHUMATOÏDE

On appelle ainsi une affection rhumatismale grave, progressive et invalidante qui, comme toutes les maladies dégénératives, devient de nos jours de plus en plus fréquente. Elle s'attaque en premier lieu à l'appareil périarticulaire, aux synoviales qui s'épaississent, ce qui se traduit d'abord par un gonflement douloureux et un enraidissement articulaire. A ce stade, la maladie est réversible et les jointures peuvent redevenir normales. Puis la nutrition de l'os souffre ; il se décalcifie, l'extrémité articulaire se déforme ; des destructions, des luxations, des ankyloses définitives peuvent se produire. Si les grandes articulations des membres inférieurs sont prises, le malade a de plus en plus de peine à se déplacer, devient de plus en plus endolori, dépendant et invalide. J'ai dit plus haut que j'avais été amenée à considérer la PCE comme une maladie sœur du cancer. En effet, tout comme le cancer, elle s'accompagne de troubles digestifs, avec apparition d'une flore intestinale aggressive, un passage anormal de micro-organismes et de toxines dans le sang. Tout se passe comme si, dans cette maladie, les synoviales et le tissu périarticulaire se spécialisaient dans la captation de ces poisons, qu'ils chercheraient à neutraliser, à digérer, à éliminer.

L'afflux des substances nocives étant irrégulier, le cours de la maladie l'est également et procède par accalmies et poussées.

Là, comme pour les tumeurs malignes, le premier acte, hautement bénéfique pour le malade est de débrayer le moteur de la maladie. Il importe de corriger l'alimentation, de normaliser les fonctions intestinales. Il est nécessaire ensuite de supprimer les déficiences minérales (calcium, magnésium, fer soufre) et de pratiquer, comme pour le cancer, une vitaminothérapie intense. La médecine classique actuelle ne propose pour le traitement de la PCE que des palliatifs, visant à diminuer la réactivité des tissus articulaires : anti-inflammatoires, cortisone, sels d'or, antimalariques. L'effet sur la douleur et l'impotence fonctionnelle est pour les deux premiers médicaments rapide et de courte durée, plus lent à s'établir et plus prolongé pour les deux autres. Mais cette façon de soigner semble sans avenir. Du moins en a-t-il été ainsi pour ceux de mes malades venus tardivement et ayant déjà été traités par ces remèdes pendant des années, avec de piètres résultats. La méthode que je propose n'agit que lentement ; elle cherche à supprimer la cause de la maladie. Les premiers effets ne se montrent qu'après deux mois, la stabilisation effective n'est obtenue qu'en deux ans, parfois un peu moins, parfois davantage, et j'en avertis d'emblée les malades. Aussi, entre-temps, ai-je besoin de palliatifs, que le malade supprime de lui-même dès que l'amélioration se produit. Lorsqu'un premier progrès est obtenu, ce qui survient habituellement au cours du troisième mois de traitement, je pratique des tests microbiens intradermiques avec des vaccins renfermant toute la gamme de nos microbes commensaux habituels (colibacilles, staphylocoques, streptocoques, pneumocoques, mais également bacilles de Koch, gonocoques et de la peptone). Je trouve pratiquement toujours une hypersensibilité immédiate ou retardée (lecture après vingt minutes et quarante-huit heures des tests) à l'un ou l'autre de ces extraits microbiens. Je fais alors un vaccin mixte à base d'un mélange de tous les extraits avec prédominance de celui ou ceux indiqués par l'hypersensibilité du malade. Je l'injecte par voie sous-cutanée à doses croissantes, deux fois par semaine, en commençant par la dilution 6 (décimale 6, parfois 8 et même 10) pour aboutir à la solution décimale 2. Le mélange des vaccins purs, tels qu'ils sont fournis par le pharmacien, est considéré comme étant la souche, à partir de laquelle le vaccin D 1 s'obtient en ajoutant, à 1 centimètre cube de celle-ci, 9 centimètres cubes d'eau physiologique et une goutte de phénol. Le vaccin D 2 s'obtient de même en ajoutant à 1 millilitre de la dilution D 1, 9 millilitres de solution physiologique et une goutte de phénol. Pour le vaccin D 8, cette opération est répétée huit fois. On obtient ainsi à chaque opération une dilution dix fois plus étendue. Le but poursuivi par cette vaccinothérapie est d'augmenter la résistance du malade en stimulant des processus immunitaires normaux et de dévier à la peau le travail effectué chez lui par les synoviales. Si le vaccin est bien choisi, les articulations malades réagissent et s'enflamment dès que la dose de vaccin injectée est trop forte, ce qui est la preuve que j'interviens dans le processus même de la maladie. Je cherche à rester toujours en dessous de la dose de réaction, tant générale (lassitude inhabituelle) que cutanée (rougeur et enflure au point d'injection) ou articulaire (enflure, douleur) survenant dans les vingt-quatre heures après l'injection. Cette thérapeutique est donc à double tranchant. La dose du vaccin doit être soigneusement adaptée à la tolérance du malade. Souvent, il est nécessaire de rebrousser chemin, de retourner à des doses inférieures, pour les augmenter plus lentement dans la suite. La stabilisation de la maladie intervient lorsque le malade tolère les dilutions 3 et 2 (parfois aussi auparavant) et je n'emploie jamais ni le vaccin D 1, ni la souche. Une fois la stabilisation obtenue, des injections de rappel, par exemple une fois par mois, peuvent être utiles.

Il est bien entendu que l'agresseur infectieux, dans une polyarthrite, peut être de source autre qu'intestinale. Il peut provenir d'amygdales infectées, de granulomes dentaires, d'un ancien foyer tuberculeux, d'une gonorrhée mal soignée, etc. Les tests peuvent nous renseigner sur de pareilles éventualités. Il est utile de rechercher de tels foyers et de les soigner. Les agressions d'origine intestinale viennent s'y ajouter et sont faciles à supprimer. Il résulte de l'ensemble de ces mesures un relèvement de l'état général qui soulage beaucoup le malade. Parfois des cures intermittentes de sels d'or (auparavant inefficaces ou mal tolérées), de petites doses de cortisone (par exemple sous forme d'injections intramusculaires de préparations-dépôts, à raison de 40 milligrammes par mois) aident à stabiliser le malade. Voici quelques exemples de ce qu'il est possible d'obtenir par cette méthode.

CAS 66. F. (1905)

C'est le premier cas, très grave, que j'ai eu à traiter. Il m'a montré l'utilité d'une survitaminisation prolongée. (La cortisone n'était pas encore découverte à l'époque.) A vingt-huit ans, cette femme souffre d'une grave dépression nerveuse avec catatonie. Elle est hospitalisée. A trente-trois ans, elle a obtenu son diplôme d'infirmière. De trente-sept à trente-neuf ans, elle est astreinte à un énorme surmenage professionnel et maigrit de 15 kilos. A trente-neuf ans, c'est le début d'une polyarthrite, avec légère fièvre. Elle prend des calmants et continue son travail hospitalier. La maladie s'aggrave : enflure et fortes douleurs aux deux pieds. Elle doit s'aliter pendant quatre mois. Seize dents, porteuses de granulomes, sont extraites. La polyarthrite est traitée par des sels d'or, des salicylates, de la pénicilline – sans succès. A quarante ans, les chevilles, les pieds, l'épaule gauche et le dos sont pris. A quarante et un ans, le genou gauche s'enflamme. En janvier 1947, à quarante-deux ans, a lieu une poussée rhumatismale foudroyante avec participation de toutes les articulations des membres, de la colonne vertébrale, de la mâchoire. Dans un effort surhumain, la malade se rend à ma consultation, s'affaisse et doit repartir en ambulance. Depuis lors, elle reçoit de grosses doses de vitamines B, C, D, du calcium et du soufre en injections intraveineuses deux fois par semaine et par la bouche, ainsi que des cures de sels d'or périodiques. Pendant de longs mois, ce traitement paraît vain et semble n'apporter qu'une aide morale à la malade. Cependant, après deux ans de cet effort thérapeutique régulier, le rhumatisme cède soudain. Les douleurs disparaissent. Seules les mains restent déformées, desséchées et les poignets, ankylosés. Toutes les autres articulations guérissent. Elle reprend son travail d'infirmière, s'adapte à ses mains déficientes et arrive à faire les injections intraveineuses à ses malades.

L'alimentation ne fut corrigée qu'en 1966. De 1949 à 1976, pendant les vingt-sept années d'observation, la malade n'a plus jamais eu de crise rhumatismale grave.

Cette observation m'a amenée à penser qu'il existe chez les sujets atteints de polyarthrite un besoin fortement accru en vitamines, dont la couverture favorise la stabilisation de la maladie. J'ai par la suite eu maintes fois l'occasion de vérifier l'exactitude de mes conclusions.

En voici quelques exemples.

CAS 67. F. (1943). Traitement d'une PCE par les méthodes classiques pendant vingt ans sans résultat. Réduction de l'invalidité de 40 % par mon traitement.

A cinq ans (1948), cette fille est infectée par le lait d'une vache tuberculeuse. Trois mois plus tard, elle souffre de douleurs et d'enflures aux mains, poignets, coudes et épaules. A six ans, une chute avec grand écart de la jambe gauche entraîne une destruction partielle de la tête du fémur et une ankylose de l'articulation de la hanche.

Dès l'âge de dix ans, elle a une déformation bilatérale des doigts, caractéristique de la polyarthrite chronique évolutive. Entre dix et dix-huit ans, les épaules, les coudes, les poignets, les mains, les genoux sont enflés par périodes. Dès l'âge de dix-huit ans, elle reçoit des cures répetées de sels d'or (la dernière en février 1969) qui atténuent passagèrement la maladie, mais n'en arrêtent pas l'évolution. Elle prend journellement trois ou quatre aspirines. A vingt-cinq ans, l'état s'aggrave : elle doit s'aliter presque tout l'hiver 1968-1969.

Je la vois pour la première fois le 12 mars 1969. Elle a vingt-six ans et entre dans la vingt-et-unième année de sa maladie. C'est une petite vieille se mouvant avec peine, recroquevillée, douloureuse, déformée. Elle est maigre et pâle. (Elle pèse 47 kilos pour une taille de 1,59 mètre.) Sa langue est chargée. Comme conséquence de l'ancienne lésion de la hanche, le membre inférieur gauche est raccourci de 5 centimètres. Épaules, coudes, genoux, chevilles, nuque et mâchoires sont douloureux, enraidis, enflés. Les poignets et les mains sont déformés. L'incapacité de travail est totale.

Son alimentation : matin et soir, café au lait, pain, beurre, fromage. A midi, régime mixte avec pâtes ou riz poli, vin et café. A 16 heures, pâtisseries. Corps gras : beurre 44 grammes, margarine 8 grammes, huile de tournesol raffinée 25 grammes, soit un total de 77 grammes par jour.

Mon traitement : l'alimentation est normalisée ; vitaminothérapie : vitamines A, B, C, D, E et F ; apport de citrates, de calcium et d'ADN.

Deux mois plus tard, elle se sent mieux et n'a plus repris de calmants. Les tests microbiens sont fortement positifs à la tuberculose bovine et humaine ainsi qu'au colibacille. Elle fait une cure antituberculeuse pendant trois mois (Streptomycine et Isoniazide). En juillet 1969, elle est fraîche et rose. En août, soit après cinq mois de traitement, débute la vaccinothérapie à la dilution D 8. Après huit mois de cure (novembre 1969), les douleurs et les enflures articulaires ont disparu. Elle passe un excellent hiver, « comme jamais ». En mars 1970, la vitesse de sédimentation, fortement accélérée au début, s'est normalisée. Après dix-huit mois de soins (1970), elle a perdu son allure de petite vieille. Elle peut courir et sauter, effectuer des travaux ménagers. A vingt-huit ans commence une formation professionnelle, qui la fatigue. Elle reçoit 40 milligrammes de cortisone-retard par mois. En janvier 1972, sa rente-invalidité peut être ramenée de 90 à 50 %. De 1973 à 1976, elle travaille à mi-temps comme dessinatrice technique dans une administration. Le 20 juin 1974, une prothèse totale de la hanche gauche lui permet d'obtenir une meilleure statique.

En février 1976, le travail à mi-temps se révèle trop fatigant, ce qui provoque de petites poussées de PCE. Il est réduit à 40 %. Depuis lors, elle va bien. En 1979, la polyarthrite, sans être totalement stabilisée, lui permet de vivre seule et indépendante. L'état est incomparablement meilleur que dix ans plus tôt.

CAS 68. M. (1914). Polyarthrite et polyarthrose. Cessation des douleurs après quatre mois de traitement.

Du fait de l'existence d'une entreprise laitière familiale, dirigée d'abord par la grand-mère paternelle, puis par le père, toute la famille a été soumise à une surconsommation énorme de lait, de beurre et de fromage, et cela pour mon malade, dès sa prime jeunesse et jusqu'à l'éclosion de la maladie actuelle.

Du côté paternel, la grand-mère, une tante, une cousine germaine, le père, soit cinq personnes, mon malade compris, soumises aux mêmes mœurs alimentaires, ont été atteints de rhumatisme polyarticulaire grave invalidant. Le père, athlète qui pouvait soulever 300 kilos, débordant d'activité et d'énergie à vingt ans, est devenu invalide à quarante-cinq ans : il n'arrivait à descendre les escaliers qu'assis et les remontait à quatre pattes. (Il est décédé à soixante-cinq ans.)

Ce malade avait dès l'enfance une mauvaise résistance aux infections banales et des troubles digestifs fréquents. Marié, il n'a pas pu avoir d'enfants, par atrophie des glandes sexuelles. Dès quarante-trois ans, il souffre d'un rhumatisme polyarticulaire : hanches, genoux, chevilles, épaules, mains se prennent de plus en plus. Jusqu'à quarante-huit ans il a pu encore faire du ski et du tennis, puis a dû abandonner tout sport. Il prend constamment des médicaments antirhumatismaux palliatifs. A cet âge, début de cataracte.

Je le vois pour la première fois le 2 juin 1967. Il a cinquante-trois ans. C'est un grand invalide atteint d'une PCE et d'une coxarthrose bilatérale grave, surtout marquée à droite, où seul le mouvement d'arrière en avant reste possible (l'abduction et la rotation sont nuls). Il a une démarche en canard avec pieds tournés en dehors. Le bas du dos est figé. La vision est nulle à droite, diminuée à gauche. Il a une parodontose. La langue est chargée. Le taux de bilirubine est de 1,4 milligramme pour 100 millilitres (normal = 0,6) ; le foie est donc déficient.

Son alimentation est du type moderne habituel. Corps gras : graisses dites végétales 23 grammes, huiles raffinées 12 grammes, soit un total de 35 grammes par jour Mon traitement : correction de l'alimentation, vitaminothérapie, vitamines A, B, C, D, E et F ; injections intramusculaires d'extraits de cartilage et de moëlle osseuse en cures répetées de trois mois. Dès le troisième mois de traitement, tests intradermiques, puis vaccin polyvalent à doses croissantes à partir de la dilution D. 6.

Les troubles digestifs cessent et après quatre mois de cure, il n'a plus besoin de calmants. Il est opéré de la cataracte, des deux côtés, à cinquante-quatre ans. Par deux fois, en clinique, avec l'alimentation courante, les désordres intestinaux réapparaissent dès le quatrième jour. Après seize mois de traitement, il peut marcher quatre heures à plat. Après vingt et un mois, il refait du ski de fond, ce qui avait été impossible pendant sept ans. Cependant, la coxarthrose s'aggrave. Il marche en canard avec un écart des pieds de 49 centimètres. Une prothèse est posée à la hanche gauche en avril 1970. Pendant l'hospitalisation, l'alimentation déséquilibrée provoque une poussée rhumatismale aux mains, genoux et pieds, pour la première fois depuis trois ans, qui s'efface dès le retour à l'alimentation correcte.

En mars 1973 (à cinquante-neuf ans), il ne souffre plus et se trouve infiniment privilégié par rapport aux quatre autres membres rhumatisants de sa famille, qui ont été ou sont de très gros invalides. En 1979, il continue à bien se porter. Des cors plantaires qui, pendant des années, le conduisirent tous les mois chez la pédicure, ont disparu. Durée d'observation : douze ans.

CAS 69. M. (1919). Polyarthrite gravissime, invalidante. Traitement dans la vingt-deuxième année de la maladie. Récupération fonctionnelle dès le troisième mois.

Cet homme a fumé vingt cigarettes par jour jusqu'à quarante et un ans. A quarante-deux ans il a subi l'ablation d'un lobe pulmonaire pour cavernes tuberculeuses. Il souffre de constipation chronique et d'emphysème pulmonaire dès l'âge de quarante-neuf ans.

Une première poussée rhumatismale a lieu à l'épaule droite à trente-trois ans ; elle est soignée et guérie, mais un an plus tard, l'épaule et le genou droits se prennent. Il s'agit d'une polyarthrite chronique évolutive. De 1952 à 1974, la maladie prend peu à peu la plupart des articulations, les rend douloureuses, les ankylose. Des cures périodiques de sels d'or atténuent les douleurs, mais provoquent de l'eczéma et de l'urticaire. La dernière, en 1967, reste sans effet. Il est constamment sous traitement par la cortisone ou l'ACTH et prend des anti-inflammatoires contre les douleurs. En 1972 on lui pose des prothèses au genou droit et à la hanche gauche.

Je le vois pour la première fois le 29 mai 1974, dans la vingt-deuxième année de sa maladie. Il a cinquante-cinq ans. Il est pâle et bouffi. Il a des œdèmes aux jambes. Sa peau est mal irriguée, marbrée et piquetée de folliculite. Il a d'innombrables pétéchies à la partie supérieure du thorax. Les épaules, les coudes, les poignets sont ankylosés, douloureux. Les mains sont déformées, les articulations métacarpophalangiennes enflées. Les doigts sont recourbés en arrière par suite de destructions osseuses. La hanche droite est bloquée. Le genou gauche est enflé, de même que les deux chevilles. La colonne cervicale est prise : la tête est immobilisée en flexion antérieure à 30 degrés, ce qui oblige le malade à lever les yeux au maximum pour regarder droit devant lui. Il marche péniblement avec deux cannes. Le foie est insuffisant, le taux de fer sérique à 42 gammas par 100 millilitres (normal = 120), la vitesse de sédimentation des globules rouges fortement accélérée et l'urine hyperacide.

Son alimentation : le matin, café au lait, pain noir ou blanc, beurre, confiture. A midi, viande, légumes, salades, fruits, fromage, deux verres de vin. A 16 heures, café. Le soir, jambon ou viande séchée ou omelette avec spaghetti.

Corps gras : graisses dites végétales 8 grammes, huiles raffinées 50 grammes, beurre 44 grammes, soit un total de 102 grammes par jour. Il y a donc excès de viande et de graisses.

Mon traitement : correction du régime alimentaire ; suppression de tout alcool ; polyvitaminothérapie par la bouche : vitamies A, B, C, D, E et F ; poudre d'os ; citrates ; thiosulfate de soude en suppositoires ; apport de fer. Le traitement palliatif est provisoirement maintenu (ACTH-retard intramusculaire une fois par semaine, six comprimés par jour d'un médicament anti-inflammatoire, contre les douleurs).

Trois mois plus tard, il va mieux, n'a plus son teint cireux, a perdu 2,5 kilos. Il est moins bouffi. Les injections d'ACTH-retard sont espacées car son action, qui ne durait que deux à trois jours, persiste maintenant trois semaines. Il se déplace beaucoup plus aisément. La vitesse de sédimentation est presque normale.

Le 11 septembre 1974, soit après quatre mois de traitement, les tests microbiens sont positifs au staphylocoque et à la tuberculine humaine. Je pratique une vaccinothérapie mixte sous-cutanée à doses croissantes à partir de la dilution D 6. En décembre 1974, il a encore dégonflé de 2 kilos. En février 1975, la nuque s'est débloquée et ne fait plus mal : il peut tenir sa tête en position verticale. Les douleurs ont « énormément » diminué. Il se trouve en progrès constants, ne prend plus qu'un calmant par jour au lieu de six. En août 1975, il est rose, marche beaucoup mieux que depuis des années « même en pleins champs. Sensationnel ! » me dit-il.

En treize mois, il est arrivé au vaccin le plus concentré (dilution D 2), ce qui est très rapide pour une PCE. En novembre 1975, il fait une heure de marche par jour ; à la maison, il se déplace sans cannes, s'assied et se lève sans aide, ce qui était impossible. Il peut lever la tête et regarder au plafond ; il n'a pas été aussi bien depuis des années.

A la fin mars 1976, après vingt-deux mois de cure, il peut marcher sans cannes dans la rue et n'a pratiquement plus de douleurs. Pour la première fois depuis dix-sept ans, il entreprend un voyage de 1600 kilomètres en voiture, pour aller à la mer.

Il s'est donc agi, chez ce malade, d'une effroyable polyarthrite évolutive, invalidante, qui n'a fait que se péjorer pendant vingt-deux ans (de trente-trois à cinquante-cinq ans). Elle s'est stabilisée dès le troisième mois de traitement, qui a permis dès le quinzième mois une remarquable récupération fonctionnelle.

CAS 70. F. (1938). PCE et double cancer du sein. (Cas rare de coexistence)

La mère et une tante maternelle sont décédées d'un cancer du sein, respectivement à trente-trois et cinquante ans.

Cette femme subit l'ablation du sein droit le 7 mars 1974 (à trente-six ans) pour un cancer de la dimension d'une noisette, sans métastases ganglionnaires. Pas de radiothérapie. La même année, polyarthrite à la hanche droite, aux genoux, épaules, bras, poignets, doigts. Elle prend quatre aspirines par jour.

Je la vois pour la première fois le 24 janvier 1975. Elle vient pour ajuster son régime alimentaire. J'ajoute une vitaminothérapie : vitamines A, B, C, D, E et F ; des citrates ; du calcium ; du magnésium ; du thiosulfate de sodium en injections intraveineuses.

Quelques petits nodules en apparence bénins sont présents dans le sein gauche. Le 18 novembre 1975, les tests intradermiques sont positifs au colibacille et au staphylocoque. Je pratique une vaccinothérapie mixte à la dilution D 8. En février 1976, les douleurs se calment. Seules l'épaule et la hanche droites sont un peu raides, la base du médius droit un peu enflé. Toutes les autres articulations se sont normalisées en onze mois de traitement.

Un nodule de 1,5 centimètre de diamètre, jugé suspect à la mammographie, et non évolutif depuis treize mois dans le sein gauche, motive l'ablation de ce dernier le 29 novembre 1976. Il s'agit bien d'un deuxième petit cancer sans participation ganglionnaire.

Le 10 décembre 1976, elle va bien ; la polyarthrite est guérie. Les mêmes mesures de sagesse vont pouvoir protéger cette malade contre une récidive des deux affections.

CAS 71. F. (1918). PCE. Traitement dans la deuxième année d'évolution. Disparition des douleurs en trois mois.

Un cousin germain du côté maternel et une tante paternelle sont atteints de PCE.

Mariée à vingt-quatre ans, cette femme a eu cinq enfants entre vingt-cinq et trente-deux ans. Malgré une éclampsie lors de la première grossesse, l'enfant a survécu. Son deuxième enfant est mort-né, le troisième enfant est caractériel, le quatrième est né deux mois avant terme ; le cinquième est né prématurément et n'a vécu qu'un jour. Donc, sur cinq enfants, deux sont morts, deux ont posé des problèmes.

Elle a d'innombrables rhumes, dès l'âge de vingt ans. Elle évacue cinq à six selles molles par jour depuis des années. A trente-quatre ans, calculs biliaires. A cinquante-trois ans (1971), après une infection grippale, s'installe une polyarthrite très douloureuse, qui débute aux mains et, après une année, s'étend aux genoux, aux chevilles, aux pieds, aux épaules, aux poignets et aux doigts. Un traitement aux sels d'or, à la cortisone et à la phénylbutazone lui est proposé par un rhumatologue, d'après lequel c'est la seule thérapie possible, mais la malade la refuse et se soigne à l'aspirine.

Son alimentation est du type moderne habituel avec 8 grammes d'huile d'olive, 30 grammes d'huile d'arachide, 75 grammes de beurre, soit un total de 113 grammes par jour.

Je la vois pour la première fois le 5 septembre 1973. (Elle a cinquante-cinq ans.) La peau est sèche aux jambes, les ongles mous, de la consistance du papier. La langue est chargée. Douleur, raideur et enflure existent aux genoux, chevilles, poignets et doigts. Le taux de cholestérol est de 318 milligrammes par 100 millilitres (normal = 220). La vitesse de sédimentation est accélérée.

Mon traitement : correction de l'alimentation ; revitaminisation :

vitamines A, B, C, D, E et F ; soufre (sous forme de thiosulfate de sodium) ; calcium (sous forme de poudre d'os) ; ajustement du pH urinaire à 7-7,5 à l'aide de citrates. Deux mois plus tard, la vitesse de sédimentation s'est normalisée. « Ma carapace de fatigue est tombée, j'ai bien moins mal et n'ai plus besoin d'aspirine », me dit-elle. Les tests microbiens sont positifs au staphylocoque et au gonocoque. Dès lors, deux fois par semaine, injections sous-cutanées à doses lentement croissantes d'un vaccin polyvalent (en commençant par la dilution D 8).

En février 1974, soit après six mois de traitement, les jointures sont tranquilles, l'état général bien meilleur. Elle n'a plus que deux ou trois selles moulées par jour. Taux de cholestérol : 262 milligrammes par 100 millilitres. Elle a fêté un mariage jusqu'à deux heures du matin. « Et j'ai pu danser le cha-cha-cha sans aucune douleur », me dit-elle triomphante en me faisant une démonstration !

J'ai volontairement limité le nombre d'exemples de PCE, mais il est facile de voir, d'après les cas décrits, combien sont bénéfiques chez ces grands malades le retour à l'alimentation saine, la suppression des carences, la stimulation des phénomènes immunitaires normaux. La PCE est censée être une maladie inguérissable. D'après mes expériences, cela est sans doute inexact, à condition que la méthode que je préconise soit appliquée dès le début de la maladie et que le malade soit discipliné. D'ailleurs, plus les erreurs d'alimentation sont importantes, plus l'effet de leur suppression est spectaculaire, comme dans le dernier cas décrit.

Régime totalement cru. Son indication

Le régime alimentaire que je recommande comporte un repas pratiquement cru (le petit déjeuner) et une proportion d'au moins 10 % de crudités aux autres repas. Comme en témoignent les cas décrits, cette correction fut suffisante pour rééquilibrer ces malades. Certains auteurs préconisent de ne manger que des aliments crus, comme l'homme le faisait avant l'invention du feu (Evers et al.). Un tel régime est beaucoup plus difficile à suivre que le mien, tant au point de vue de la composition des menus, qu'au point de vue social. Il peut cependant être salvateur. Déjà l'alimentation, telle que je la recommande, a un effet des plus heureux sur l'immunité. Elle fait disparaître les infections banales, si fréquentes en hiver chez les enfants carencés ; elle atténue les allergies, dues à des phénomènes immunitaires exacerbées ; elle a une influence bénéfique sur les maladies auto-immunes, etc. Le régime entièrement cru semble à ce point de vue être encore plus efficace.

Les aliments crus renferment, outre les vitamines, du lysozyme, substance qui les protège contre les micro-organismes destructeurs. Ils contiennent des hormones et des ferments que la plante ou l'animal emploient pour l'utilisation et la digestion des substances nutritives synthétisées à leur propre usage. Lysozyme, hormones et ferments nous profitent lorsque nous mangeons cru, ce qui peut être salutaire, tant sur le plan de la défense antimicrobienne que sur celui de la nutrition et de la digestion.

La majeure partie de ces corps, tout comme une partie des vitamines, sont détruits par la cuisson. De célèbres savants nous disent en outre, que les substances vivantes émettent une radiation à ondes courtes qu'il est possible de mesurer (Bohr) et même de visualiser (Kirlian). Cette propriété serait conférée à certains atomes par l'irradiation solaire. Elle disparaît dans les tissus morts. La consommation d'atomes émetteurs d'énergie pourrait également être d'une grande importance pour notre vitalité.

Il existe des états dans lesquels l'équilibre de l'organisme est à tel point perturbé que la façon de se nourrir préconisée par moi ne suffit pas pour rétablir le malade. Ce dernier cependant peut encore vivre et éventuellement guérir avec le régime cru intégral. Il faut, bien entendu, qu'une telle alimentation soit bien conduite et apporte toute la variété des substances indispensables. Voici un exemple d'un tel cas.

CAS 72.F. (1943). PCE, puis Lupus érythémateux gravissime, à localisation rénale. Effet hautement bénéfique d'une alimentation totalement crue.

Les deux grands-pères et un oncle sont décédés de cancer. La mère est atteinte d'une maladie de Parkinson à l'âge de soixante-cinq ans.

Dès dix-neuf ans, ma malade souffre de maux de gorge une à deux fois pas mois, souvent accompagnés de haute fièvre (39/40 degrés) et de douleurs articulaires, qui persistent malgré l'ablation des amygdales. A vingt ans, le diagnostic se précise : il s'agit d'une polyarthrite chronique évolutive grave. Elle maigrit de 8 kilos. Elle est traitée par des sels d'or et de la cortisone. Elle a commencé des études universitaires, mais ses médecins lui déconseillent vivement de les poursuivre, pensant que sa maladie ne lui permettra pas de les mener à bien.

Je la vois pour la première fois le 1er octobre 1963. Elle a vingt ans. Voici ce que je constate : acrocyanose aux membres inférieurs ; peau très sèche ; mastopathie. La mâchoire, les deux coudes, les poignets, toutes les petites articulations des doigts, les hanches, les genoux, les chevilles sont raides et douloureux. La maladie procède par poussées accompagnées de fièvre (37,5 à 38 degrés) et espacées de un à deux mois. Sous cortisone, ces accès durent de huit à quinze jours. Le taux de fer sérique est de 53 gammas par 100 millilitres (normal = 90/120). Le sédiment urinaire contient des bactéries (bâtonnets et coques).

Son alimentation est du type habituel : plus de 45 grammes de beurre et 35 grammes d'huile de tournesol raffinée par jour avec de fréquents repas au restaurant.

Mon traitement : correction de l'alimentation ; polyvitaminothérapie : vitamines A, B, C, D, E et F ; fer intraveineux.

Le 23 novembre 1963, des tests microbiens intradermiques montrent une forte hypersensibilité aux microbes banaux du nasopharynx et aux staphylocoques. Ces tests provoquent quelques douleurs articulaires. Je pratique une vaccinothérapie mixte dès décembre 1963, en commençant par la solution D 10.

Trois mois après la normalisation de l'alimentation, les douleurs disparaissent. En vingt-deux mois, il ne se produit que trois poussées rhumatismales, au lieu de douze au moins. Les fréquents maux de tête, dont elle souffrait, depuis des années, ont disparu. Elle continue ses études. Cependant, quinze jours d'alimentation à la cantine universitaire font resurgir et les maux de tête et les douleurs aux jointures. Quatre ans plus tard, en 1967, la PCE ne se manifeste plus, malgré les fatigues occasionnées par les études. En 1969, elle doit prendre des citrates, sans lesquels le pH urinaire est constamment à 5 ou en dessous. Elle termine ses études, se marie et met au monde un enfant en janvier 1970. Jusqu'à la fin de l'année, elle se porte admirablement bien. La vitesse de sédimentation reste cependant accélérée et le taux du fer sérique, instable.

En octobre 1971 survient une deuxième grossesse, trop près de la première. Au cours du cinquième mois : albuminurie massive, urémie, œdèmes généralisés, fausse-couche, anémie sévère (taux d'hémoglobine à 37 %). Il s'agit d'un lupus érythémateux, à localisation rénale, à pronostic très grave. (C'est une affection auto-immune tendant à détruire le tissu rénal.) Elle est traitée par de la cortisone (Prednisone), un antimitotique (Alkeran), un immunodépresseur (Immurel).

En janvier 1973, elle va mieux ; l'albuminurie est négligeable, l'hémoglobine, normale. Mais de l'avis des cliniciens qui la soignent, elle devra toute sa vie prendre de la cortisone et des antimitotiques. Elle a trente ans et cela ne lui sourit guère, d'autant plus qu'elle sait que l'action de ces médicaments s'épuise à la longue. C'est alors que je lui suggère d'essayer le régime cru intégral. Elle suit mon conseil dès mars 1975, avec un plein succès et abandonne dès ce moment la cortisone, l'antimitotique et l'immunodépresseur.

En 1977, elle a totalement perdu son aspect pâle, jaunâtre, et bouffi. Elle est belle, tonique, rose et fraîche. Elle a encore de faibles traces d'albumine dans son urine, mais se sent très bien.

L'économie d'effort, réalisée par un régime cru intégral bien conduit, lui a permis de reprendre son équilibre et de se passer de médicaments palliatifs et potentiellement dangereux.

LA SCLÉROSE EN PLAQUES

La destruction de n'importe quel tissu par un processus pathologique quelconque est suivie, lors de la guérison, de la formation d'une cicatrice conjonctive. Celle-ci remplace le tissu noble : on dit que ce dernier se sclérose.

On appelle sclérose en plaques, une affection caractérisée par l'apparition dans les centres nerveux de petites plages cicatricielles disséminées au hasard. Cliniquement, cette maladie se traduit par des déficiences nerveuses en rapport avec la localisation des plaques, qui peuvent se trouver dans le cerveau, le cervelet, le bulbe ou la moelle épinière. Paralysies diverses, le plus souvent spastiques, tremblements lors de mouvements intentionnels, perte de l'équilibre avec démarche ébrieuse, atteinte du nerf optique avec baisse de la vue, nystagmus, sont les symptômes les plus fréquents de cette maladie.

Ce qui caractérise la sclérose en plaques, c'est son cours capricieux. Il en existe deux formes principales. La première procède par poussées qui se produisent à plus ou moins longs intervalles. Au début, elles sont espacées et, entre deux, les déficiences nerveuses s'effacent totalement en quelques jours ou quelques semaines. Puis elles se rapprochent, les troubles nerveux ne disparaissent plus totalement d'un accès à l'autre. Les séquelles s'ajoutent les unes aux autres, l'état se péjore de plus en plus au cours des années (exemples : cas 73 à 77).

Dans la deuxième forme, des symptômes d'abord discrets apparaissent, qui vont en s'aggravant progressivement, inéluctablement semble-t-il (cas 78 et 79).

Non traitées correctement, les deux formes aboutissent plus ou moins rapidement à l'infirmité et à l'invalidité. La durée de la vie, sauf exception, n'est que peu ou pas raccourcie.

La sclérose en plaques devient de nos jours une maladie de plus en plus fréquente, comme deviennent de plus en plus courantes toutes les maladies dégénératives, dites de civilisation. Sa génèse a été jusqu'ici mal comprise à cause de sa progression capricieuse, lente et inexorable.

Un nerf, destiné à transmettre les commandes nerveuses, est construit comme un fil électrique. La fibre nerveuse qui conduit le courant est entourée d'une gaine isolante. Celle-ci est formée de cellules accolées les unes aux autres, que la fibre nerveuse traverse, comme un fil le fait des grains d'un chapelet. Ces éléments produisent une graisse phosphorée spéciale, isolante : la myéline.

La plaque de sclérose, constatée à l'examen anatomique du système nerveux, ne traduit que le stade terminal de cicatrisation. Auparavant, il y a eu un foyer inflammatoire. Dans ce dernier, disparaissent d'abord les gaines de myéline. A ce stade, les lésions sont réversibles, ces gaines pouvant régénérer. Une inflammation plus importante entraîne la destruction du filet nerveux. Ce dernier peut parfois se réparer, mais c'est un processus lent et aléatoire. Quand, dans une lésion importante, du tissu conjonctif vient remplacer le tissu noble, le dégât devient irréversible.

Les traités de médecine nous disent que l'on ignore ce qui provoque l'apparition des petits foyers inflammatoires disséminés dans le système nerveux. Aussi traite-t-on actuellement cette maladie par des médicaments anti-inflammatoires (tels que l'ACTH et la cortisone) dont l'action protège le nerf, mais n'est que symptomatique, autrement dit palliative et, à longue échéance, peu efficace. Si de tels moyens sont fort précieux pour effacer rapidement les déficiences nerveuses dues à une poussée aiguë, ils n'empêchent en rien les récidives. Ces traitements sont donc insuffisants.

Or, l'étude du passé des malades atteints de sclérose en plaques, l'histoire sanitaire de leurs familles, l'analyse de leurs mœurs alimentaires nous apprennent que tant les malades eux-mêmes que leurs proches parents sont fort souvent atteints de multiples affections dégénératives dues à une alimentation déséquilibrée, s'améliorant ou guérissant par la normalisation de celle-ci. De là à penser que la sclérose en plaques relève de la même origine, il n'y a qu'un pas. Si tel est le cas, celle-ci serait donc due, tout comme le cancer et la PCE, à la pénétration dans l'organisme d'éléments toxi-infectieux d'origine essentiellement intestinale, et cela comme conséquence de notre alimentation moderne carencée.

S'il en est ainsi, supprimer le microbisme d'origine intestinale en régularisant les fonctions digestives, permettre à l'organisme de refaire une paroi intestinale normale, grâce à une alimentation équilibrée et saine, autrement dit, bloquer le mécanisme qui provoque et entretient la maladie, constituerait un traitement logique et causal. C'est ce que j'ai fait et mes malades m'ont démontré la justesse de ma conception. Bien appliqué, ce traitement stabilise la maladie. Il permet une récupération progressive des fonctions perdues qui, si les lésions sont récentes et encore réversibles, peut être tout à fait remarquable. Outre ces mesures, j'ai donné à mes patients, à doses élevées, les vitamines dont notre société industrielle appauvrit systématiquement notre alimentation et en tout premier lieu de la vitamine F indispensable à la synthèse de la myéline.

J'explique à mes malades que, de toutes les mesures entreprises, c'est la normalisation du régime alimentaire qùi est la chose essentielle, et qu'elle doit être définitive, sous peine de rechutes. Certains d'entre eux, reprenant l'alimentation carencée, surtout à l'occasion de vacances, mais également de séjours hospitaliers, font une rechute puis, convaincus, se soumettent.

1. Sclérose en plaques évoluant par poussées

Les cas entrepris dès les premières manifestations de la maladie ont été spécialement favorables et faciles à stabiliser. Ils ont été pour moi exceptionnels, la plupart des patients étant venus tardivement. En voici deux exemples frappants :

CAS 73. F. (1922)

Le 15 août 1961, cette femme de trente-neuf ans est atteinte d'une brusque parésie des quatre membres, qui régresse partiellement et se localise à gauche. Elle est hospitalisée. Diagnostic : sclérose en plaques, infection urinaire.

Je prends cette malade en charge sept semaines plus tard, le 9 octobre 1961. A gauche, il y a parésie des deux membres avec exagération des réflexes (Babinski positif). En marchant, la malade laisse tomber le pied gauche. Sa démarche est ébrieuse, la marche aveugle impossible. L'infection urinaire persiste malgré les antibiotiques reçus à l'hôpital. Elle a une soif anormale.

Son alimentation : 35 grammes de beurre et 20 grammes d'huiles d'olive et d'arachide raffinées par jour. Mon traitement : suppression de ces corps gras et remplacement par des huiles riches en acides gras polyinsaturés ; injections intramusculaires de vitamine F et A (voir annexe) tous les jours, à l'exclusion de tout autre médicament.

Après trente-six heures déjà (!), la perte d'équilibre, très gênante la nuit pour se rendre aux toilettes, a disparu. La malade peut relever le pied gauche et monter sur un escabeau. Les troubles nerveux s'effacent progressivement et la pyurie disparaît spontanément. Dès le vingtième jour de traitement, la malade peut courir, ce qui avait été impossible pendant dix semaines. Après six semaines, la soif anormale, la fatigabilité, l'ataxie n'existent plus ; le réflexe de Babinski a disparu. La marche aveugle sur base étroite est impeccable.

L'amélioration, dès la deuxième injection de vitamines, a été si rapide et si régulière que la malade s'est sentie « comme miraculée ».

CAS 74. F. (1934)

Entre vingt-deux et vingt-neuf ans, cette femme met au monde cinq enfants. Elle souffre de constipation chronique et, dès vingt-quatre ans, de rhumatisme. A trente et un ans, elle se surmène, parce que ses enfants sont constamment malades. A trente-deux ans, en février 1966, elle perd la vue à l'œil gauche. Traitée d'urgence à la cortisone, elle récupère son acuité visuelle après quelques jours. Il s'agit d'une névrite optique, première manifestation de la sclérose en plaques. Dès lors, et par cinq fois, à chaque période menstruelle (c'est-à-dire au moment où le taux des anticorps sériques, dont dépend la résistance aux agents infectieux, est le plus bas) elle a des crises de grande faiblesse avec vertiges et fourmillements dans les mains et les cuisses. Dès mars 1966, elle est alitée, totalement incapable de travailler.

Son alimentation moderne habituelle est très pauvre en vitamines E, F et B.

Voici son status neurologique le 4 juillet 1966, lors de la première consultation : démarche ébrieuse ; raideur des mains, qui ne peuvent effectuer des mouvements rapides ; force musculaire très diminuée, surtout à la jambe gauche ; présence de nystagmus à droite.

Mon traitement : correction de l'alimentation et revitaminisation intense B, C et F.

Deux mois plus tard, il y a une notable amélioration. Elle peut marcher 3 kilomètres. Elle fait encore deux poussées légères au moment des règles en novembre 1966 et janvier 1967. En septembre 1967, après quatorze mois de traitement, le progrès est énorme, la force musculaire est revenue. Elle peut travailler normalement.

Depuis la modification du régime alimentaire, les cinq enfants n'ont plus été malades et n'ont plus eu de nouvelles caries dentaires, alors que jusque-là, il y en avait à chaque contrôle annuel du dentiste.

Deux ans et demi après le début du traitement, elle va très bien. De minimes symptômes nerveux sont encore décelables, mais ne sont pas gênants et cette rémission dure toujours, douze ans après la première consultation.

CAS 75. F. (1940). Cas entrepris plus tardivement.

Cette paysanne d'Auvergne a fait une fausse-couche à vingt-cinq ans, puis, de vingt-six à trente et un ans, a mis au monde trois enfants, tous avant terme. Elle porte un dentier supérieur à vingt-trois ans. A trente-deux ans (janvier 1972), elle perd la vue à l'œil droit. Hospitalisée et traitée à la cortisone, elle la recouvre en partie, mais reste incapable de lire et de distinguer les couleurs. Cette lésion s'avère définitive.

En avril 1972, soit après un délai de trois mois, une hémiparésie droite entraîne une deuxième hospitalisation, pendant sept mois.

Elle est traitée par des injections d'ACTH. La paralysie disparaît. Elle prend de la cortisone à doses dégressives. Faire son ménage – même partiellement – lui est pénible.

En juillet 1973, elle fait une rechute brutale : hémiparésie gauche, perte d'équilibre avec chutes, vertiges, vomissements. Elle est hospitalisée à nouveau. Les injections d'ACTH n'agissent plus.

Je la vois pour la première fois le 8 octobre 1973. C'est une grande infirme, incapable de travailler. En s'aidant d'une canne, elle ne peut marcher dehors plus de cent mètres. Sans rampe, elle ne peut gravir les escaliers qu'à quatre pattes. Sa démarche est ébrieuse. Par manque d'équilibre, elle ne peut se mouvoir en plaçant exactement un pied devant l'autre (comme sur une corde) et ne peut monter sur une chaise haute de 45 centimètres. Le saut est impossible. Dans le regard, en haut, les yeux perdent leur parallélisme par faiblesse musculaire. Autres symptômes : diplopie et nystagmus. Elle se plaint de paresthésies et perd facilement ses urines. Le taux de fer sérique est trop bas.

Son alimentation : le matin, café au lait, biscottes, beurre, confitures. A midi et le soir, viande, légumes, pâtes ou riz blanc. A 16 heures, café au lait, biscottes.

Corps gras : beurre 64 grammes, margarine 25 grammes, huiles raffinées 22 grammes, soit un total de 111 grammes par jour. Ce régime est trop gras, trop riche en viande et très pauvre en vitamines E, F et B.

Mon traitement : équilibrage de l'alimentation ; restriction de la viande à un seul repas par jour ; d'abondantes vitamines A, B, C, E et F ; apport de fer (par la bouche et en injections intraveineuses, deux fois par semaine) et de citrates afin de régler le pH urinaire sur 7-7,5.

Dès le troisième mois de ce traitement, elle n'a plus de vertiges, ni de chutes. Après huit mois, la démarche est normale. Après treize mois, les forces reviennent. Elle peut marcher un kilomètre, monter sur une chaise. Le parallélisme oculaire s'est rétabli. Elle effectue son travail de mère de famille et de ménagère avec une aide un à deux jours par mois. Après seize mois, elle peut monter les escaliers sans se tenir. Après vingt-cinq mois, le contrôle de sa vessie est redevenu normal. Le taux de fer sérique reste encore bas et ne se normalise qu'en janvier 1976. Dès fin 1975, elle peut à nouveau conduire sa voiture, après une interruption de deux ans.

En mai 1976, deux ans et demi après le début du traitement, elle part de la maison à 4 heures du matin pour économiser une nuit à l'hôtel, et effectue d'une traite en voiture les 400 kilomètres de trajet pour venir chez moi : à l'arrivée, grosse bactériurie et un pH urinaire à 5, à cause de sa fatigue. Par ailleurs, elle va très bien. Le progrès accompli est spectaculaire : elle monte sans effort sur un tabouret d'une hauteur de 55 centimètres et gravit les escaliers en enjambant une marche sur deux. Elle peut sauter en hauteur à 25 centimètres et effectuer des promenades de 5 à 6 kilomètres. Elle travaille à 90 %. En 1979, cet état se maintient. En six ans, aucune rechute n'a eu lieu.

En résumé : il s'est agi d'une malade, prise en charge vingt et un mois après le début de sa maladie. Avant l'institution de mon traitement, il y eut trois poussées en dix-huit mois ayant abouti à une incapacité totale de travail. Mon traitement fut suivi d'une rémission durable, obtenue en treize mois, avec un retour de la capacité de travail à 90 %. Temps d'observation : six années.

CAS 76. M. (1942)

A vingt-deux ans, ce jeune homme à une première poussée de sclérose en plaques : hémiparésie gauche passagère ; à vingt-quatre ans, une deuxième poussée : il perd la vue à droite par névrite optique qui est traitée trois semaines à la cortisone (il recouvre la vue partiellement) ; à vingt-cinq ans, troisième poussée : hémiparésie gauche légère. Donc, avant mon traitement, il y eut trois poussées en trois ans et quatre mois.

Il vient pour la première fois le 25 octobre 1967. Il a vingt-cinq ans. Voici ce que je constate : faiblesse musculaire et raideur des membres à gauche, avec imprécision des mouvements volontaires et tremblement intentionnel au bras gauche ; acuité visuelle 0,2 à droite (norme = 1). Peau trop sèche, finement ridée, vieillie, comme à cinquante ans ; langue blanche, doigts imprégnés de tabac.

Son alimentation est de type moderne. Corps gras : 15 grammes de beurre, 50 grammes d'huiles raffinées, soit un total de 65 grammes par jour.

Mon traitement : suppression du tabac ; normalisation de l'alimentation ; vitaminothérapie : vitamines A, B, C, E et F en injections et par voie orale. Un an et demi plus tard (avril 1969), l'acuité visuelle à droite s'est améliorée (= 0,4) ; tous les autres symptômes de sclérose en plaques ont disparu. Il peut jouer au football, ce qui n'avait plus été possible depuis cinq ans. En 1970 et 1971, il fait des courses de montagne, skie comme avant sa maladie, travaille à cent pour cent. La myopie de l'œil gauche, qui s'aggravait d'un quart de dioptrie par an, s'est stabilisée depuis 1971. Depuis mon traitement, aucune rechute ne survient. Un dernier contrôle a lieu en 1976.

En résumé : il y eut chez ce malade trois poussées en quarante mois avant mon intervention, une rémission durable après dix-huit mois de traitement et aucune nouvelle poussée en neuf ans d'observation.

CAS 77. F. (1937)

Cette femme oppose une mauvaise résistance aux infections banales, souffre de constipation chronique et de migraines hebdomadaires violentes avec nausées. Elle porte un double dentier à vingt et un ans.

Dès vingt-huit ans (1965), des troubles passagers de la sensibilité réapparaissent à des intervalles de deux à trois mois. A trente et un ans, se produit une perte d'équilibre. A trente-trois ans, les maux de tête deviennent permanents. En août 1970, elle perd passagèrement la vue à droite, par névrite optique qui est traitée par de la cortisone (Prednisolone), de la pénicilline et du complexe B. En septembre 1970, elle éprouve une grande faiblesse musculaire aux deux jambes. En novembre, elle ne peut plus parler. Hospitalisée, elle s'améliore partiellement.

Son alimentation : le matin, café au lait, pain, beurre, confiture. A midi, viande, pommes de terre, salade. Le soir : pommes de terre rôties, saucisses. Corps gras : beurre 46 grammes, huile d'arachides raffinée 15 grammes, soit un total de 61 grammes par jour.

A la fin 1970, elle modifie spontanément son alimentation. Elle prend le matin du jus de fruits, des flocons d'avoine, du jambon cru ; à midi du jus de légumes, des légumes, des pommes, du lait ; le soir, de la salade, du pain complet, du lait. Elle supprime le beurre et les huiles raffinées et consomme 16 grammes d'huile de tournesol pressée à froid par jour. Ce régime ne contient ni céréales complètes, ni fruits oléagineux et trop peu d'huile.

Je la vois pour la première fois le 16 février 1971. Elle a trente-quatre ans. Elle manque d'équilibre et se plaint de paresthésies douloureuses au visage et aux mains et de raideur aux jambes. Le taux de fer sérique est de 63 gammas par 100 millilitres (normal = 120). Je corrige son alimentation par l'introduction de la crème Budwig, de céréales complètes, entières ou fraîchement moulues et une augmentation de la ration des huiles pressées à froid. Je pratique une vitaminothérapie : vitamines A, B, C, D, E et F et un apport de fer. La constipation disparaît en deux mois, les maux de tête en huit mois. Les troubles nerveux s'amendent.

Le 31 décembre 1971, début de grossesse. En mai 1972, le status nerveux est presque normal. Le 28 septembre 1972, elle accouche à terme et nourrit son bébé à 50 % pendant dix semaines. Pendant son court séjour hospitalier, elle se sent frustrée de ne plus avoir son alimentation saine. Un deuxième enfant naît le 15 mai 1974. Le 30 octobre de la même année, elle se porte bien. Temps d'observation : trois années et trois mois.

2. Scléroses en plaques à évolution d'emblée progressive

CAS 78. M. (1935)

Dès l'adolescence, ce jeune homme a de très fréquentes angines avec abcès. On lui enlève les amygdales à vingt et un ans. Il a des rhumes continuels, compliqués de sinusites. A vingt-quatre ans, il est opéré pour calculs rénaux (dans le bassinet gauche : moulage d'oxalates de calcium). « Depuis toujours », il est constipé.

En décembre 1972 – il a trente-sept ans – après un repas arrosé de vin, il se plaint de douleurs lombaires et de fourmillements dans la jambe droite. Ces désordres persistent, augmentent à l'effort et après consommation d'alcool. En 1973, les jambes deviennent raides, la marche difficile : il trébuche et tremble. D'octobre 1973 à juin 1974, il mange régulièrement dans un restaurant de Suisse alémanique. Son état empire considérablement. Il est hospitalisé en juin 1974, traité par ACTH-retard, vitamine B_{12} à doses élevées et un myorelaxant : sans amélioration.

Son alimentation moderne habituelle : 56 grammes de beurre et 30 grammes d'huile raffinée par jour, soit un total de 86 grammes de corps gras par jour.

Je le vois pour la première fois le 21 septembre 1974. Il a trente-neuf ans. Sa démarche est raide, ébrieuse, sur base élargie. Il fauche avec la jambe gauche. Le saut sur la jambe droite est difficile et lourd ; il est impossible à gauche. Un saut sur les deux pieds ne peut le détacher du plancher de plus d'un centimètre. Ses réflexes sont exagérés (Babinski positif à gauche). La force musculaire est très diminuée aux membres inférieurs. Monter sur une chaise haute de 45 centimètres est très difficile à gauche.

La peau est très sèche partout, farineuse aux jambes. Le foie est déficient. Le taux de fer sérique est de 95 grammes par 100 millilitres (normal = 120).

Mon traitement : correction du régime alimentaire, polyvitaminothérapie par la bouche et en injections : vitamines F, B, C et bromure de calcium ; pilules de fer ; phospholipides cérébraux.

Deux mois plus tard commence, pour la première fois depuis le début de la maladie (1972), un mieux progressif. Après cinq mois de traitement, la desquamation anormale de la peau a disparu, les symptômes nerveux sont en régression, la démarche est rapide. Il ne manque d'équilibre que les yeux fermés. Le saut sur la jambe droite est normal ; il est encore difficile à gauche.

Après treize mois de cure (octobre 1975), il ne ressent plus de fourmillements et peut marcher trois à quatre heures en montagne, sauter sur les deux pieds à une hauteur de 30 centimètres, monter facilement sur un tabouret de 55 centimètres avec la jambe droite et gauche (cette dernière reste cependant un peu maladroite ; le réflexe de Babinski à gauche est à peine ébauché). En septembre 1976, l'état est stabilisé. Le patient me dit être très content.

Il s'est donc agi dans ce cas d'une forme d'emblée progressive, à mauvais pronostic, non influencée par la médication palliative classique.

Mon traitement a arrêté la maladie et permis une régression des déficiences nerveuses, suffisante pour ne plus gêner le malade. Ce résultat se maintient deux ans plus tard.

Un cas analogue, encore plus frappant, parce qu'entrepris dans la dixième année de maladie, est le suivant :

CAS 79. M. (1931)

A l'âge de vingt-quatre ans, cet entrepreneur, après une très forte grippe, se met à traîner les pieds. Le diagnostic de sclérose en plaques n'est posé que quatre ans plus tard. Les membres inférieurs se paralysent progressivement. A trente ans, de nouveau après une forte grippe, il devient raide et pendant quelque temps ne peut plus bouger du lit. Le bras droit se prend également. Pendant trois ans l'état s'aggrave lentement. Il a souvent de la diarrhée. Il fume vingt cigarettes par jour.

Son régime alimentaire, habituel, est très pauvre en vitamines E, F et B : café trois fois par jour ; corps gras : 12 grammes de beurre ou de saindoux, 15 grammes d'huile d'arachide raffinée, 11 grammes de graisses, dites végétales soit un total de 38 grammes par jour.

Je le vois pour la première fois le 29 avril 1964. Il a trente-trois ans. C'est un grand infirme, totalement dépendant de son entourage, ne pouvant ni prendre un bain, ni s'habiller seul. Debout, appuyé sur ses cannes anglaises, il doit par faiblesse des muscles dorsaux et fessiers, se pencher à 30 degrés en avant pour garder son équilibre. Très raide, il se déplace en balançant avec élan la jambe droite en avant, le tronc et la tête en arrière ; il traîne les pieds au sol, les écarte de 15 centimètres et fait des pas de la longueur d'un pied à droite, d'un tiers de pied à gauche. Il n'arrive pas à monter une marche d'escalier. Couché, il ne peut s'asseoir seul et ne peut soulever la jambe droite du plat du lit. L'énorme spasticité ne lui permet pas de plier ses jambes. Il souffre d'une soif intense (symptôme caractéristique d'une déficience en vitamines F).

Mon traitement : suppression du tabac et du vin ; correction du régime alimentaire ; vitaminothérapie habituelle.

Cinq semaines plus tard, la soif anormale a disparu. Depuis lors, la dégradation progressive, telle qu'il l'a vécue de vingt-quatre à trente-trois ans, fait place à une réparation très lente, mais régulière. Après cinq mois de traitement, il peut, pour la première fois, sortir seul de la baignoire. Après un an, il peut se déplacer en tricycle et monter les escaliers. Après trois ans, il marche en gardant la tête et le torse droits. La faiblesse de la main droite a disparu. Après quatre ans, il s'habille seul, a cueilli des cerises, monté sur une échelle, et travaillé à la vigne. Après six ans, il se déplace dans l'appartement sans cannes. Après sept ans, il conduit une automobile automatique et fait de la maçonnerie. La force musculaire est excellente ; il peut se déplacer avec une canne, en transportant quelque chose dans la main libre, faire des pas de 60 centimètres. Il a perdu l'angoisse de sa maladie.

De 1971 à 1978, il vient une fois par an raconter ses nouvelles prouesses. « C'est merveilleux, dit-il, je suis très content. » Il n'y a eu aucune rechute. Temps d'observation : quinze années.

Dans un cas de sclérose en plaques, localisée essentiellement au cervelet, une aggravation progressive pendant quatre ans conduisit à une invalidité totale. Dès le dixième mois de mon traitement, il put gagner sa vie.

Il est bien entendu que mes résultats ne furent pas toujours aussi bénéfiques. Il faut, pour les acquérir, obtenir la collaboration inconditionnelle du malade, ce qui ne réussit pas toujours. Il est nécessaire, en outre, qu'il soit placé dans de bonnes conditions sociales, qu'il ne soit pas harcelé, qu'il puisse se ménager et ne travaille pas au-delà de ses forces, enfin qu'il puisse trouver dans son milieu un climat affectif propice. Les conflits et les tensions nerveuses, ici comme dans toute maladie, sont nocifs. Nous sommes ainsi construits, que les stress émotionnels se projettent dans le domaine végétatif et peuvent perturber les fonctions digestives, remettant ainsi en route le moteur même de la maladie.

Cependant, dans 92 % des cas et quel que soit l'état du patient, j'arrive par la méthode décrite à le stabiliser, à espacer ou supprimer les accès de la maladie et à rendre ceux-ci plus bénins et plus aisément réversibles.

Lors d'une poussée, le malade fera un ou deux lavements, se soumettra à un jeûne partiel, à base de jus de fruits ou de fruits crus pendant un à trois jours, pratiquera quelques injections intramusculaires d'ACTH-retard, dosées à un ou même un demi-milligramme et le plus souvent obtiendra la disparition de tous les nouveaux symptômes en deux ou trois semaines.

Comme le cours de la sclérose en plaques est éminemment capricieux et variable, il persiste toujours un doute, si la rémission est due au traitement ou si elle ne se serait pas produite spontanément, cela surtout lorsque la maladie procède par poussées. Pour cette raison, j'ai, à partir de soixante-quinze observations, cherché à établir une moyenne. Pour ces soixante-quinze sujets, je sais ce qui s'est passé dans les 610 années de maladie avant, et dans les 210 années après mon intervention. Avant mon traitement, ces malades ont eu en moyenne deux rechutes et demi par périodes de trois ans ; après le début du traitement, seulement 0,33, soit 7,5 fois moins. Les lésions apparues lors de ces rechutes ont été totalement réversibles dans 17 % des cas seulement avant mon traitement, dans 75 % des cas après l'instauration de celui-ci.

Mon traitement de base

Qu'il s'agisse de cancer, de polyarthrite chronique évolutive ou de sclérose en plaques, mon traitement de base est le même. Il s'agit de supprimer le plus rapidement possible ce que je considère comme étant la source de la maladie, c'est-à-dire l'intoxication ou l'infection d'origine intestinale. Puis, en équilibrant l'alimentation, en fournissant d'abondantes vitamines pharmaceutiques et en corrigeant les éventuelles déficiences minérales (fer, calcium, magnésium, etc.) d'éliminer les carences dont souffre le malade, afin de lui permettre de mieux se défendre. Si la maladie est en phase aiguë, je commence par soumettre le patient à un jeûne partiel, plus ou moins prolongé (de un à trois jours dans la règle) à base de jus de fruits ou de fruits crus. Je pratique des lavements évacuateurs d'un litre et demi le soir pendant dix jours, suivis d'une instillation rectale de 60 millilitres (4 cuillerées à soupe) d'huile de tournesol tiède, pressée à froid (à garder durant la nuit). L'organisme du malade carencé est en général si avide de la vitamine F, constituant plus de la moitié de l'huile employée, que celle-ci est presque totalement absorbée durant la nuit. Après dix jours, ces clystères sont espacés à deux, puis à un par semaine, selon le bien-être qu'ils apportent au malade, puis ils sont supprimés, jusqu'à une éventuelle rechute. Après les quelques jours de jeûne relatif, qui permettent de réduire et de normaliser rapidement la flore intestinale, le sujet corrige et, cela pour la vie, son alimentation, selon les principes exposés dans ce travail.

Dans les cas graves, une revitaminisation F accélérée est souhaitable. Je la réalise en injectant cette vitamine par voie intramusculaire profonde (une dizaine d'injections en tout, au rythme de deux par semaine, parfois davantage). Dans la suite cette revitaminisation est assurée par les huiles alimentaires, pressées à froid, dont la teneur en acides gras polyinsaturés biologiquement actifs atteint et dépasse 50 %. (L'huile d'olive, beaucoup plus pauvre en vitamine F, ne se prête pas à ces traitements.)

Le cas échéant, je ne dédaigne pas l'usage modéré et temporaire d'ACTH ou de cortisone.

Les malades atteints de sclérose en plaques et de polyarthrite reçoivent en outre deux fois par semaine des injections intraveineuses de bromure de calcium, de vitamines C et B-complexe, additionnées de thiosulfate de sodium pour les cas de polyarthrite. Ce traitement est poursuivi jusqu'à stabilisation. Pour les cancéreux, j'emploie une préparation vitaminique analogue, mais contenant dix fois moins de vitamine B_1 et un complément de méthionine. Cet acide aminé a un pouvoir désintoxiquant élevé ; il augmente la tolérance aux irradiations et aux antimitotiques (voir annexe).

Par la bouche, mes malades ont régulièrement reçu un gramme de vitamine C ; un complexe vitaminé avec adjonction d'extraits de foie et de pancréas fut prescrit aux cancéreux, des vitamines A, E et B-complexe aux autres ; 15 milligrammes de vitamine D_2, une à deux fois par mois aux polyarthritiques.

Me basant sur les travaux d'Éric Ručka, j'apprends à mes malades à contrôler leur pH urinaire avec du papier réactif (Neutralit Merck) et en cas d'hyperacidité constante (pH égal ou inférieur à 5,5), à régler leur pH sur 7-7,5 en prenant des citrates. En accord avec l'auteur précité, j'ai constaté qu'en cas de maladie chronique et grave, l'organisme devient hyperacide et que cette hyperacidité est néfaste. Elle augmente les douleurs des rhumatisants et des cancéreux, crée une sensation de fatigue permanente et accélère le cours de la maladie.

Le pH sanguin veineux normal est de 7,4. Lorsqu'il y a surproduction d'acides métaboliques, le corps cherche à les neutraliser en ayant recours aux systèmes tampons NaCl – protéines du tissu conjonctif ou apatite du tissu osseux. Le chlore se fixe aux protéines ou à l'apatite et la base forte Na est libérée. Elle peut dès lors se lier aux acides organiques faibles et faciliter par là leur excrétion rénale. Du fait de la présence dans le sang de sels formés d'une base forte (Na) et d'un acide faible, le pH sanguin devient un peu trop alcalin. Cette déviation alcaline étant la conséquence d'un excès d'acides, elle sera corrigée – paradoxalement en apparence – non par un apport d'acides, mais par celui de citrates alcalins. (Voir page 83.)

Je prends également d'autres mesures en fonction de l'état du malade. Il importe en particulier de doser le fer sérique et d'en corriger le taux s'il est déficient (par un apport de fer couplé parfois à du cuivre). Dans certains cas, une transfusion sanguine s'avère nécessaire.

Comme je l'ai décrit plus haut (p. 259) je traite la polyarthrite chronique évolutive par des vaccins soigneusement choisis et dosés. C'est à mon avis le meilleur moyen d'obtenir une stabilisation durable de bon nombre d'affections rhumatismales. La durée de la cure de vaccin peut être très longue (des mois, voire des années).

De toutes les mesures prises, et je ne saurais trop y insister, c'est la normalisation de l'alimentation qui est la plus importante, celle qui devra être définitive, sous peine de rechute. Comme je l'ai signalé, je ne fais pas fi des médicaments palliatifs usuels qui, quoique insuffisants, restent précieux au début, tant que la stabilisation n'est pas obtenue.

16

Résumé et conclusions

Après bien d'autres auteurs, j'ai rappelé dans cet ouvrage la désastreuse évolution que le genre humain a subie du fait de la modification des mœurs nutritionnelles sous l'influence des techniques modernes. Le seul but poursuivi par les industries alimentaires est, semble-t-il, de présenter au public de grandes quantités de denrées, qui se gardent et se vendent bien. Certains de ces aliments se conservent longtemps même à l'air, sans protection, car ils n'attirent plus les prédateurs comme le font les produits naturels ; des substances indispensables à la vie ayant été détruites, insectes et autres destructeurs ne sont plus attirés par eux, car ces êtres savent d'instinct que de tels nutriments ne leur sont pas favorables. L'usage exagéré qu'a fait, depuis plus de cent ans, l'homme de cette nourriture dénaturée a provoqué chez lui l'apparition de maladies dégénératives, dont actuellement, sous des formes et à des degrés divers, tous sont atteints.

J'ai cherché à vous familiariser avec des notions élémentaires de biologie concernant nos aliments : actions fermentaires, vitamines et oligoéléments, structures et fonctions cellulaires. Quelque quarante-cinq substances différentes doivent être constamment apportées à notre corps pour qu'il puisse renouveler ses tissus. Que l'une ou l'autre d'entre elles vienne à manquer et une maladie, dite de carence, apparaît. Certes, la médecine moderne sait identifier certaines insuffisances nutritionnelles graves, dont la symptomatologie est bien caractérisée, mais dans nos sociétés occidentales, de telles maladies ne se rencontrent presque plus.

Les déficiences dont nous souffrons sont toujours multiples, mal définissables et, par conséquent, difficiles à reconnaître et à traiter. Lorsqu'il y a carence, tout l'organisme en souffre, certaines cellules, dont les besoins sont plus élevés ou qui sont plus lentes à prélever dans le sang ce qui leur est nécessaire, deviennent malades plus rapidement que d'autres et cela, pour une même carence, d'une façon variable d'un individu à l'autre, selon sa constitution.

Notre corps est essentiellement formé de ferments divers qui travaillent en harmonie les uns avec les autres pour assurer notre existence. Tous sont de nature protéinique, tous s'usent et doivent être régénérés, et cela à partir des acides aminés prélevés aux protéines que nous apportent les aliments. La plupart des enzymes doivent, pour devenir actives, s'adjoindre des vitamines ou des oligo-éléments divers, selon leur nature. Ceux-ci sont constamment détruits ou perdus et doivent être renouvelés par notre nourriture. Nous ne connaissons ni toutes les diastases qui composent notre corps, ni toutes les réactions chimiques qu'elles facilitent. Nous savons seulement que notre santé dépend de leur bon fonctionnement. Chaque fois que l'une ou l'autre d'entre elles cesse de fonctionner ou travaille au ralenti, notre organisme en souffre ; d'abord par une diminution de sa vitalité, une fatigabilité anormale, puis par l'apparition d'une maladie ; on peut dire que tout état morbide, et spécialement toute maladie dégénérative, n'est autre chose que la conséquence d'un dérèglement fermentaire. Innombrables sont les enzymes qui nous composent. Innombrables et loin d'être tous recensés sont les troubles causés par leur mauvais fonctionnement.

Nous ne pouvons créer la vie, comme le pratique la nature. Nous cherchons souvent à la favoriser à notre profit. Mais nous pouvons plus ou moins inconsciemment la gêner, la dérégler, la détruire. C'est ce que nous faisons actuellement dans une mesure jamais atteinte, ce qui est nuisible, non seulement aux individus existants, mais encore à ceux à naître. Car toutes nos connaissances sont grossières, parcellaires et entachées d'erreurs.

Ainsi, au chapitre des vitamines, j'ai mentionné pour chacune d'elles notre besoin journalier en milligrammes ; mais ce qui a été défini, c'est l'apport indispensable pour empêcher l'apparition de symptômes évidents de carence, et non la quantité qu'il nous faut pour jouir d'une santé optimale. Or, le besoin en catalyseurs divers dépend de notre constitution, de nos capacités d'absorption, de notre mode de vie, de l'effort que nous fournissons ; il est différent d'un individu à l'autre, d'un sexe à l'autre et variable chez le même individu d'un tissu à l'autre. Il augmente dans la grossesse, les infections, la vieillesse. Prenons l'exemple de la vitamine A, dont le rôle est si important dans les phénomènes de vision. Une lumière trop intense la détruit rapidement. Un travail effectué à la lumière artificielle, diffuse, insuffisante ou excessive, en augmente le besoin. Les dactylos, les comptables, exposés à la réverbération de la lumière du néon sur le papier blanc, souffrent de conjonctivite, qui disparaît si l'apport de vitamine A est accru. Les personnes qui cousent, lisent, regardent beaucoup la télévision, les mineurs qui travaillent sous une lumière réduite, les soudeurs exposés aux jets intermittents de lumière éblouissante, les photographes qui passent de la lumière violente à la chambre noire, les gens soumis à la réverbération du sable du désert, des plages ou de la neige, souffrent souvent d'ophtalmie, de blépharite, de douleurs du globe oculaire, d'ulcères de la cornée, en raison de leur besoin très élevé et non couvert en vitamine A (Adelle Davis). Des tables nous indiquent la teneur en vitamine A des différents aliments, mais il est impossible qu'elles soient exactes, car cette teneur est inconstante. Dans les végétaux, le taux de carotène varie du simple au centuple selon les conditions atmosphériques dans lesquelles ils ont poussé, selon la composition du sol, mais encore, après leur récolte, suivant les modes de conservation, de transport, de magasinage, de mise en conserve et de cuisson. Du lait provenant de vaches ayant pâturé dans un champ de luzerne, luxuriant grâce à des engrais chimiques, s'est révélé totalement dépourvu de vitamine A parce que cette luzerne ne contenait pas de vitamine E, indispensable à la conservation de la vitamine A à l'état actif.

Même si nos aliments sont riches en vitamine A ou en carotène, il n'y a encore aucune certitude que nous l'assimilions. Le carotène se trouve à l'intérieur des cellules végétales, dont les parois cellulosiques doivent être brisées pour qu'il puisse être absorbé dans l'intestin. J'ai dit qu'il faut consommer cinq fois plus de carotène que de vitamine A pour couvrir nos besoins, mais d'autres études ont montré que 1% seulement du carotène contenu dans les carottes crues avait été assimilé, la proportion absorbée dépend en effet de la finesse de fragmentation de ce légume lors de la mastication. Le carotène contenu dans un jus, lui, est bien assimilé, mais se détruit rapidement au contact de l'air. Et ce que nous venons de dire de la vitamine A et du carotène vaut pour toutes les autres vitamines, pour tous les catalyseurs.

Que d'incertitudes !

Comment prétendre à la Vérité absolue ? Contentons nous de vérités relatives.
... La réflexion méthodique et l'entassement des connaissances risquent même de paralyser l'intelligence.

Rose Bailly

Plus nos connaissances s'étendent, plus nous nous apercevons à quel point les notions acquises sont floues et aléatoires. Ainsi, nous comprenons toujours mieux combien la nature vivante nous échappe et combien notre intelligence de la vie est limitée.

Pour déterminer de quelles perturbations métaboliques souffre tel individu, nous lui prélevons du sang, que nous soumettons à une analyse chimique. Mais bien souvent, ce qu'il importe de savoir n'est pas ce qui se passe dans le sang, mais au niveau des organes et les examens du sang peuvent fournir des résultats normaux, alors que les tissus sont malades. En outre, le sang étant un liquide très complexe, il est impossible d'analyser tous ses éléments. Et encore, dans tel état, on pourra découvrir dans le sérum sanguin un déficit de calcium, mais ce sera du magnésium qu'il faudra apporter pour que disparaissent les symptômes pathologiques ; ailleurs, c'est le fer qu'on trouvera en déficit et c'est le cuivre qui redressera la situation.

Le jeu subtil des quarante-cinq substances diverses dont les actions interfèrent les unes avec les autres et dont le destin dans l'oganisme ne peut être suivi, dépasse largement notre entendement. Fournir ces divers matériaux peut même ne pas être suffisant, car il faut encore que le corps sache s'en servir correctement et en dériver les substances qui lui sont nécessaires.

Beaucoup de médecins sont satisfaits de ce qu'ils savent. Ils n'ont pas l'inquiétude de leurs ignorances. Celles-ci sont énormes !

Professeur René LERICHE

Si je me suis donné la peine de rappeler la si grande et si admirable complexité de notre organisme, c'est pour vous amener, comme j'y suis arrivée moi-même, à un grand sentiment de modestie et d'humilité. Jamais, si intelligents que nous soyons, nous ne saurons reproduire une seule cellule vivante, avec son monde moléculaire fonctionnant dans un volume infiniment petit à la façon d'un État, mais avec combien plus de précision et de fidélité à l'ensemble !

Dans l'incapacité où nous sommes de comprendre exactement nos besoins et nos déficiences, donc nos maladies, il n'existe pour nous qu'une seule voie logique et bénéfique, qui consiste à nous intégrer à la nature en suivant ses lois et en particulier à retourner à la nourriture naturelle. Constituée de matières vivantes aussi complexes que celles dont nous sommes faits, c'est elle qui est le mieux apte à nous fournir tous les matériaux nécessaires à notre perpétuelle reconstruction.

Lorsque nous cherchons à résoudre un problème concernant le monde vivant, nous ne pouvons d'abord faire autrement que de le simplifier à l'extrême. Il en a été ainsi du problème du cancer. Le tissu tumoral est anormal, envahissant, dangereux : notre intelligence nous dit qu'il faut à tout prix et au plus tôt le détruire, et notre science nous en donne les moyens. Exciser, brûler ou empoisonner le tissu malade, tels sont les procédés suppressifs ou négatifs proposés pour lutter contre cette maladie. Mais les faits nous prouvent que de telles mesures n'apportent qu'une aide aléatoire, souvent partielle et temporaire et cela parce qu'en agissant de la sorte, nous faisons abstraction d'un facteur des plus importants et qui est l'état du porteur de la tumeur, c'est-à-dire du patient lui-même !

Il faudrait, pour mieux aider le malade, saisir pour quelles raisons il a construit sa tumeur, supprimer ces causes et le rendre par là capable de maîtriser lui-même son cancer, ou du moins ce qui en reste après un traitement destructeur. C'est ce que j'ai cherché à faire et cette façon positive d'aborder le problème m'a permis d'obtenir les succès décrits. C'est en combinant les moyens de suppression du tissu malade à ceux destinés à reequilibrer celui qui en est porteur, que se réalisent les meilleures chances de guérison, et cela conformément à une saine logique. La normalisation du terrain sur lequel s'est développé un cancer conduit à une prophylaxie efficace de la rechute. J'en ai décrit la technique.

A juste titre, les malades qui réfléchissent sont déçus de ce que la médecine classique n'entreprenne rien pour améliorer ce qu'il est convenu d'appeler leur état général, c'est-à-dire le terrain sur lequel s'est développé le tissu malade. Ils sont souvent désespérés de ce que cette médecine se contente de guetter la récidive. J'ai montré qu'il est possible de faire beaucoup mieux.

Si dans des cas de cancer, même très graves, j'ai pu stabiliser la maladie, c'est que ma méthode est valable. Si elle était appliquée d'emblée à tous les cancéreux, à peine le diagnostic posé, les résultats à long terme pourraient être considérablement améliorés. De fait je n'ai observé que très exceptionnellement des récidives chez les malades pour lesquels le traitement réparateur a été instauré précocément. Depuis peu, on cherche à prévenir les récidives cancéreuses par une chimiothérapie aggressive, dont on ignore les effets toxiques à long terme. Je préfère pratiquer la prophylaxie de la rechute tumorale par les méthodes que j'ai décrites et dont le facteur capital est la normalisation de l'alimentation.

En suivant la voie que j'ai tracée, j'ai été en mesure d'influer favorablement non seulement sur le processus cancéreux, mais encore sur bon nombre d'autres manifestations dégénératives. Il importe, pour obtenir un résultat, de renoncer définitivement aux dénaturations et frelatages auxquels nous soumettons systématiquement une proportion exagérée de nos aliments.

J'ai d'abord, de propos délibéré, limité le nombre des exemples cités à une centaine que j'ai dû réduire à 79 pour des raisons techniques. Je suis consciente que la crédibilité de ce que j'avance aurait gagné si j'avais pu en allonger la liste au lieu de la réduire, ce qui m'aurait été facile et me sera peut-être possible dans un deuxième tome.

Une grande proportion de mes malades, surtout de ceux atteints de polyarthrite chronique évolutive ou de sclérose en plaques, avait été auparavant longuement et en vain traités par les méthodes classiques, qui ne tiennent aucun compte de la façon de se nourrir. La majorité d'entre eux eurent la vie transformée par un retour à des mœurs plus saines, parfois même de façon rapide et spectaculaire. Ce qui m'a paru merveilleux, c'est qu'un tel rétablissement ait été encore possible, malgré le grand nombre d'années pendant lesquelles le corps de ces patients avait été mal géré et sa chimie, faussée. Mais jusqu'à quand pourra-t-il encore en être ainsi ? A quel moment l'humanité atteindra-t-elle le point de non-retour ?

J'estime qu'il n'est pas normal que la population dans son ensemble ne soit pas mieux orientée sur les erreurs alimentaires à éviter. Il est irresponsable que, parfois dès avant leur naissance, nos enfants souffrent de cet état de choses. Il est impératif que les notions que j'ai exposées fassent partie du domaine public. L'étude des règles fondamentales d'une alimentation saine devrait faire partie du programme d'enseignement scolaire obligatoire, et cela tant au point de vue théorique que pratique. Ce n'est, en effet, que par l'instruction des jeunes que nous pouvons espérer obtenir un comportement alimentaire meilleur de toute la population. Ainsi seraient évitées bien des souffrances mais aussi bien des dépenses inutiles.

Des parents touchés par des maladies graves, et qui ont de ce fait réformé l'alimentation familiale, ont vu s'améliorer la santé et le comportement de tous. Chez les enfants, les dents sont devenues plus saines, les infections plus rares, les notes scolaires meilleures.

Le plus grand bonheur professionnel qui puisse échoir à un médecin est bien de prendre en mains de grandes épaves humaines et de leur permettre de recouvrer la santé et la joie de vivre : à ce point de vue, j'ai été comblée.

Le devoir le plus impérieux de chacun de nous est d'apprendre à préserver de la détérioration cette prodigieuse merveille qu'est notre corps, à le respecter et à bien le nourrir. Mais il s'agit pour pouvoir le faire de s'instruire et de SAVOIR pour SURVIVRE.

Il n'est pas de maladie plus furieuse que de ne pas se soucier de bien vivre.

MONTAIGNE

L'homme succombera, tué par l'excès de ce qu'il appelle la civilisation.

J.H. FABRE

Les technocrates sont de mauvais bergers d'une humanité devenue moutonnière.

Jean DORSET

Tous nos produits alimentaires sont altérés pour en faciliter l'écoulement... Notre époque sera appelée :
« L'âge de la falsification »
comme les premières époques de l'humanité ont reçu les noms d'âge de pierre, d'âge de bronze, du caractère de leur production.

Paul LAFARGUE

Le bon sens ne triomphe que quand toutes les autres possibilités sont épuisées !

Willy RITSCHARD

La vérité ne triomphe jamais, mais les tenants de l'erreur finissent par mourir.

Lucien ISRAEL

On n'apprend à vivre que quand la vie est passée !

MONTAIGNE

Bibliographie

A. Carrel, *l'Homme, cet inconnu*, Paris, Librairie Plon, 1935.

Nous avertit de la nocivité croissante de nos mœurs et prévoit une péjoration inéluctable de la santé humaine, si aucune réforme n'intervient.

A. Fleisch, *l'Alimentation et ses erreurs*, Lausanne, Librairie Payot, 1937.

Rend attentif à l'appauvrissement de notre alimentation en vitamines B et en prévoit l'effet néfaste sur la santé publique.

J. Dorst, *Avant que nature ne meure*, Neuchâtel et Paris, Delachaux et Niestlé, 1969.

Trop confiant dans la technique, l'homme a cherché à asservir le monde, le sol, les plantes, les animaux. En ce faisant, il supprime les facteurs nécessaires à sa propre existence. Il surpeuple et surexploite la planète, la pollue et l'appauvrit de plus en plus. Il pourrait faire beaucoup mieux.

G. Schwab, *La Danse avec le diable*, Paris, Éditions du Vieux Colombier, 1963.

Dénonce, dans un style romancé, les dangers de l'évolution technocratique moderne, qui aboutit d'une part à l'appauvrissement des sols par l'érosion et la perte de fertilité, d'autre part à l'augmentation, dans les pays civilisés, du nombre des hôpitaux, des asiles psychiatriques, des suicides... Les normes de la santé sont abaissées de dix en dix ans !

W. Kollath, professeur de bactériologie et d'hygiène, *Getreide und Mensch, eine Lebensgemeinschaft (Les céréales et l'homme, une symbiose)*, Bad Homburg, v.d.H., Schwabe, 1964.

Excellent ouvrage traitant de l'origine des céréales, de leur structure et de leur importance pour les humains à travers les siècles...

Le pain ne peut avoir sa pleine qualité que s'il est fait avec des farines complètes fraîchement moulues. C'est un aliment qui ne prévaut que chez les Européens et les Américains. Les deux tiers des humains se nourrissent de bouillies de céréales.

Les céréales complètes contiennent une proportion de protéines analogue à celle des œufs et des saucisses. Aucune vitamine n'est active seule. Elle l'est seulement en compagnie d'autres vitamines et de minéraux, toujours présents dans les aliments naturels et crus, qui, de ce fait, sont utilisés avec moins de pertes.

P. Bugard, M. Henry, L. Joubert, *Maladies de civilisation et dirigisme biologique*, Paris, Masson, 1962.

Traitent de l'inconvénient de l'élevage industriel des porcs, veaux, agneaux, qui rompt tout contact du bétail avec le sol et l'herbe et fournit des animaux peu résistants. Leur viande est-elle saine pour l'homme ?

A. Voisin, *Sol, herbe, cancer*, Paris, La Maison rustique, 1959.

Les engrais minéraux artificiels et incomplets déséquilibrent les sols, ce qui perturbe la santé des herbivores et celle de l'homme. L'alimentation peut favoriser le cancer ou protéger contre lui. Importance des oligo-éléments.

D. Schlettwein-Gsell et S. Mommsen-Straub, *Spurenelemente in Lebensmitteln, Tabellen (Les oligo-éléments dans les aliments, tabelles)*, Berne, Hans Huber, 1973.

A. Davis, *Let's get well*, Harcourt Brace and World, 1965 ; *les Vitamines ont leurs secrets*, Paris, Tchou, 1977.

L'auteur, qui a fait les expériences qui se rapprochent le plus des miennes est une diététicienne américaine de formation universitaire.

Adelle Davis nous décrit ses expériences et ses succès, obtenus en normalisant l'alimentation des malades et en leur donnant en abondance des vitamines pharmaceutiques, celles dont l'alimentation américaine est encore plus dépourvue que la nôtre. Ses résultats, comme les miens, sont supérieurs à ceux obtenus par la médecine classique américaine, qui néglige les facteurs alimentaires. Elle donne une abondante bibliographie.

J. Favier, *Équilibre minéral et santé*, Paris, Dangles, 1959.

La construction de gigantesques hôpitaux est un moyen coûteux et peu efficace de développer la santé publique, qui devrait être chose naturelle. La nécessité d'un équilibre minéral est une loi universelle. Les microbes et les parasites disparaissent chez les êtres vivants si l'équilibre minéral est réalisé. Il faut rendre au sol cultivé ce qu'on lui enlève. De tous les minéraux, l'engrais, dit complet selon la loi, n'a contenu longtemps que le potassium, le phosphore et l'azote, ce qui a profondément déséquilibré les sols, les plantes et les animaux en les privant du magnésium, du calcium, ainsi que des nombreux oligo-éléments.

Sont abondamment cités les travaux de *Delbet*, qui a démontré le rapport existant entre l'appauvrissement des sols et des plantes en magnésium, l'apparition de diverses maladies dégénératives et la possibilité de les guérir par un apport de ce métal.

L'appauvrissement des aliments en magnésium n'est pas seulement dû à celui du sol, mais encore au blutage des céréales et au raffinage du sel de cuisine.

Le besoin en magnésium est d'autant plus élevé que le régime alimentaire est plus riche en hydrocarbones.

D'après *Metchnikoff*, le principal facteur de vieillissement est l'intoxication d'origine intestinale.

Le cancer semble être surtout un problème alimentaire. Les meilleures qualités d'un lait frais sont aujourd'hui sacrifiées aux avantages de la production industrielle massive. Entre la traite et la remise au consommateur, il s'écoule au moins une semaine. Un tel lait a perdu 50 % de sa valeur.

W. Zabel, *la Thérapeutique interne du cancer et l'alimentation du cancéreux*, Neuchâtel, Victor Attinger, 1971.

En 1900, parmi les individus de plus de cinquante ans, un sur trente était atteint de cancer, en 1964, un sur trois. La mortalité globale des cancéreux à partir du moment où le diagnostic est posé est de 40 % dans la première année, de 20 % dans la deuxième, de 10 % dans la suite. 20 % survivent après cinq ans.

Une guérison spontanée du cancer est possible. En Amérique, elle s'est produite à la fréquence de un sur 20 000 cas ! Chez les cancéreux, le taux de properdine (corps magnésien de défense anti-infectieuse non spécifique) est diminué.

L'intestin de l'homme civilisé produit une grande quantité de substances toxiques qui, en partie, passent à travers la paroi intestinale. Cette production est dépendante de l'alimentation ; elle augmente avec l'apport d'aliments carnés. Tous les cancéreux souffrent de troubles intestinaux, dus à la présence d'une flore bactérienne anormale (proteus, colibacille hémolytique, etc.).

La viande doit être ou tout à fait supprimée, ou consommée en très faible quantité et pas tous les jours. Les règles alimentaires à suivre sont à peu de choses près celles que je préconise, mais en plus strict. Dans les cas graves, le malade doit manger cru.

F. X. Mayr, *Darmträgheit (Paresse intestinale)*, Neues Leben, 1967.

Ouvrage important, traitant des processus digestifs normaux et pathologiques et de leurs conséquences.. Ce médecin a fait des observations très analogues aux nôtres. Il ne parle pas du cancer, mais de quantité d'autres maladies dégénératives et de leurs rapports de cause à effet avec l'intoxication d'origine intestinale. Dès qu'il y a stase intestinale, le nombre et la virulence des germes augmente : de saprophytes, ils deviennent pathogènes. Dans la constipation, il se forme parfois des dépôts sur les parois de l'intestin qui peuvent devenir adhérents et très durs. L'irritation chronique par ces concréments peut aboutir au cancer.

A. et E. Waerland, *Das Waerland Handbuch der Gesundheit, Die Waerland Therapie*, 1953 ; *Santé pour tous*, 1960 ; Éditeurs : Humata, Harold S. Blume. Berne, Fribourg en Brisgau et Salzbourg.

Dans leurs livres, Are et Ebba Waerland cherchent à nous convaincre, en se fondant sur la structure de nos dents et celle de notre tube digestif, que, tout comme les singes, nous sommes faits pour nous nourrir de végétaux et tout spécialement de fruits. Les carnivores ont un tube digestif deux fois plus court que le nôtre ; les résidus non digérés de la viande sont toxiques et doivent de ce fait être évacués plus rapidement que nous ne pouvons le faire. Tout comme les singes et les primitifs, nous devrions, pour rester bien portants, évacuer une selle molle après chaque repas, soit trois à quatre fois par jour. Les auteurs nous proposent un régime lacto-végétarien d'où sont exclus la viande, le poisson et les œufs.

A. et E. Waerland recommandent de boire abondamment (de 1 à 1 litre et demi par jour) surtout du bouillon et des jus de légumes, et cela déjà au saut du lit ; de prendre le matin du lait acidifié (yaourt) et des fruits; à midi un mélange de cinq céréales fraîchement moulues (blé, seigle, avoine, orge et millet) appelé « kruska » mangé cuit ou cru, avec des fruits secs (raisins et pruneaux) et un litre de lait; le soir, des légumes crus avec une livre de pommes de terre cuites en robe des champs, du pain de seigle, du beurre et du fromage blanc. Au bouillon de légumes, ils ajoutent volontiers deux cuillères à soupe de son de blé et autant de graines de lin. Ils suppriment le sel de cuisine et tous les autres condiments, les boissons alcooliques, les sucreries.

Ils estiment comme moi que la plupart des maladies chroniques sont en rapport avec une intoxication intestinale et une acidification de l'organisme par les déchets métaboliques et recommandent aux malades de commencer la cure de désintoxication par un jeûne de sept jours en absorbant pendant ce temps deux litres par jour d'un mélange de bouillon de légumes et de jus de légumes riches en sels alcalins. Pendant ce jeûne, ils prescrivent deux lavements par jour, matin et soir, pratiqués à genoux et penché en avant. Dans les maladies graves, dont le cancer, ils font répéter les cures de jeûne en intercalant des périodes de régime lacto-végétarien, le jeûne le plus prolongé étant de trente jours. Le retour au régime de base doit se faire progressivement en trois jours. Lors de ces cures peuvent survenir des crises pénibles (d'asthme, de rhumatisme, d'eczéma, etc.) telles que le malade les a vécues dans son passé. Les auteurs les qualifient de « crises de guérison ».

Le système pratiqué par A. et E. Waerland est plus restrictif que le mien et beaucoup plus difficile à suivre. Les résultats obtenus sont analogues. Je n'ai jamais constaté chez mes malades de « crises de guérison », probablement grâce à l'apport abondant de vitamines pharmaceutiques, dont A. et E. Waerland nient l'utilité.

Outre les mesures alimentaires, ils insistent sur la nécessité de vivre le plus possible en plein air, d'ouvrir la fenêtre la nuit, hiver comme été, de prendre de l'exercice physique, de dormir suffisamment, de ne pas fumer, ni de boire de l'alcool.

H. Müller, *Votre santé,* Dammarie-les-Lys, S.D.T., 1961.

L'alimentation devient une science compliquée, sitôt que nous dénaturons les aliments et par là les appauvrissons en vitamines. Les carences alimentaires favorisent le rhumatisme, le cancer, l'artériosclérose.

La viande n'est pas indispensable. Il faut en manger peu, par exemple trois fois par semaine, et s'en abstenir après l'âge de cinquante ans. L'homme primitif évacue les selles deux à trois fois par jour. Normalement, les déchets alimentaires doivent être débarrassés dix-huit à vingt-quatre heures après les repas. Les constipés peuvent les garder de deux à cinq jours, même s'ils évacuent une selle par jour. L'agar-agar est un mucilage provenant d'algues, qui rend les selles moins compactes et gêne la décomposition microbienne des aliments.

Selon l'auteur 3 % seulement des décès sont attribuables à la vieillesse.

Dans le même ouvrage, E. Noualy traite de la physiothérapie et C. Bruon des plantes médicinales.

A. Heim, *Weltbild eines Naturforschers (Le monde, vu par un naturaliste),* Berne, Hans Huber, 1948.

Étudia, comme Price, les mœurs alimentaires des différents peuples et conclut que la meilleure alimentation de l'homme est végétalienne.

Ouvrage intéressant traitant des origines de l'homme, des religions, de l'abus d'alcool, de tabac, etc.

Aux U.S.A., 45 % des recrues sont inaptes au service militaire... Le lait maternel reflète les carences maternelles... Aujourd'hui, il y a sélection à l'envers par les guerres... L'origine du cancer est à chercher dans l'intoxication intestinale des carnivores... Les fruits et les légumes ayant crû sur des sols surexploités se conservent mal... Les abeilles nourries de sucre raffiné perdent leur résistance aux maladies... Les « coolies », astreints à un travail physique intense, se nourrissent de trois bols de riz avec sauce à base de soja, de quelques cacahuètes, d'un peu de légumes, parfois d'un peu de lait... Le christianisme a supprimé le sport, par mépris du corps, de l'an 400 à l'an 1900!

Aliments de première valeur : fruits, légumes crus, noix; de deuxième valeur : céréales et légumes cuits; de troisième valeur : viande, lait, œufs, fromages.

L. Mar et H. O. Kleine, *Krebsdiät (Régime du cancéreux)*, Weil der Stadt, Walter Hädecke, 1970.

Donnent de nombreux renseignements sur les propriétés des différents aliments. Chez le cancéreux, les besoins en protéines doivent être couverts avec les produits laitiers, les végétaux, dont les pommes de terre, et peu de viande maigre ou de poisson (100 à 150 grammes trois fois par semaine ou moins). La viande n'est pas indispensable. Un repas par jour doit être cru. Les graisses animales, dont le beurre, sont à éviter. Les graines oléagineuses et les huiles pressées à froid sont favorables.

Le cancéreux a un besoin très accru en vitamine C. Excellents sont les jus de fruits et de légumes frais, le jaune d'œuf cru et frais, battu dans les aliments.

L'installation de phénomènes de putréfaction intestinale, favorisée par la consommation de viande, doit être évitée.

Mortalité des cancers : 80 %.

R. J. Courtine, *L'assassin est à votre table*, Paris, La Pensée moderne, 1956.

Traite des fraudes et des pollutions alimentaires.

R. Carson, *Printemps silencieux*, Paris, Plon, 1963.

Traite du danger des pesticides.

A. Cohen, F. Lourbet, *Bon appétit, Messieurs!* Paris, Balland, 1976.

Dénoncent la pollution et le frelatage des aliments, la modification de leur teneur en minéraux tels que magnésium, cuivre, etc., du fait de l'emploi d'engrais déséquilibrés; leur pollution involontaire ou volontaire par les pesticides, les additifs divers : émulsifiants, stabilisants, désodorisants, colorants, etc.

J. Valnet, *Docteur Nature*, Paris, Fayard, 1971.

L'homme, émanant de la nature, ne peut se développer que dans le respect de ses lois. C'est dans les mieux fournis des pays civilisés qu'il y a le plus de mal nourris (U.S.A.). Depuis longtemps, de nombreux chercheurs pensent que l'organisme vit en symbiose et équilibre avec des micro-organismes. C'est lorsque cet équilibre est rompu en faveur de ces derniers qu'un cancer peut prendre naissance. Le rôle du système nerveux est primordial dans less maladies dégénératives. Chez le porcelet, les antibiotiques, en perturbant la flore intestinale, rendent le contenu intestinal toxique.

Influence équilibrante chez la volaille, la vache et l'homme d'un apport d'algues marines.

L'assise protéique, sise au-dessous du péricarpe du grain de blé, très riche en principes nutritifs, est rejetée par les procédés de mouture actuels à l'aide de cylindres, au lieu de meules.

J. Valnet, *Traitement des maladies par les légumes, les fruits et les céréales,* Paris, Librairie Maloine, 1971.

Cite nos travaux se rapportant à la vitamine F.

J. Budwig, *Das Fettsyndrom (Les maladies attribuables aux graisses alimentaires),* 1959.

M. Tresillian Fere, *Cancer, Its Dietetic Cause and Cure,* Gateway Book Company, 1963.

Cite F. W. ALEXANDER, de Londres : le cancer ne semble héréditaire que par la perpétuation des mauvaises habitudes alimentaires... qu'il faut à tout prix éliminer.

C. Craplet, *Alimentation d'aujourd'hui et de demain,* Paris, Vigot Frères, 1971.

Ouvrage écrit par un vétérinaire n'ayant apparemment aucune expérience en médecine humaine. Est dogmatique et vénère « la science, les industries et leurs produits », malgré les erreurs commises, qu'il reconnaît ! Est contre un retour aux produits naturels.

Schwitzer, *Continuous Processing of Fats,* Londres, Leonard Hill Limited, 1952.

Ouvrage traitant des techniques modernes de fabrication des huiles végétales et animales (poissons) aboutissant entre autres à la préparation des margarines et des graisses dites végétales.

A. Schär, *Die Fettwirtschaft der Schweiz im Krieg,* 1946.

Jusqu'en 1939, les huileries se contentaient d'importer et de faire des mélanges de corps gras pour le ravitaillement des marchés. L'industrie des matières grasses ne s'est développée qu'au cours de la guerre, pendant laquelle il était d'importance vitale de fournir des produits stables pouvant être facilement stockés. C'est ainsi que se sont perfectionnées les techniques de raffinement des huiles, leur hydrogénation pour la création des margarines et des graisses végétales. La guerre finie, l'utilisation de ces produits d'usage pratique se perpétua. L'habitude en était prise.

H. M. Sinclair, *Essential Fatty Acids (Les acides gras essentiels polyinsaturés),* 1957.

Rapports du quatrième Congrès international concernant la biochimie des lipides.

Bircher-Benner (d'après), par ses collaborateurs, *Manuel de diététique naturelle,* Neuchâtel, Éditions Attinger.

Recommande pour le traitement de la sclérose en plaques et des maladies nerveuses le régime lacto-végétarien, deux tiers cru.

R. Bircher, *les Hounzas, un peuple qui ignore les maladies,* Neuchâtel et Paris, Victor Attinger, 1961.

A. von Haller, *Gefährdete Menschheit (Humanité en danger),* Hippokrates, 1956.

Compte tenu du remarquable travail du dentiste américain Weston Price. Excellent ouvrage relatant les méfaits de l'alimentation moderne. Une alimentation saine de la mère protège contre les faiblesses héréditaires.

CNRS (Centre National de la Recherche Scientifique), *les Corps gras alimentaires,* Paris, Éditions du CNRS, 1959.

La composition des graisses de dépôt chez l'animal dépend d'une part de synthèses endogènes (à partir des glucides et protides), d'autre part de la structure des lipides alimentaires. La composition du lard d'un porc engraissé aux pommes de terre n'est pas la même que celle d'un porc engraissé au maïs. Le premier est plus blanc et se garde mieux que le second, qui est plus jaune et plus riche en acides gras polyinsaturés (donc plus sain pour l'homme). Chez le cheval pâturant l'herbe, la graisse contient 12 % de vitamine F, c'est-à-dire un taux très élevé, 5 % seulement s'il est alimenté à l'écurie. La graisse des ruminants est pauvre en vitamines F, car celle-ci est détruite par les bactéries du rumen.

Biochemistry of lipids, Quatrième Congrès international de biochimie, Oxford, Londres, New York, Paris, Éditions Popjak G. Pergamon Press, 1960.

Une carence en acides gras polyinsaturés dans la nourriture du rat entraîne une diminution de l'incorporation de ces acides dans les phospholipides de la muqueuse intestinale, donc une modification défavorable de sa structure... Si le régime est carencé en acides gras polyinsaturés et en vitamine B_6, l'oxydation des butyrates est déficiente : les graisses se déposent dans le foie, qui subit la dégénérescence graisseuse (autrement dit, la présence de ces deux vitamines est indispensable à l'assimilation des corps gras contenus dans le beurre). Un apport d'huiles riches en acides gras polyinsaturés augmente la sécrétion biliaire et, par là, diminue le cholestérol plasmatique (ce qui n'est pas le cas du beurre).

L. Israël, *le Cancer aujourd'hui,* Paris, Bernard Grasset, 1976.

Un malade sur trois seulement est vivant cinq ans après le traitement initial de son cancer. L'intangibilité des dogmes était admissible quand une théorie médicale durait une génération. Aujourd'hui, il faudrait en médecine des jeunes gens capables de changer de point de vue... Les possibilités immunitaires des cancéreux sont souvent diminuées, même chez des cancéreux dont la tumeur a été découverte précocement. L'auteur préconise pour le traitement des cancéreux l'emploi de la polychimiothérapie massive.

K. Hintze, *Géographie et histoire de l'alimentation* (en allemand), 1934 ; Stuttgart, rééd. Georg Thieme, 1968.

Excellent ouvrage décrivant les mœurs des divers peuples anciens, sédentaires et nomades, civilisés et primitifs de toute la terre.

J. Brandt, *la Cure de raisin,* Neuchâtel, Victor Attinger, 1958.

Née en 1876, l'auteur appartenait à une famille de cancéreux et a été elle-même atteinte à l'âge de quarante-quatre ans d'un cancer de l'estomac, dûment diagnostiqué et qui aurait dû être mortel. Elle s'en est guérie sans opération par des cures répétées de désintoxication : jeûnes et lavements, cures de raisin, d'abord seul, puis complété de crudités diverses. En 1958, sa survie au cancer est de trente-huit ans.

Cette alimentation insuffisante conduit à un amaigrissement important, lors duquel surviennent des crises parfois inquiétantes (voir Waerland). Ce régime pèche par un déficit en vitamines B, E, F. Il est plausible que le corps les obtienne à partir de ses propres tissus lors de l'importante perte de poids.

Dans cette cruelle expérience personnelle, l'auteur s'est certes beaucoup plus approché de la vérité que ceux qui affirment — et ils sont légion — que la façon de se nourrir ne joue aucun rôle dans le cancer ! (La guérison spontanée d'un cancer ne survient qu'une fois sur 20 000 à 100 000 cas, suivant les auteurs).

R. J. Jackson, *Ne plus jamais être malade,* revu et adapté par Ralph Bircher, Stuttgart, Vienne, Albert Müller, Rueschlikon-Zch, 1940.

Il s'agit d'un médecin, né au siècle passé, vers 1860, qui décrit, à l'occasion de sa propre histoire, les mœurs alimentaires canadiennes qui lui furent léguées par sa famille. Son père et onze oncles et tantes paternelles moururent avant quarante-trois ans d'affections cardiaques et il en fut de même de sa mère, de son frère et de sa sœur ! soit quinze membres de sa famille. Lui-même, né jumeau, resta chétif jusqu'à l'âge de trente-deux ans et passa d'une maladie à une autre de cet âge à quarante-neuf ans, âge auquel il faillit subir le même sort que ses parents. Son régime alimentaire était le suivant : petit déjeuner du type nordique, avec porridge bien sucré et additionné de crème, viande et pommes de terre ou omelette, pain grillé avec une épaisse couche de beurre, de la confiture et quelques tasses de café.. A midi, se sentant vide, il remangeait de la viande, des pommes de terre, du pain blanc, de la marmelade, du café au lait. Le soir venait le repas principal avec rôti, pommes de terre, légumes cuits, pudding avec lait et café : soit une alimentation hypercarnée, hypercalorique, avec très peu de légumes et de fruits.

Avec ce régime « fortifiant », il allait de plus en plus mal, était hypertendu, cardiaque, très faible. Incapable d'effort physique, il devait se ménager. A quarante-neuf ans, il décida de changer d'alimentation et de mode de vie. Il renonça à la viande et, après un jeûne de trois semaines, se nourrit le matin de fruits ; à midi, de salades, de lait, de céréales complètes avec un peu de beurre et de miel ; le soir, de salades, de fromage blanc et de noix. Sa santé se transforma du tout au tout. Il put faire de plus en plus d'efforts physiques, soumit son corps à une gymnastique régulière, à des bains d'air et de soleil et vécut sans aucune maladie jusqu'à près de quatre-vingt-dix ans ! Il nous raconte avec talent cette aventure.

La valeur de ces deux derniers livres réside dans la description fidèle et vivante d'une expérience personnelle ayant abouti, les deux fois, contre toute attente, à la victoire sur des maladies dégénératives normalement mortelles, et cela par une cure de désintoxication systématique, plus énergique dans le cas du cancer.

Le destin de toute vérité est d'être ridiculisée avant d'être reconnue.

Albert SCHWEITZER

Quand le fait est en opposition avec les théories régnantes, il faut accepter le fait et abandonner la théorie, lors même que celle-ci, soutenue par les grands noms, est généralement adoptée.

Claude BERNARD

Tout chercheur qui découvre un principe s'écartant du conformisme est dans l'impossibilité de faire accepter ses idées. Il trouve cependant des satisfactions incomparables dans les témoignages de gratitude qu'il reçoit des malades guéris par ses méthodes.

Auguste LUMIÈRE

Glossaire

Acrocyanose	coloration violacée des extrémités par troubles de la circulation sanguine.
ACTH	hormone corticotrope, stimulant la surrénale et sécrétée par l'hypophyse.
ADN	acide désoxyribonucléique (voir cellule, p. 153).
Aldéhyde	corps dérivant de l'alcool par oxydation partielle.
Allergie	sensibilité anormale d'un organisme vis-à-vis d'une substance, inoffensive pour la plupart des individus.
AMP	Adénosine 5 monophosphate, catalyseur phosphoré important.
Anabolisant	qui favorise l'anabolisme et fait gagner du poids.
Anabolisme	transformation des matériaux nutritifs en tissu vivant.
Anamnèse	histoire du malade antérieure à la première consultation.
Anémie	appauvrissement du sang, particulièrement en hémoglobine.

Ankylose	diminution ou suppression de la mobilité normale d'une articulation.
Anticorps	substances protéiques (globulines) apparaissant dans le sang à la suite de l'introduction d'antigène dans un organisme.
Antigène	substance étrangère à un organisme qui, introduite dans celui-ci, provoque la formation d'anticorps.
Antimitotique	qui empêche la multiplication cellulaire.
Aptère	sans ailes.
Arginase	ferment intervenant dans la transformation de l'acide aminé arginine en urée.
ARN	acide ribonucléique (voir cellule, p. 153).
Ascite	accumulation de liquide dans la cavité péritonéale.
Asphyxie	difficulté ou arrêt de la respiration.
Ataxie	incoordination des mouvements volontaires.
Athétose	mouvements involontaires incoordonnés, de grande amplitude, lents et ondulatoires.
Atome	(de indivisible) la plus petite quantité d'un corps simple pouvant exister à l'état libre, ou se combiner pour former une molécule.
Atopie	certaines formes d'allergie chronique, difficiles à soigner.
Auriculaire	de l'oreille.
Avitaminose	Maladie déterminée par le manque de telle ou telle vitamine.
Babinski (réflexe de)	extension du gros orteil, sous l'influence de l'attouchement de la plante du pied, qui normalement provoque sa flexion. Ce signe indique une lésion du faisceau pyramidal dans la moelle épinière.
Bactériurie	présence de bactéries dans l'urine.

Bâtonnets de la rétine et cônes	cellules sensorielles qui transforment les vibrations lumineuses en perceptions visuelles. Les cônes seraient le siège des perceptions colorées.
Benzopyrène	substance organique cancérigène se formant lors de combustions incomplètes, par exemple lorsque l'on fume.
Bilirubine	pigment biliaire jaune rougeâtre.
Blépharite	inflammation des paupières.
Bluter	tamiser la farine pour enlever le son.
Catalyse	phénomène par lequel une réaction chimique s'accélère en présence d'un corps particulier appelé catalyseur (v. p. 79).
Catécholamines	substances dont l'effet imite l'action du système nerveux sympathique.
Cénovis	extrait végétal salé, riche en vitamines B.
Cholestérol	(de cholé : bile et stérol : alcool polycyclique, caractérisé par le noyau pentanophénantrénique) corps se trouvant dans la bile et à partir duquel sont synthétisés par l'organisme les acides biliaires, la vitamine D, les hormones sexuelles et corticosurrénaliennes.
Chromosome	support des gènes : bâtonnets, visibles dans le noyau au moment de la division cellulaire, formés de substance nucléaire condensée. Le nombre des chromosomes est fixe dans chaque espèce animale.
Chyle	liquide renfermé dans l'intestin grêle quand la digestion est accomplie.
Chylifères	vaisseaux lymphatiques absorbant le chyle.
Cœliaque (maladie)	diarrhée chronique, due à une intolérance au gluten (protéine des céréales).
Colibacille	bacille vivant dans l'intestin.
Complément	protéine douée de propriétés bactéricides, intervenant dans les réactions d'immunité.

Congénital	présent à la naissance.
Coryne-bactérie	nom donné à un groupe de bactéries auquel appartient entre autres le bacille de la diphtérie, ainsi que des espèces vivant dans l'intestin, etc.
Cupropénie	manque de cuivre.
Cyanose	coloration violacée des téguments par déficit d'oxygène dans le sang.
Cyphose	déviation de la colonne vertébrale à convexité postérieure, rendant bossu.
Décours	période de déclin d'une maladie.
Dégénératif	atteint de dégénérescence.
Dégénérescence	perte de qualités que possédaient les ascendants ; déchéance.
Desquamation	exfoliation de l'épiderme sous forme de lamelles.
Détumescence	dégonflement.
Diplopie	dans la vision binoculaire, perception de 2 images pour un objet unique.
Dyspnée	difficulté respiratoire.
Dystrophie	trouble de la nutrition.
Éclampsie	maladie survenant à la fin de la grossesse caractérisée par des convulsions avec perte de connaissance.
EEG	électroencéphalogramme : courbe enregistrant des variations de l'état électrique du cerveau.
Encéphale	ensemble des centres nerveux, contenus dans le crâne.
Encéphalopathie	maladie de l'encéphale, sans localisation anatomique précise.
Endémique	se dit d'une maladie propre à une contrée et s'y manifestant d'une façon continue ou périodique.

Endothélium	revêtement du péritoine, du péricarde, de la plèvre et de l'intérieur des vaisseaux sanguins et du cœur.
Enzyme	ferment (= diastase) formé d'une protéine qui doit être activée par un catalyseur. Chaque ferment est désigné par son action chimique suivie du suffixe *ase*. Exemple : oxydase = ferment qui oxyde.
Épidémie	maladie survenant chez un grand nombre d'individus à une même époque.
Épithélium	couche de cellules juxtaposées tapissant l'extérieur du corps, les organes creux, tels le tube digestif, le système urinaire et qui constitue également le parenchyme des glandes. Les tumeurs malignes qui en dérivent sont appelées épithéliomas ou cancers.
Érythrocyte	globule rouge.
Étiologie	ensemble des causes d'un phénomène.
Exsanguino-transfusion	remplacement aussi total que possible du sang d'un malade par celui d'un bien portant.
Folliculite	inflammation du petit sac contenant la racine d'un poil.
Fratrie	groupe d'individus d'une même génération, appartenant à la même famille.
Ferriprive	provoqué par le manque de fer ou sidéropénie.
Gamma	un millième de milligramme = un microgramme.
Gelée royale	nourriture particulière, fournie à la reine des abeilles.
Gène	unité de nature nucléoprotéique, présente dans les chromosomes et porteuse d'un caractère héréditaire.
Globulines	protéines spéciales présentes en particulier dans le sang et le lait. Les anticorps sont des globulines.

Glucide	terme générique pour désigner n'importe quel hydrocarbone (sucre simple, polysaccharides, glucoside).
Glycémie	taux de glucose dans le sang.
GMP	guanosine-5-monophosphate, catalyseur phosphoré important.
Granulome	amas cellulaire d'origine inflammatoire, se formant autour de corps étrangers, de foyers infectieux, etc.
Hématurie	perte de sang par les voies urinaires.
Hémiparésie	paralysie partielle des membres inférieur et supérieur du même côté.
Hémiplégie	paralysie des membres inférieur et supérieur, du même côté.
Hémoglobine	substance pigmentaire rouge du sang. Le taux d'hémoglobine en est la concentration.
Hémolyse	mise en liberté de l'hémoglobine, hors des globules rouges.
Herpès	maladie infectieuse, virale de la peau, qui se manifeste par l'apparition de petites vésicules.
Histologique	qui a rapport à l'histologie, c. à d. à la structure microscopique des tissus.
Hormone	substance chimique sécrétée par une glande et qui, déversée dans le sang, agit à distance sur l'activité d'organes ou de tissus.
Hydrocarbure	composé formé de carbone et d'hydrogène.
Hypophyse	glande très importante à sécrétion interne, suspendue par une tige à la base du cerveau, dont les sécrétions règlent l'activité d'autres glandes (sexuelles, surrénales, thyroïde, mammaire).
Hypoplasie	développement insuffisant.
Hyposidérémie	taux de fer trop bas dans le sang.
Iléite régionale (Crohn)	inflammation ulcéreuse et sténosante d'un segment de l'intestin grêle.

Intravasal	situé à l'intérieur d'un vaisseau sanguin.
Isomère	on dit que deux ou plusieurs corps sont isomères, quand ils sont composés d'un même nombre d'atomes identiques, mais placés différemment au sein de la molécule, ce qui leur confère des propriétés différentes.
In vitro	dans le verre (tubes, éprouvettes, etc.) se dit d'observations faites en dehors d'un organisme vivant.
Kératine	protéine constitutive des matières cornées.
Kératinisation	formation de kératine.
Kyste	tumeur arrondie à contenu liquide ou pâteux.
Lacrymal	qui a rapport aux larmes ou qui les produit (glande lacrymale).
Laparotomie	ouverture chirurgicale de la cavité abdominale.
Lipide	matière grasse.
Lumière intestinale	espace creux de l'intestin.
Lymphe	liquide incolore ou ambré, semblable au plasma sanguin, qui circule dans les vaisseaux lymphatiques.
Lymphosarcome	tumeur maligne développée à partir de ganglions lymphatiques.
Lysozome	corpuscule intracellulaire, contenant des enzymes capables de dissoudre la cellule au terme de sa vie.
Lysozyme	substance de défense antibactérienne naturelle, présente dans les sécrétions telles que larmes, salive, etc. ; le sérum sanguin, le blanc d'œuf en contiennent.
Margarine	graisse alimentaire, imitant le beurre, faite à partir de corps gras meilleur marché que lui.
Martial	loi martiale : appliquée en cas de guerre. Thérapeutique martiale : à l'aide de médicaments contenant du fer.

Médiastin	espace compris entre les deux poumons.
Mélilot	papillonacée, comprenant des herbes fourragères et officinales.
Mésencéphale	partie moyenne de la base du cerveau.
Métabolisme	ensemble des modifications chimiques que subit telle substance organique dans le corps d'un être vivant.
Métatarsien	os long de l'avant-pied s'articulant avec les phalanges des orteils.
Microbisme	pénétration dans l'organisme de microbes, qui ne détermine d'abord aucun trouble, mais qui peut aboutir à l'éclosion de maladies diverses.
Microcéphalie	petitesse du crâne et du cerveau, s'accompagnant généralement d'idiotie.
Microgramme	un millième de milligramme (anciennement désigné par gamma).
Micron	millième de millimètre.
Micropolyadénie	agrandissement inflammatoire de nombreux ganglions, qui restent relativement petits et indolores.
Millilitre (ml)	1 centimètre cube = 1 cm^3.
Molécule	la plus petite partie d'un corps pur, simple ou composé, qui puisse exister à l'état libre. Une molécule est formée de 2 ou plusieurs atomes.
Mucopolysaccharide	variété de glucoprotéines sécrétées par les muqueuses, mais aussi présentes dans les cartilages, etc.
Mucoviscidose	maladie héréditaire dans laquelle le mucus sécrété par les glandes est trop visqueux. Il en résulte des troubles digestifs et des infections broncho-pulmonaires chroniques.
Myocarde	muscle du cœur.
Nanogramme	un milliardième de milligramme = 1 ng.
Nécrose	mort tissulaire.

Néphrose	maladie dégénérative des reins.
Nystagmus	mouvements involontaires, oscillatoires ou rotatoires des globes oculaires, dus à une lésion des centres nerveux.
Organite	élément cellulaire.
Oxydation	combinaison avec de l'oxygène (ou soustraction d'hydrogène) inverse de réduction.
Palliatif	moyen de remédier momentanément.
Parenchyme	tissu cellulaire mou.
Parésie	paralysie partielle.
Paresthésie	sensations survenant sans cause apparente, telles que fourmillements, picotements, etc.
Parkinson (maladie de)	paralysie agitante. Affection dégénérative de la base du cerveau, avec mouvements involontaires des doigts (comme pour émietter du pain). Rigidité musculaire ; figure figée.
Parodontose	infection suppurative des gencives avec inflammation du périoste de l'alvéole dentaire.
Pathogènèse	processus par lequel une cause produit une maladie.
Pérennité	perpétuation.
Pétéchies	hémorragies cutanées nombreuses et de petites dimensions (tête d'épingle à lentille).
pH	abréviation de potentiel d'hydrogène ; mesure de l'acidité d'une solution exprimée par le logarithme de la concentration des ions acides H.
Phagocyte	cellule capable d'englober des corps solides, des microbes et de les détruire.
Phagocytose	travail des phagocytes : globules blancs du sang, cellules endothéliales des vaisseaux.
Phosphatase	La terminaison « ase » signifie ferment. La première partie du terme indique l'action du ferment. Une phosphatase est un ferment qui

libère les phosphates inorganiques, à partir de composés organiques. (Par exemple pour les déposer dans les os.)

Phosphorylation — liaison au phosphore. Introduction du phosphore dans une molécule.

Photophobie — crainte de la lumière, due à la sensation pénible, voire douloureuse qu'elle provoque.

Photosynthèse — formation de corps chimiques par les plantes vertes, sous l'action de la lumière.

Podure — animalcule de 1 à 5 mm de long, formé de 6 segments couverts de poils, dont l'avant-dernier porte un organe de saut ; vit dans la mousse, le bois pourri ; saute à la surface de l'eau.

Polycyclique — formé de plusieurs courbes arrondies.

Polymère — composé formé par l'union de plusieurs molécules identiques.

Polype — tumeur bénigne pédiculée, se développant dans une cavité naturelle.

Polysaccharide — glucide formé par la condensation de sucres simples (amidon, cellulose, etc.).

Pronostic — prévision du cours que prendra une maladie.

Provitamine — substance pouvant être transformée en vitamine.

Prostate — glande qui, chez l'homme, entoure l'urètre à la sortie de la vessie.

Psychose — maladie mentale grave.

Prophylaxie — prévention.

Purines — bases insérées dans les chaînes d'ADN (adénine et guanine).

Pyrimidines — bases insérées dans les chaînes d'ADN (uracile — thymine — cytosine).

Pyurie — présence de pus dans l'urine.

Réduction	opération chimique par laquelle un corps perd de l'oxygène ou gagne de l'hydrogène.
Rhagade	crevasse.
Rhésus (facteur)	antigène protéinique existant dans le sang de 85 % des humains, contre lequel un individu ne le possédant pas (mère, rhésus négative) peut former des anticorps (détruisant les globules rouges d'un fœtus, rhésus positif).
Rumen	panse = premier estomac des ruminants.
Saprophyte	micro-organisme vivant aux dépens de matières mortes.
Saurien	classe de reptiles qui comprend notamment les lézards et les serpents.
Scheuermann (maladie de)	cyphose douloureuse des adolescents, avec aplatissement cunéiforme des corps vertébraux.
Scoliose	déviation latérale de la colonne vertébrale.
Séborrhée	augmentation de la sécrétion des glandes sébacées qui graissent la peau.
Seré	fromage blanc.
Seré maigre	fromage blanc, fait avec du lait écrémé.
Sorbitol	alcool présent dans les fruits du sorbier et dont dérive un sucre à 6 atomes de carbone, appelé sorbite.
Spastique ou spasticité (paralysie)	accompagnée de contractures.
Spirogyre	minuscule algue, pourvue d'un filament vert, enroulé en spirale, qui vit dans l'air humide, sur le sol, les rochers, les écorces.
Splénectomie	extirpation de la rate.
Splénomégalie	agrandissement de la rate.
Stress	effort brusque, inhabituel, demandé à un organisme lors d'une agression.

Subintrants (accès)	si rapprochés, que l'un commence quand le précédent n'est pas encore terminé.
Symbiose	association de deux organismes, tirant profit l'un de l'autre.
Synergie	association de plusieurs organes ou facteurs pour l'accomplissement d'une fonction.
Synoviale	membrane séreuse, revêtant la face interne de la capsule articulaire et sécrétant un liquide (la synovie) qui lubrifie les cartilages en contact.
Synthèse	en chimie : combinaison à partir d'éléments plus simples.
Tension artérielle	pression exercée par les parois artérielles sur leur contenu sanguin.
Tératogène	engendrant des malformations, des monstres.
Thérapeutique	méthode de traitement de maladies.
Tumescence	augmentation de volume d'une partie du corps.
Thyréotrope	se dit d'une hormone, sécrétée par l'hypophyse, stimulant le fonctionnement de la glande thyroïde.
Urée	déchet provenant de la combustion de matières azotées dans l'organisme et éliminé par l'urine. Sa formule chimique est $CO(NH_2)_2$.
Vasodilatation	dilatation de vaisseaux sanguins.
Vecteur	porteur. Se dit d'un hôte intermédiaire transmettant une infection.
Xérophtalmie	sécheresse de l'œil entraînant une opacification de la cornée par avitaminose A.

Annexe I

Médicaments couramment employés

Becozym (Roche)	en dragées	ou en ampoules (2 ml)
Vitamine B_1	15 mg	10 mg
Vitamine B_2	15 mg	4 mg
Nicotinamide	50 mg	40 mg
Vitamine B_6	10 mg	4 mg
Pantothénate de calcium	25 mg	
Panthénol		6 mg
Biotine	0,15 mg	0,5 mg
Vitamine B_{12}	10 gammas	8 gammas

Vita-C (Chemedica) 0,5 gr d'acide ascorbique par comprimé. (A dissoudre dans de l'eau ou du thé.)

Rovigon (Roche) Vitamine A 30 000 U.I. (palmitate d'axérophtol). Vitamine E 70 mg (acétate de DL alpha tocophérol) par dragée.

Chez les cancéreux :

Dynaplex (Chemedica S.A. 1896, Vouvry – Suisse).
Na riboflavin-5-phos. 4 mg ; Pyridoxinum-HC1 4 mg ; Aneurinum-HC1 6 mg ; Na pantothenicum 6 mg ; Nicotinamidum 40 mg ; Calcium

bromatum 270 mg ; Methioninum 400 mg ; Na edeticum 430 mg ; Na Ca edeticum 500 mg ; Na ascorbicum 560 mg. Solvens ad 18 ml.
En injections intra-veineuses lentes, le plus souvent 2 fois par semaine pendant des mois. Peut être injecté tous les jours en phase aiguë. Augmente la tolérance aux irradiations et à la chimiothérapie.

Ch-Vital (Siegfried S.A. Représentant : Lardelli, pharmacien à Lausanne, Suisse).
Vitamine A 0,6 mg ; Vitamine K_3 10 mg ; Vitamine E 5 mg ; pantothénate de calcium 10 mg ; B_1 10 mg ; B_2 10 mg ; B_6 50 mg ; Vitamine D_2 0,05 mg ; lactate de calcium 50 mg ; hypophosphite de calcium 50 mg ; glycérophosphate de magnésium 50 mg ; extrait pancréatique 10 mg ; extrait de foie 90 mg ; oléinate d'arginine 25 mg (par dragée, en prendre 2 par jour).

Dans les cas de PCE et de Sclérose en plaques :
Ascodyne (Chemedica).
Na riboflavin-5-phos. 4 mg ; Pyridoxinum-HCl 4 mg ; Aneurinum-HCl 6 mg ; Na pantothenicum 6 mg ; Nicotinamidum 40 mg ; Calcium bromatum 270 mg ; Natrium edeticum 850 mg ; Natrium ascorbicum 560 mg ; Calcium glycerinophosphoricum 250 mg ; Magnesium glycerinophosphoricum 160 mg. Aq. bidest. ad 18 ml.

En injections intra-veineuses lentes, en principe 2 fois par semaine pendant des mois, jusqu'à stabilisation ou récupération.

Il nous est arrivé d'observer lors d'une série d'injections, soit de Dynaplex soit d'Ascodyne de brusques ascensions thermiques, survenant tout spécialement lors d'épidémies de grippe, lorsque divers membres de la famille du malade en étaient atteints. Ces poussées fébriles ne duraient que quelques heures et le malade restait épargné par la grippe. Tout se passe comme si ces injections intra-veineuses, survenant dans l'incubation d'une infection grippale, augmentaient la résistance du malade et l'obligeaient à une réaction de défense intense et de courte durée.

Parfois, avec une fréquence approximative de 5 %, tant l'Ascodyne que le Dynaplex sont mal tolérés. Nous les avons remplacés par un mélange extemporané de :
Calcibronat (Sandoz). Bromo-lactobionate de calcium 1,24 g dans 10 ml de solvant.
Redoxon (Roche) Vitamine C 0,5 g dans 5 ml de solvant (Laroscorbine en France).
Becozym (Roche) 2 ml (voir ci-dessus).
En cas de besoin de cortisone, j'ai de préférence eu recours à la *Monocortine — Dépôt* (Grünenthal). Acétate de paraméthasone 40 mg en solution microcristalline pour injections intra-musculaires. Agit 3 à 4 semaines.

Chez les rhumatisants :

Sodothiol (Grémy-Longuet). Thiosulfate de Sodium à 8 %, en ampoules de 10 ml. Peut être injecté en même temps que l'Ascodyne par voie intraveineuse.
Allochrysine Lumière (Lab. Sarbach). Aurothiopropanolsulfonate de sodium, titrant 30 % d'or métal. 0,025, 0,05, 0,1 g en injections intramusculaires, tous les 5-7 jours pendant 3 mois.

Chez nos malades correctement alimentés et recevant d'abondantes vitamines, nous n'avons jamais observé d'intolérance.

Nous avons également eu recours aux anti-inflammatoires divers, que le malade supprime dès qu'il va mieux : Acide acétylosalicylique, Indocid (Merck) = Indométhacine, Irgapyrine (Geigy) = Phénylbutazone, Brufen (Boots) = Ibuprofène, Arlef (Park et Davis) = Acide flufenamique, etc.

Pour supprimer rapidement la *carence vitaminique F*, spécialement dans les cas de sclérose en plaques très évolutive (soif intense, peau très sèche) nous avons employé le :

Chemedica 62. Axerophtol acetic. 1000 U. Aethyl isolinolic. 1,0 Extr. hepatis ol. solub. 0,2 Extr. pancreati 0,02 exc. q.s. ad 2 ml. En injections intra-musculaires profondes 2 fois par semaine pendant 5 semaines. Dans la suite, la vitamine F est fournie par les huiles pressées à froid. La préparation F 99 Grémy contenant 0,32 g de vitamine F par capsule, dont 2/3 de linoléate et 1/3 de linolénate d'éthyle, peut éventuellement rendre service.

Pour la normalisation du taux du *fer* sérique, lorsque celui-ci est inférieur à 60 gammas % et ne peut être corrigé par des médicaments pris par la bouche, ou que ceux-ci sont mal tolérés, nous avons eu recours au *Ferrum Hausmann* (Laboratoires Hausmann. Saint-Gall)
(dont 5 ml contiennent 100 mg de fer trivalent sous forme de saccharate ferrique) en injections strictement intra-veineuses, une à deux fois par semaine. Le taux du fer sérique est à contrôler tous les mois ou tous les deux mois, cela au moins une semaine après l'injection et chez les jeunes femmes à la veille des règles (norme 120 gammas %). Dans certains cas il n'est possible d'obtenir une normalisation que par une transfusion sanguine ou par une injection intercalaire d'une préparation contenant du Cuivre (Cuproxane Laboratoire Théranol). Le jaune d'œuf cru, débattu dans les aliments (1 à 2 par jour) améliore la résorption du fer alimentaire et normalise par là le fer sérique.

En cas d'insuffisance hépatique, de radiothérapie ou de chimiothé-

rapie massive et éprouvante, j'ai adjoint à l'injection intraveineuse de Dynaplex du
Ripason (Laboratoire Robopharm S.A. Bâle) dont un ml contient 0,026 g d'extrait de foie et du
Chophytol (Laboratoire Rosa. Phytopharma) dont 5 ml renferment 0,1 g d'extrait de Cynara scolymus.

J'ai également eu recours au :
Toxipan (Laboratoire Dausse, Paris) dont un comprimé apporte 0,5 g de la fraction antitoxique du foie.

Les polyarthritiques ont reçu du :
Rovigon (Laboratoire Roche) 1 à 2 dragées par jour,
Vitamine A 30 000 U.I. et Vitamine E 70 mg par dragée et du
Stérogyl 15 A (Laboratoire Roussel, Paris)
Vitamine D_2 cristallisée, dosée à 15 mg et présentée en solution alcoolique buvable, 1 à 2 par mois, en même temps que de l'
Ossopan (Laboratoire Robopharm Bâle) 2 dragées par jour, dont l'une fournit 0,2 g d'extrait d'os total.

Chez tous mes malades j'ai compensé l'hyperacidité métabolique et ramené la réaction urinaire à un pH de 7 à 7,5 soit en leur donnant de l'*Erbasit* W. (Stern Apotheke M. Welte 734 Geisslingen)
Acide silicique 5,5 g. Citrate de Manganèse bivalent 4,1 g. Citrate de fer trivalent 16,4 g. Citrate tripotassique 65,6 g. Citrate tricalcique 123 g. Citrate trimagnésique 37,3 g. Citrade de Sodium 742,6 g. Correctif 5,5 g. soit de la
Citrocholine (Laboratoire Thérica, Neuilly-Paris)
Citrate de choline 10 g. Citrate trisodique 5 g. Citrate de Magnésium 5 g. Excipient sucré effervescent ad 100 g.

Cette dernière préparation est beaucoup plus agréable à prendre, mais moins efficace que l'Erbasit.

J'ai enseigné aux patients le contrôle du pH urinaire à l'aide du papier réactif « Neutralit Merck » donnant les valeurs du pH comprises entre 5,5 et 9. Ils ont ainsi pu régler la dose d'Erbasit ou de Citrocholine nécessaire à l'obtention d'un pH urinaire compris entre 7 et 7,5 ce qui atténue les phénomènes douloureux.

Extraits bactériens et solutions employés
pour les tests intradermiques
chez les malades rhumatisants (PCE)

CCB	vaccin antibronchitique polyvalent de l'Institut Pasteur. Contient des Streptocoques A,D,G,K, des Neisseria catarrhalis et mucosa, des Pneumocoques (types 1 et 3).
Colitique	vaccin anticolibacillaire des Laboratoires P. Astier, Paris.
Annexine	vaccin mixte (gonococcique, streptococcique, staphylococcique, colitique) des Laboratoires Berna, Suisse.
Staphypan	vaccin antistaphylococcique des Laboratoires Berna, Suisse.
Tuberculine	Berna en solution à 1/1000 = D 3

Solution de Peptone (Witte) à 5 %.

Le but de ces tests n'est dans la règle pas de trouver un agent spécifique de la maladie, mais un allergène suffisamment actif, pour induire après injection sous-cutanée une défense immunitaire normale.

Si la réaction à la tuberculine D 3 est très intense, avant de commencer le vaccin, nous soumettons le malade à 3 mois d'antibiothérapie spécifique, ce qui souvent lui est très bénéfique (voir cas 67 et 69). Il faut cependant que le malade soit informé qu'au début de cette cure d'antibiotiques, il peut y avoir une recrudescence passagère des douleurs.

Annexe II

Quelques formules chimiques

Formules du glucose (deux isomères), de l'*amidon* et de la *cellulose* (concerne la page 56)

Deux stéréoisomères :

Glucose alpha : *Glucose béta :*

par rapport à la molécule, les groupes CH_2OH et OH sont

de côtés opposés du même côté

CH_2OH
C
O
H H H
C C
OH OH H OH
C C
H OH

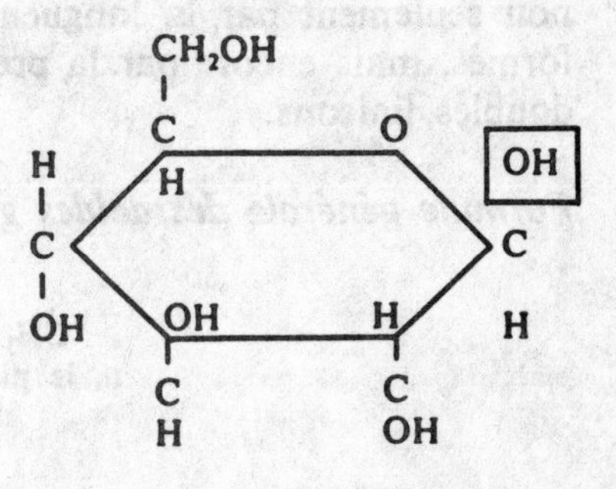

Amidon, fait de glucose alpha :

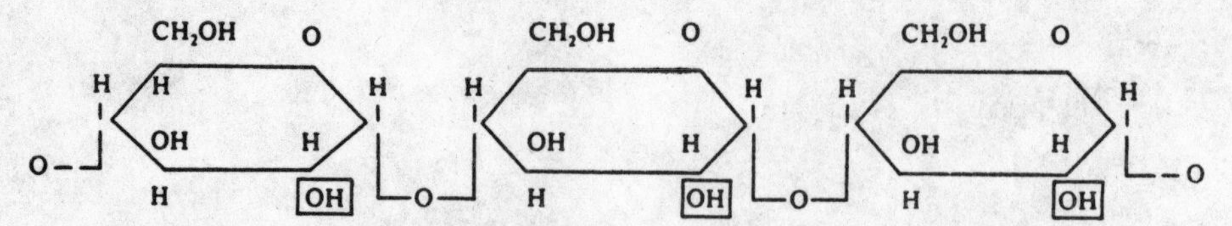

Cellulose, faite de glucose béta, dont chaque deuxième molécule a pivoté de 180° autour de l'axe longitudinal du complexe.

Formule générale des graisses (concerne la page 57)

Les graisses neutres animales sont des esters ou éthers-sels formés, comme les sels minéraux, d'une base, la glycérine, à laquelle sont liés 3 acides gras par molécule.

Graisse neutre :

glycérine	3 molécules d'eau	
H		
H – C – O	H – HO	$OC - R^1$
H – C – O	H – HO	$OC - R_2$
H – C – O	H – HO	$OC - R_3$
H		

L'acide gras R_1COOH se fixe à la base glycérine avec élimination d'une molécule d'eau. Il en est de même des acides gras R_2COOH et R_3COOH. R_1, R_2, R_3 peuvent être identiques ou différents.

Les acides gras naturels (R - COOH) se distinguent les uns des autres non seulement par la longueur de la chaîne de carbones dont ils sont formés, mais encore par la présence ou l'absence dans leur molécule de doubles liaisons.

Formule générale des acides gras saturés

$$CH_3\,(CH_2)_{n\ \text{fois}}\,COOH$$

n, le plus souvent = 16 à 20

Formule de l'acide butyrique, présent dans le beurre

$$CH_3 - CH_2 - CH_2 - COOH$$

(voir aussi Annexe II, p. 321)

Formule de la lécithine (concerne la page 58)

$$\begin{array}{l}
\quad H \\
\quad | \\
H - C - OOC - R_1 \\
\quad | \\
H - C - OOC - R_2 \\
\quad | \qquad\quad O \\
\qquad\qquad\quad \| \qquad\qquad\qquad\qquad\quad \diagup CH_3 \\
H - C - O - P - O - CH_2 - CH_2 - N \begin{array}{l} CH_3 \\ CH_3 \end{array} \\
\quad | \qquad\quad | \qquad\qquad\qquad\qquad\qquad\quad \diagdown OH \\
\quad H \qquad OH
\end{array}$$

glycérine — acide phosphorique — choline

Les lécithines sont des corps très importants contenant toujours au moins un acide gras insaturé, parfois deux. Il en existe une très grande variété.

Formule des protéines (concerne les pages 59 et 60)

Les protides, quelle que soit leur origine, sont composés d'acides aminés, ou amino-acides. La formule de ces derniers peut s'écrire ainsi :

radical amine basique — radical carboxyle acide

$$\begin{array}{l}
H_2N - CH - C\text{-}OH \\
\qquad\quad | \qquad \| \\
\qquad\quad R \qquad O
\end{array}$$

Dans cette formule, la lettre R représente un reste de molécule variable. Tous les acides aminés sont caractérisés par la présence d'un groupe COOH acide, appelé carboxyle et d'un groupe NH_2 basique. Cette propriété leur confère la faculté de se polymériser, c'est-à-dire de s'unir les uns aux autres en nombre pratiquement illimité, chaque groupe acide de l'un se liant au groupe basique de l'autre, avec perte d'une molécule d'eau. Il se forme ainsi des chaînes de molécules avec, d'une part, une « épine dorsale » formée de 2 carbones porteurs des groupes acides et basiques et, d'autre part, de chaînes latérales (R). L'ensemble peut atteindre des dimensions considérables.

Acides aminés

Le poids moléculaire de l'eau (H_2O) est de 18. Celui de l'acide aminé le plus simple, le glycocolle, est de 89.

glycocolle :

$$NH_2 - \underset{\underset{CH_3}{|}}{CH} - \underset{\underset{O}{\|}}{C} - OH$$

Formule générale des protéines

$$\overset{\overset{H}{|}}{N} - \underset{\underset{R_1}{|}}{CH} - \underset{\underset{O}{\|}}{C} \quad \underbrace{\boxed{\underset{\underset{H}{|}}{N} - \underset{\underset{R}{|}}{CH} - \underset{\underset{O}{\|}}{C}}}_{n \text{ fois}} \quad \ldots \quad \underset{\underset{H}{|}}{N} - \underset{\underset{R}{|}}{CH} - \underset{\underset{O}{\|}}{C} - OH \quad (n + 2)$$

Le poids moléculaire de l'albumine de l'œuf est 35 000. Il faut assembler 300 amino-acides dans un ordre précis pour la construire. Le poids moléculaire de l'albumine sérique est de 70 000, celui de la globuline 105 000.

Formules des acides gras polyinsaturés : vitamines F (concerne la page 99)

Tous les acides gras polyinsaturés sont formés d'une chaîne de carbones commençant par un groupe saturé CH_3, terminée par un groupe acide COOH et dont les carbones intermédiaires portent un ou deux atomes d'hydrogène. Les deux carbones voisins, qui ne sont liés qu'à un seul hydrogène, sont unis entre eux par une double valence.

Si l'on numérote les carbones de ces chaînes à partir du groupe CH_3, on voit que deux des doubles valences se placent dans toutes ces chaînes après les carbones 6 et 9. Pour les acides gras insaturés qui en ont davantage, elles sont situées soit après le carbone 3 (acide linolénique), soit après les carbones 12 et 15 (acide arachidonique). Il existe donc un certain rythme dans la construction de ces molécules.

Acides gras polyinsaturés

Carbones n°	*3*	*6*	*9*	*12*	*15*	
ACIDE LINOLÉNIQUE : 18 carbones, 3 doubles liaisons en C 3, 6 et 9						
$CH_3 - CH_2 -$	$- CH = CH - CH_2 -$	$CH = CH - CH_2 -$	$CH = CH -$			$CH_2 \times 7 - COOH$
ACIDE HOMOLINOLÉNIQUE : 20 carbones, 3 doubles liaisons en C 6, 9 et 12						
$CH_3 - CH_2 -$	$- CH_2 \times 3$	$- CH = CH - CH_2 -$	$CH = CH - CH_2 -$	$CH = CH -$		$CH_2 \times 6 - COOH$
ACIDE LINOLÉIQUE : 18 carbones, 2 doubles liaisons en C 6 et 9						
$CH_3 - CH_2 -$	$- CH_2 \times 3$	$- CH = CH - CH_2 -$	$CH = CH -$			$CH_2 \times 7 - COOH$
ACIDE ARACHIDONIQUE : 20 carbones, 4 doubles liaisons en C 6, 9, 12 et 15						
$CH_3 - CH_2 -$	$- CH_2 \times 3$	$- CH = CH - CH_2 -$	$CH = CH - CH_2 -$	$CH = CH - CH_2 -$	$CH = CH -$	$CH_2 \times 3 - COOH$

Formule de la choline (concerne la page 119)

$$HO - CH_2 - CH_2 - N \begin{matrix} \nearrow OH \\ \searrow (CH_3)^3 \end{matrix}$$

Formule de l'inositol (concerne la page 119)

La formule brute de l'inositol – $C_6H_{12}O_6$ – est identique à celle des sucres simples, mais ses atomes sont disposés différemment.

Formules comparées de l'acide para-aminobenzoïque et d'un sulfamidé (concerne la page 127)

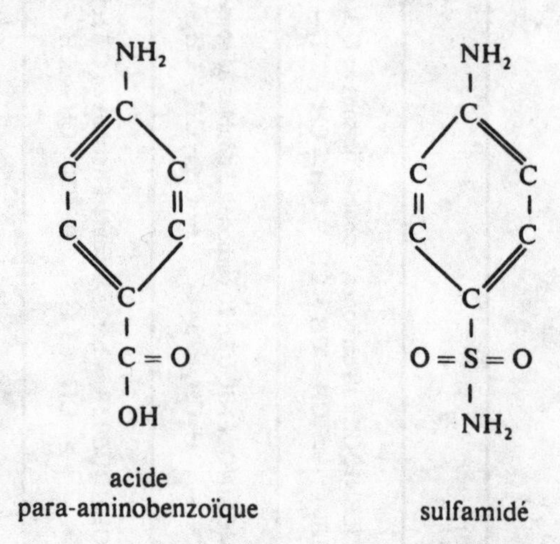

Formule de la vitamine C (concerne la page 121)

La vitamine C est un acide, dont la structure rappelle celle d'un sucre simple, tel le glucose, formé comme ce dernier de 6 atomes de carbone et d'oxygène, mais seulement de 6 ou 8 atomes d'hydrogène (au lieu des 12 du sucre) dont deux peuvent être cédés ou pris à d'autres corps. L'acide ascorbique est donc un transporteur d'hydrogène et participe par là à la respiration cellulaire.

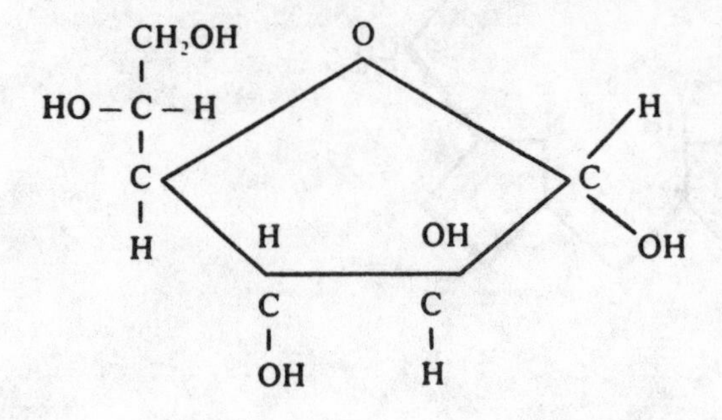

Glucose (forme furanose)
12 atomes d'hydrogène.

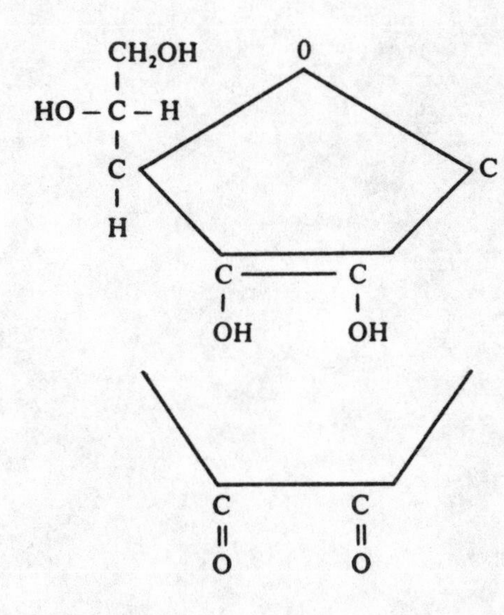

Acide ascorbique – forme réduite
8 atomes d'hydrogène
double valence entre 2 carbones.

Acide ascorbique – forme oxydée,
6 atomes d'hydrogène,
sans double valence
entre les carbones,
2 hydrogènes ont été cédés
à une autre substance.

Formule du noyau porphyrique (concerne les pages 115 et 133)

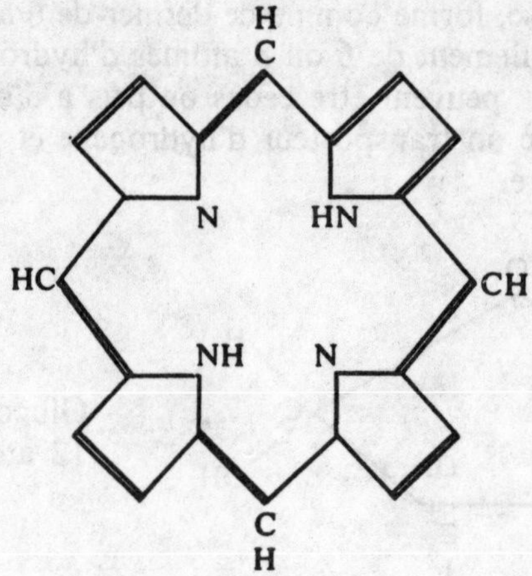

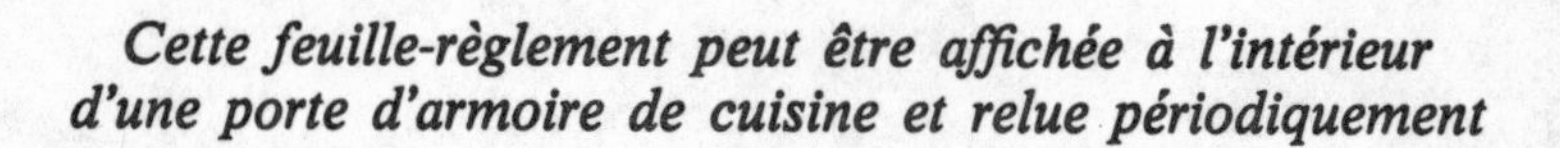

Cette feuille-règlement peut être affichée à l'intérieur d'une porte d'armoire de cuisine et relue périodiquement

RÈGLES À SUIVRE POUR CORRIGER FONDAMENTALEMENT NOTRE ALIMENTATION MODERNE

Elles portent :
1. sur la nature et la ration des corps gras;
2. sur les rations de sucre et de viandes qui doivent être réduites;
3. sur le retour aux céréales complètes.
Elles sont à suivre d'autant plus strictement que la santé est plus mauvaise.

Pas de graisses végétales hydrogénées.
Peu de graisses animales, beurre compris. A la longue, nous supportons mal 50 g de beurre par jour et davantage = beurre consommé tel quel + beurre du lait (= 40 g par litre) + beurre du fromage (= 40 g %). 10 à 30 g par jour sont tolérés. **Pas d'alcool. Peu de sucre** (préférer le sucre brun et le miel au sucre blanc raffiné). **Peu de sel** (préférer le sel marin). **Seuls corps gras indispensables** par 24 heures : 1 à 2 cuillerées à soupe, soit 6 cuillerées à thé d'huiles pressées à froid et achetées dans les magasins de produits diététiques (huile de tournesol, de lin, de germe de blé).

PETIT DÉJEUNER : Thé léger + crème Budwig, suivant la recette suivante : 2 cuillerées à café d'*huile de lin* (Biolin) + 4 cuillerées à café de fromage blanc maigre (type « taille fine »; en Suisse « seré » maigre); battre en crème avec une fourchette dans un bol ou dans un mixer, selon la ration désirée. Les bien-portants peuvent remplacer l'huile de lin par celle de tournesol. L'huile doit disparaître et l'émulsion obtenue doit être blanche. Ajouter le jus d'un demi-citron par ration, une banane bien mûre écrasée, ou du miel, une ou deux cuillerées à thé de *graines oléagineuses* fraîchement moulues dans un moulin à café électrique (au choix lin, tournesol, ou sésame, amandes, noix ou noisettes, etc.), 2 cuillerées à café (ou davantage) de *céréales complètes fraîchement moulues et crues* (au choix gruau d'avoine ou orge mondé, riz complet, sarrasin) et des fruits frais de saison.

Ce repas contient dans des aliments crus toute la gamme des vitamines indispensables. Si l'on prend les différents ingrédients séparément, l'effet est à peu près le même, si l'on n'omet rien. Il est ainsi possible de consommer l'émulsion d'huile dans le fromage blanc, tartinée sur du pain avec du Cenovis ou autre extrait de levure de bière, lors du repas de midi, les noix dans la salade, les céréales crues dans le potage, etc.

MIDI : Fruits et légumes crus, de préférence au début du repas. Légumes divers, cuits à la vapeur. Viandes et poissons maigres, foie, fromage peu gras. Consommer **QUOTIDIENNEMENT** des céréales complètes en potages ou sous forme de bouillies. Elles peuvent être employées entières ou concassées ou fraîchement moulues : blé (pil-pil), seigle, avoine, orge, millet, maïs, sarrasin, riz complet au choix. Les graines entières

doivent être trempées dans deux fois et demie leur volume d'eau, ou mieux, portées à l'ébullition le soir et abandonnées jusqu'au lendemain sur la plaque électrique chaude, le récipient étant recouvert d'un linge ; les graines absorbent l'eau, se ramollissent ; elles peuvent ensuite être cuites en 10 à 15 minutes et servies en bouillie. Il est également recommandé de hacher les graines ramollies dans une moulinette en leur ajoutant les goûts que l'on aime (cube ou aromate, herbettes ou un peu de fromage), puis de les rôtir rapidement sur une poêle. Il en résulte ce que l'on nomme « un bifteck de céréales » savoureux, à consommer avec de la salade ou une sauce de tomates, par exemple.

Les légumineuses sont des aliments (indispensables au végétalien) un peu indigestes, à consommer en quantité modérée avec des céréales et des légumes, deux fois par semaine par exemple (pois, haricots, fèves, lentilles, soja).

Faire périodiquement des cures de 4 semaines de blé ou de soja vert germés (2 cuillerées à café par personne, dans la salade).

La ration d'huile crue sera ajoutée aux salades, aux pommes de terre ou aux céréales, le mieux au dernier moment, dans l'assiette.

SOIR : Repas léger sans viandes, selon les mêmes principes. Si pas d'appétit le matin, réduire le repas du soir à un fruit, un yoghourt ou un potage aux céréales fraîchement moulues, par exemple.

Savoir que l'avoine, le blé, le seigle, la graine de lin, le pain complet, le miel, les figues, les pruneaux, les pommmes cuites, le jus d'orange et de raisin sont laxatifs (à éviter en cas de diarrhée). Que le riz, le pain rassis, les zwiebacks, les bananes, les pommes crues, les coings, les myrtilles et les carottes constipent.

Les choux, choux-fleurs, concombres, colraves, céleris, fenouils, endives, tomates, radis peuvent être consommés crus en salade. Les carottes râpées se marient heureusement aux pommes râpées. Les légumes à goût âpre ou amer seront mis dans la sauce de salade une heure à l'avance. Celle-ci est faite avec de l'huile, du citron ou du vinaigre de pommes, un peu d'eau si le légume est sec, du fromage blanc et les goûts désirés (moutarde, Gril, câpres, etc.). Les noix et amandes s'associent très bien aux salades.

Pour faire les *galettes de céréales* prendre de la farine fraîchement moulue de :
seigle, avoine, orge ou sarrasin : 1 part ;
blé (additionné éventuellement d'une petite quantité de farine fleur) : 1 part ;
éventuellement soja, ou lentilles : 1 part ;
sel marin et si l'on veut herbes aromatiques (cumin, anis, etc.) ou amandes et raisins secs.
Faire une pâte très liquide et cuire dans un four à gaufres électrique (analogue à un fer à bricelets) préalablement enduit d'huile.
Plus ces galettes sont fines et croquantes, meilleures elles sont :
Le *pain* fait à la maison avec de la farine fraîchement moulue est particulièrement savoureux.
Recette du pain : Ingrédients : 500 g de farine de blé fraîchement moulu. 50 g de levure de bière. Une cuillère à café de sel marin.
Délayer la levure dans une demi-tasse d'eau tiède ; ajouter un peu de farine, jusqu'à consistance de pâte épaisse. Laisser dans un endroit chaud (environ 30°, éventuellement au soleil) jusqu'à ce que la masse double de volume. Ce levain est mélangé avec les 500 g de farine, le sel et de l'eau, et pétri pendant vingt à trente minutes.
Abandonner la pâte couverte d'un linge dans un endroit chaud jusqu'à ce qu'elle double de volume. Repétrir pendant 10 minutes, mettre dans un moule à cake, recouvrir d'un linge et laisser la pâte lever encore pendant 30 minutes. Chauffer le four à l'avance à 250°, régler la température sur 175° au moment d'y introduire la pâte. Cuire trois quarts d'heure. En sortant le pain du four en badigeonner rapidement la surface avec un pinceau trempé dans l'eau froide, afin que la croûte ne devienne pas trop dure.

Table des matières

Deuxième Partie

Troisième Partie

Cette feuille-règlement peut être affichée à l'intérieur d'une porte d'armoire de cuisine et relue périodiquement.

Cet ouvrage a été reproduit
par procédé photomécanique
et réalisé par la
SOCIÉTÉ NOUVELLE FIRMIN-DIDOT
Mesnil-sur-l'Estrée
pour le compte de France Loisirs
en juillet 1990

Imprimé en France
Dépôt légal : juillet 1990
N° d'édition : 25140 – N° d'impression : 15310